Wie schreibt man auf Deutsch?

# 독일어 작문 연습 II

한국어-독일어 작문 사전 포함

Wie schreibt man auf Deutsch?

# 독일어 작문 연습 II

지은이 신형욱, Anneliese Stern-Ko

Deutschlernen durch schreiben

HU:iNE

# 서문

이 책은 '글을 쓰면서 배우는 독일어 학습 교재'인 〈독일어 작문 연습 I〉의 후속편이다. 읽고 듣는 이해 중심의 외국어 교육에서 벗어나, 말하고 쓸 수 있는 표현 중심의 외국어 교육을 위한 교재로, 단순한 반복 암기가 아니라 언어에 대하여 성찰하고 우리말과 독일어의 차이를 인식하면서 언어의 표현과 기능을 깊이 있게 익히는 방법을 추구하였다.

중급 학습자(B1–B2)를 위한 〈독일어 작문 연습 II〉도 12단원으로 구성되었으며, B1 수준의 문법과 어휘 수준에서 직접 글을 쓰면서 독일어 작문에 익숙해질 수 있도록 체계적인 짜임새를 갖췄다. 단원마다 'Modelltext'를 통하여 학습 목표를 제시하고, 그 속에 나오는 어휘와 문법을 'Bausteine für den Textaufbau'에서 다룬다. 이를 바탕으로 'Text zum Ergänzen' – 'Text zum Übersetzen' – 'Text zum Korrigieren' 등의 과제를 통해서 독일어 작문 능력을 단계적으로 기를 수 있게 하였다. '기술(beschreiben)', '서사(erzählen)', '보고(berichten)', '논증(argumentieren)' 등의 다양한 텍스트 유형을 바탕으로, 사진·도시·생활·미래 설계 등을 이야기하고, 이력서·문의 서한·요리법·신문 기사·조언 구하기 등의 주제에 관한 글을 써보게 하였다.

이 단계별 연습을 따라 하다 보면 학습과 활용은 물론, 독일어의 구조와 사용방식을 의식적으로 배우게 될 것이다. 우리말과 독일어의 대응 표현을 살펴볼 수 있도록 '한–독 작문 사전'을 수록하였으며, 스스로 자기 성취도를 평가할 수 있게 해답을 제공하였다. 물론 제시된 해답이 유일한 정답은 아니다. 생각을 글로 표현하는 데에는 개인적·문화적 관점에서 다양한 방법이 있을 수 있다. 따라서 독일어 중급학습자의 수준에서 가장 기본적이고 보편적인 제안을 하고자 하였다. 이 과정에서 한국외국어대학교에서 강의하는 국세라, 이정현, 정혜륜 박사가 유용한 제안으로 큰 도움을 주었다.

아무쪼록 독일어로 글을 써보고자 하는 사람에게 작은 길잡이가 되기를 바란다.

2021년 3월
신형욱

# Inhaltsverzeichnis

## 부록

Lektion

# 1

# Bildbeschreibung

## Modelltext

# Ein Foto von meiner Deutschlandreise!

Das ist ein Foto von meiner Deutschlandreise, die ich letztes Jahr gemacht habe. In den Semesterferien habe ich meinen Neffen Sunghyun und seine Frau Susi besucht. Sie wohnen schon seit dreizehn Jahren in Berlin. Wir sind durch ganz Deutschland gereist und auch in Köln gewesen, weil ich unbedingt einmal den Kölner Dom sehen wollte. Vor dem Kölner Dom haben wir natürlich ein Foto gemacht. Ich stehe links auf dem Foto. Neben mir steht Susi, die in Köln studiert hat. Daher kennt sie sich sehr gut in der Stadt aus. Der Mann rechts neben ihr ist mein Neffe. Er hat sich besonders über die Pause vor dem Kölner Dom gefreut, weil er die ganze Zeit fahren musste. Das Auto, das er gefahren hat, steht direkt hinter uns.

Im Hintergrund sieht man den Kölner Dom, der in der ganzen Welt berühmt ist. Man hat zwar schon 1248 begonnen, den Dom zu bauen. Fertig war er aber erst 1880. Damals war er mit 157,22m das höchste Gebäude der Welt. Wir sind die Treppe bis zur Spitze hochgestiegen. Ich habe die Stufen gezählt: Es waren genau 533. Einen Aufzug gab es leider nicht.

Sunghyun, der gerne Felsklettern macht, meinte: „Schade, dass man nicht auf die Turmspitze klettern darf.“ Wir haben alle gelacht.

## Wörter und Ausdrücke

| | |
|---|---|
| **letztes Jahr** | <4격 부사어> 지난해에 |
| **der Neffe <-n, -n>** | 조카 |
| **seit**<br>seit dreizehn Jahren | <3격 요구 전치사><br>13년 전부터 |
| **unbedingt** | 꼭, 반드시 |
| **der Dom <-(e)s, -e>** | 대성당 |
| **sich (in ...) auskennen**<br>Er kennt sich gut in Köln aus. | (...을) (속속들이) 잘 알다.<br>그는 쾰른을 속속들이 잘 안다. |
| **bauen** | 건설하다, 짓다 |
| **damals** | 그 당시에 |
| **die Spitze** | 꼭대기 |
| **die Stufe <-, -n>** | 계단의 단 |
| **der Turm <-(e)s, Türme>** | 탑, 성탑, 망루 |
| **hochsteigen <stieg ... hoch, ist ... hochgestiegen>** | 오르다 |
| **der Aufzug <-(e)s, -züge>** | 승강기 |
| **das Felsklettern** | 암벽 타기 |
| **klettern** | 기어오르다 |

## Bausteine für den Textaufbau

### 위치 표시 (Lagebezeichnungen)

| | | |
|---|---|---|
| oben links<br>위 왼쪽 | oben<br>위 | oben rechts<br>위 오른쪽 |
| links in der Mitte<br>가운데 왼쪽 | in der Mitte<br>가운데 | rechts in der Mitte<br>가운데 오른쪽 |
| unten links<br>아래 왼쪽 | unten<br>아래 | unten rechts<br>아래 오른쪽 |

hinten
뒤쪽

| | | | | |
|---|---|---|---|---|
| hinten ganz links<br>뒤쪽 맨 왼쪽 | hinten links<br>뒤쪽 왼쪽 | hinten in der Mitte<br>뒤쪽 가운데 | hinten rechts<br>뒤쪽 오른쪽 | hinten ganz rechts<br>뒤쪽 맨 오른쪽 |
| vorne ganz links<br>앞쪽 맨 왼쪽 | vorne links<br>앞쪽 왼쪽 | vorne in der Mitte<br>앞쪽 가운데 | vorne rechts<br>앞쪽 오른쪽 | vorne ganz rechts<br>앞쪽 맨 오른쪽 |

vorne
앞쪽

■ 계단 Treppe oder Stufe?

| die Treppe | die Stufe |
| --- | --- |
|  |  |
| die Treppe hinaufgehen | auf der zweiten Stufe stehen |

## A1. Ergänzen Sie.

Der Sohn meines Onkels bzw. meiner Tante ist *mein* Cousin.

1. Die Tochter meines Onkels bzw. meiner Tante ist ________ ________.

2. Der ________ meines Vaters bzw. meiner Mutter ist mein Onkel.

3. Der Sohn meines Bruders bzw. meiner ________ ist ________ ________.

4. Die Tochter meines ________ bzw. meiner Schwester ist ________ ________.

## A2. Ergänzen Sie.

*In der Mitte* stehen meine Großeltern.

1. ________ meinem Großvater sitzt mein Cousin, ________ ________ Großmutter steht meine Cousine Evi. Rechts ________ Oma steht meine große Cousine Gabi.

2. ________ links bin ich.

3. ________ mir, also ________ ganz ________, steht mein Vater.

4. ________ ________ ________ steht mein Onkel.

5. ________ meinem Großvater, also hinten links, steht meine Mutter.

6. ________ meiner Großmutter, also ________ ________, steht meine Tante.

## A3. Übersetzen Sie ins Deutsche.

1. 내 왼쪽에 있는 남자가 나의 삼촌이다.

→ 

2. 내 오른쪽에 있는 여자애가 내 조카이다.

→ 

3. 앞쪽 맨 왼쪽에 내가 앉아있다.

→ 

4. 내 뒤에 나의 사촌형이 서있다.

→ 

## 현재완료 조동사 *haben* oder *sein*?

### haben + 타동사·재귀동사의 과거분사

- Letztes Jahr habe ich eine Deutschlandreise gemacht.
- Ich habe das Foto letztes Jahr in Deutschland gemacht.
- In den Semesterferien habe ich meinen Onkel besucht.
- Vor dem Kölner Dom haben wir ein Foto gemacht.
- Susi hat in Köln studiert.
- Er hat sich über die Pause gefreut.
- Man hat zwar schon 1248 begonnen, den Dom zu bauen, aber...
- Ich habe die Stufen gezählt.
- Wir haben alle gelacht.

### sein + 이동·상태변화 자동사(sein, bleiben, werden 동사 포함)의 과거분사

- Wir sind durch Europa gereist.
- Wir sind morgens früh aufgestanden.
- Wir sind auch in Spanien gewesen.
- Wir sind für ein paar Tage nach Schweden geflogen.
- Wir sind die Treppe bis zur Spitze hochgestiegen. (die Treppe는 명사 4격 부사어로 사용됨. '계단을 통해서/밟으며'의 의미)
- Ich bin in Seoul aufgewachsen. (aufwachsen 성장하다)

## A4. *haben* oder *sein*

1. Auf der Deutschlandreise ______________ wir viele schöne Fotos gemacht.

2. Wir ______________ auch nach Nürnberg gefahren.

3. Dort ______________ wir das Albrecht-Dürer-Haus besichtigt.

4. Während der Reise ______________ wir fast jeden Tag sehr früh aufgestanden.

5. Wir ______________ wirklich sehr viel gesehen.

- besichtigen 관람하다
- während 〈2격 요구 전치사〉 ... 동안에

## ...이 보이다

### man sieht ... (du siehst .../Sie sehen ...도 가능)

- 뒤쪽으로(배경에) 쾰른 대성당이 보인다.
  Im Hintergrund sieht man den Kölner Dom.
- 그림의 배경에 큰 호수가 보인다.
  Auf dem Bild sieht man im Hintergrund einen großen See.
- 모퉁이를 돌아가면 그 교회가 보인다.
  Wenn man um die Ecke geht, sieht man die Kirche.

## 수식어의 위치

### 전치사구인 수식어가 앞의 명사를 수식하는 경우

- *그림 중앙에 있는* 소녀 das Mädchen *in der Mitte des Bildes*
- *선글라스를 쓰고 있는* 여자 die Frau *mit der Sonnenbrille*
- *모자를 쓰고 있는* 남자 der Mann *mit dem Hut*
- *내 아시아 여행* 사진 das Foto *von meiner Asienreise*

### 전치사구인 수식어가 앞의 부사를 수식하는 경우

- *그림의* 앞쪽 왼쪽에 vorne links *auf dem Bild*

### 대략적 위치 - 구체적 위치

- 맨 위쪽 그림 중앙에 ganz oben *in der Mitte des Bildes*
- 우리 뒤쪽 벽에 hinter uns *an der Wand*

**links, rechts** 등과 같이 장소를 나타내는 부사어나
**heute, gestern** 등과 같이 시간을 나타내는 부사어는 뒤에서 명사를 수식할 수 있다.

- 그녀의 오른쪽에 있는 (남자)

Der Mann rechts neben ihr ist natürlich mein Neffe.

## A5. Ergänzen Sie.

Das ist ein Foto _____ meiner letzten Sprachreise nach Deutschland. Die Frau vorne ___ ___ Mitte ___ ___ langen schwarzen Haaren bin ich. Die Frau direkt ____ ____ mir ____ der großen Sonnenbrille heißt Janette und kommt ____ Frankreich. Ganz ____ sitzt Ilka _____ Bosnien. Sie trägt immer einen großen Rucksack. Der Rucksack steht jetzt __________ ________ Beinen. Die Frau ______ ______ mir heißt Dana und kommt ____Russland. Sie sprach zwar sehr gut Deutsch, hat ____ im Unterricht nie viel gesagt. Vielleicht ____ sie sich gelangweilt. Die Frau ____ ____ auf dem Bild ____ Kopftuch und Mütze kommt _____ dem Iran und heißt Marian. _____ Hintergrund sieht _____ unsere Kursleiterin und ihre Assistentin. Sie stehen ____ ____ Gitter. __________ gibt es einen kleinen Fluss, grüne Wiesen und ein kleines Dorf. Das Dorf liegt _____ einem Hügel _____ einem Wald.

## A6. Übersetzen Sie ins Deutsche.

1. 이 사진에서 나는 맨 왼쪽에 서있다.

→ ______

2. 가운데 안경을 쓰고 있는 남자가 나의 독일 친구이다.

→ ______

3. 내 친구 오른쪽 옆에 모자를 쓰고 있는 여자가 그의 여자 친구이다.

→ ______

4. 뒤쪽으로 큰 교회가 보인다.

→ ______

## 독일어 관계절(I)

**관계대명사가 이끄는 종속절로 선행사를 수식하며, 관계절의 동사는 문장의 맨 뒤로 간다.**

**1.** 선행사의 성과 수에 따라 관계대명사의 기본 형태가 결정된다.

| 선행사의 성과 수 | 남성단수 | 여성단수 | 중성단수 | 복 수 |
|---|---|---|---|---|
| 관계대명사 기본형태 | **der** | **die** | **das** | **die** |

**2.** 관계절에서의 역할에 따라 관계대명사의 격이 결정된다.

| 선행사의 성과 수 | 남성단수 | 여성단수 | 중성단수 | 복 수 |
|---|---|---|---|---|
| 관계대명사 1격 | **der** | **die** | **das** | **die** |
| 관계대명사 4격 | **den** | **die** | **das** | **die** |

1) 관계대명사가 관계절의 주어일 경우: 관계대명사 1격

> 3년 전부터 서울에 사시는 ……

나의 아저씨: mein Onkel, der seit 3 Jahren in Seoul wohnt

— **선행사가 남성단수 명사이고, 관계대명사가 관계절의 주어이므로 남성1격 der**

나의 아주머니: meine Tante, die seit drei Jahren in Seoul wohnt

— **선행사가 여성단수 명사이고, 관계대명사가 관계절의 주어이므로 여성1격 die**

나의 아저씨와 아주머니: mein Onkel und meine Tante, die seit drei Jahren in Seoul wohnen

— **선행사가 복수 명사이고, 관계대명사가 관계절의 주어이므로 복수1격 die**

> 내 책상 위에 있는 ……

사진: das Foto, das auf meinem Schreibtisch steht

— **선행사가 중성단수 명사이고, 관계대명사가 관계절의 주어이므로 중성1격 das**

책들: die Bücher, die auf meinem Schreibtisch liegen

— **선행사가 복수 명사이고, 관계대명사가 관계절의 주어이므로 복수1격 die**

> 쾰른에서 대학을 다닌 ……

수지: Neben mir steht Susi, die in Köln studiert hat

> 전 세계에서 유명한

대성당: Im Hintergrund sieht man den Kölner Dom, der in der ganzen Welt berühmt ist.

> 암벽 등반을 좋아하는

성현이가 ...: Sunghyun, der gerne Felsklettern macht, meinte ...

2) 관계대명사가 관계절의 4격 목적어일 경우: 관계대명사 4격

> 내가 좋아하는

축구선수: der Fußballspieler, den ich mag

— **선행사가 남성단수 명사이고, 관계대명사가 관계절의 4격 목적어이므로 남성4격 den**

여자 가수: die Sängerin, die ich mag

— **선행사가 여성단수 명사이고, 관계대명사가 관계절의 4격 목적어이므로 여성4격 die**

노래: das Lied, das ich mag

— **선행사가 중성단수 명사이고, 관계대명사가 관계절의 4격 목적어이므로 중성4격 das**

친구들: die Freunde, die ich mag/gern habe

— **선행사가 복수 명사이고, 관계대명사가 관계절의 4격 목적어이므로 복수4격 die**

> 지난해 내가 한 독일 여행

Das ist ein Foto von meiner Deutschlandreise, die ich letztes Jahr gemacht habe.

— **선행사가 여성 단수이고, 관계대명사가 관계절의 4격 목적어이므로 여성 4격 die**

> 그가 운전한 자동차

Das Auto, das er gefahren hat, steht direkt hinter uns.

— **선행사가 중성 단수이고, 관계대명사가 관계절의 4격 목적어이므로 중성 4격 das**

## A7. Schreiben Sie um.

1. Meine Cousine heißt Hanna. Sie ist genau so alt wie ich. Sie ist gut in der Schule. Sie hört gerne Popmusik. Sie fährt gerne Skateboard. Ich finde sie sehr cool.

Das ist meine Cousine Hanna, die genau so alt ist wie ich,

die gut in der Schule ______,

die ______ Popmusik ______ und Skateboard ______

und die ______ ______ cool ______.

2. Ich habe einen Freund. Er hat blaue Augen und schwarze Haare. Er liest gerne Comics und hört Musik. Er geht gerne ins Kino und treibt viel Sport. Und ich kenne ihn seit dem Kindergarten.

Ich habe einen Freund, der ________________________________________,

der ________________________________________,

der ________________________________________,

und den ________________________________________

3. Das ist meine beste Freundin. Sie hat lange schwarze Haare. Sie kann gut tanzen. Sie lacht gerne. Und sie versteht mich gut. Ich treffe sie jeden Samstag.

Das ist meine beste Freundin, ______________________________,

______________________________,

______________________________,

______________________________,

und ______________________________

## A8. Übersetzen Sie ins Deutsche.

1. 이것은 내가 지난여름 독일여행에서 찍은 사진이다.

→ ______________________________

2. 지난여름 나는 독일에서 유학하고 있는 내 딸을 방문하였다.

→ ______________________________

3. 그녀는 내게 자기가 자주 방문하던 곳들을 보여주었다.

→ ______________________________

4. 나는 그녀가 자주 만나는 친구들을 알게 되었다.

→ ______________________________

## Text zum Ergänzen

### 위치 표시 (Lagebezeichnungen)

Das ist ein Foto ____ ______ ________,

die ich ____ ______ Sommer ______①

habe. Ich war in Deutschland, ____ an

_____ Seminar ____________②, aber

auch um alte Freunde wiederzusehen.

Nach dem einwöchigen Seminar _____ ich zuerst ______ ______ ____ Hannover _____③.

________ _____ ich nach Würzburg ________, _____ meine ehemalige Kommilitonin

Dana ____④ treffen. Sie ____ eigentlich ____ Kroatien, __________ jetzt aber ____⑤ der

Universität Würzburg. ____ _____ ______ Abend ___ Würzburg ___ sie ihre Freunde und

mich ____ Essen _______________⑥. Die Frau in der Mitte ____ ____ weißen Bluse und

____⑦ weißen Ohrringen ist Dana. Die Frau ____ ____ ____ ____, die ____ ______,

_______ Brille _______⑧, ist ihre Kollegin Maya, die mit Dana zusammen an einem

Projekt arbeitet. Der Mann _____ _____ Bart ganz _______ _____ _____⑨ Bild ist Danas

Freund Jochen. Ich kenne ihn eigentlich schon lange, ____ er ____ früher ein paar Jahre

in Korea Deutsch als Fremdsprache _____ ______ Universität ___________________⑩.

______ _____ _____ _____ Wand ______⑪ man ein Bild vom Namdaemun-Tor in Seoul.

Jochen ___ Dana ___ ___ Korea ____________ ⑫. Deshalb ist sie sehr neugierig auf Land und Leute geworden. Daher habe ich ihr vorgeschlagen, ___ ___ ____________ Frühling in Korea ___ ________________ ⑬.

## Tipps

① 지난여름 내가 했던 독일 여행

② 한 세미나에 참석하기 위하여

③ 하노버에 사시는 나의 선생님을 방문하였다

④ 그러고 나서 나의 옛 대학 동창을 만나기 위하여 뷔르츠부르크로 갔다

⑤ 원래는 크로아티아 출신인데, 지금은 뷔르츠부르크 대학에서 강의하고 있다

⑥ 뷔르츠부르크에 머물던 마지막 날 저녁에 나를 식사에 초대하였다

⑦ 흰 블라우스를 입고 흰 귀걸이를 한

⑧ 크고 검은 안경을 쓰고 있는, 그림 왼쪽에 있는

⑨ 그림 아주 오른쪽에 수염을 기른

⑩ 왜냐하면, 그가 한 대학에서 독일어를 가르쳤기 때문이다

⑪ 우리 뒤에 있는 벽에 ... 보인다

⑫ 한국에 관해서 많이 이야기했다

⑬ 내년 봄에 나를 방문하라고

## Wörter und Ausdrücke

| | |
|---|---|
| • **eine Deutschlandreise machen** | 독일 여행을 하다 |
| • **an einem Seminar teilnehmen** | 세미나에 참석하다 |
| • **einwöchig** | 1주일의 |
| • **zunächst ...**<br>• **danach ...** | 맨 먼저/우선 ....<br>그러고 나서/그다음에 .... |
| • **ehemalig-** | 예전의 |
| • **der Kommilitone, die Kommilitonin**<br>**(= der Studienkollege/die Studienkollegin)** | 대학 동창 |
| • **letzt-** | 마지막의 |
| • **der Ohrring <-s, -e>**<br>Ohrringe tragen | 귀걸이<br>귀걸이를 하다/걸다 |
| • **der Kollege, die Kollegin** | (직장) 동료 |
| • **der Bart <-(e)s, Bärte>** | 수염 |
| • **das Tor <-(e)s, -e>** | 대문 |
| • **neugierig**<br>auf Land und Leute neugierig sein | 호기심을 가진, 호기심이 가득 찬<br>국가와 사람들에 대해서 호기심을 가지다 |
| • **vorschlagen**<br>jm. vorschlagen, et. zu tun | 제안하다<br>누구에게 무엇을 하라고 제안하다 |

## Text zum Übersetzen

이것은 우리가 10년 전 노르웨이에서 보냈던 가족 휴가 때 찍은 사진이다. 나의 부모님, 남동생 동한 그리고 나는 처음으로 캠핑 휴가를 하였다. 배경에 우리가 3주 동안 노르웨이를 관통하여 타고 다닌 캠핑카가 보인다. 이 캠핑카가 사진에는 비록 크게 보이지만, 네 사람에게는 공간이 그렇게 넓지 않았다. 그래서 우리는 날씨가 좋아 밖에 앉아있을 수 있으면 항상 기뻤다. 사진에서 왼쪽에 있는 남자아이가 내 동생 동한인데, 여행 중에 줄곧 만화만 보았다. 사진에서 오른쪽에 있는 여자가 우리 엄마다. 엄마는 내가 방학 직후에 제출해야 하는 수학 숙제를 하는 것을 도와주셨다. 나는 아직도 노르웨이 여행을 즐겨 회상한다. 사람들이 매우 친절했고 날씨가 거의 항상 매우 좋았기 때문이다. 그곳은 또한 한국보다 훨씬 더 오랫동안 날이 밝았고 여름이 그렇게 덥거나 후텁지근하지 않았다.

## Aufgepasst!

1. 내 휴가 때 찍은 사진 | ein Foto von meinem Urlaub
   노르웨이 | Norwegen
   스칸디나비아 | Skandinavien
2. 배경에 무엇이 보인다 | im Hintergrund sieht man/siehst du/sehen Sie
3. 비록 ...지만, (그러나) | ... zwar ..., aber ...
4. 네 사람에게는 공간이 그리 넓지 않다 | es gibt nicht viel Platz für vier Personen.
   (1-12까지는 알파벳을 사용한다. 즉 für 4 Personen이라고 쓰지 않음)
5. 날씨가 좋아서 | bei schönem Wetter
6. '내 동생 동한인데, 여행 중에 줄곧 만화만 보았다'처럼 앞에 언급한 사람 또는 사물에 대해서 추가적 설명을 할 때 관계대명사를 사용할 수 있다. | mein jüngerer Bruder, der ...
7. 방학 직후에 | direkt nach den Ferien
8. 무엇을 제출하다 | et. abgeben
9. 누가 무엇을 하는 것을 도와주다 | jm. bei et. helfen
10. 아직도 | noch
11. 그곳은 오랫동안 날이 밝다 | es ist dort lange hell.
12. 후텁지근한 | schwül

## Text zum Korrigieren

Das ist ein ~~Kindfoto~~ Kinderfoto von mir, das schon zwölf Jahre alt ist. Ich war damals also 13 Jahr alt. Das Mädchen links auf den Bild, das eine Mütze trägt, ist ich. Neben mich steht mein jünger Bruder Sangwon, der zwei Jahre jung als ich ist. Ich und mein Bruder hat uns kurz davor gestritten. Deshalb er hat nicht gelächelt. Er war wohl immer noch böse auf mich. Ich habe mit zwei Finger hinter seinem Kopf oben das Victory-Zeichen gemacht, aber das hat noch einmal ihn geärgert. Er meinte nämlich, dass er auf den Foto als ein Hase aussieht.

Die Frau auf der Brille ist meine Mutter. Sie hat diese Reise nach Pompeji, das wir aus dem Film *Die letzten Tage von Pompeji* kannten, gebucht. Mein Vater kann man nicht sehen, weil er dies Foto gemacht hat.

Wir stehen mitten in den Ruinen. Hinter uns man sieht viele Touristen von verschiedenen Länder. In den Tag war das Wetter leider nicht so gut. Der Himmel war bedeckt. Aber ich dachte, dass das trübe Wetter irgendwie gut zu der Stimmung in die zerstörte Stadt passte.

## Wörter und Ausdrücke

| | |
|---|---|
| • **streiten <stritt, gestritten>** | 다투다, 싸우다 |
| • **böse**<br>auf jn. böse/ärgerlich sein | 화가 난 (= ärgerlich), 나쁜<br>누구에게 화가 나다 |
| • **der Finger** | 손가락 |
| • **das Victory-Zeichen machen** | 승리의 표시를 하다 |
| • **jn. ärgern** | 누구를 화나게 하다 |
| • **meinen** | (생각을) 말하다 |
| • **der Hase** | 토끼 |
| • **buchen** | 예약하다 |
| • **mitten** | 가운데 |
| • **der Tourist <-en, -en>** | 관광객 |
| • **trüb** | 흐린 |
| • **irgendwie** | 어쩐지 |
| • **zerstören** | 파괴하다 |

## Ihr Text

**Beschreiben Sie Ihr Lieblingsfoto!**

〈Ihr Foto〉

MEMO

Lektion

# 2

# Stadtbeschreibung

## Modelltext

# Meine Heimatstadt

Heute möchte ich dir meine Heimatstadt vorstellen. Ich bin in Seoul geboren und aufgewachsen. Ich bin also ein „echter Seouler“. Seoul, das in der Mitte der koreanischen Halbinsel liegt, ist die Hauptstadt Südkoreas. Seoul hat über 10 Millionen Einwohner. Es ist die größte Stadt in Korea und eine der größten Städte auf der ganzen Welt. Um Seoul herum gibt es noch einige Satellitenstädte wie Ilsan oder Bundang, in denen noch einmal mehrere Millionen Menschen leben. So viele Millionen Menschen und so wenig Platz! Deshalb gibt es überall riesige Hochhäuser mit Apartments. Viele davon sind heute über 30 Stockwerke hoch.

Seoul ist eine 600 Jahre alte Stadt, in der Altes und Neues, Traditionelles und Modernes, Vergangenheit und Gegenwart, nebeneinander existieren: Moderne Gebäude neben traditionellen koreanischen Häusern, große, elegante Kaufhäuser neben traditionellen Märkten wie dem Dongdaemun-Markt oder dem Namdaemun-Markt. Seoul ist berühmt für seine alten Königspaläste wie den Gyeongbokgung-Palast und den Deogsugung-Palast, für seine zahlreichen Museen und Theater, für Sehenswürdigkeiten wie das Volkskundedorf am Namsan-Berg und auch für seine gute Küche.

Der breite Han-Fluss, der mitten durch die Stadt fließt, macht Seoul besonders attraktiv. In Seoul gibt es auch viele Berge, in denen man gut wandern kann.

Das Leben in Seoul ist manchmal etwas hektisch, weil es so viele Menschen gibt. Aber in Seoul ist immer etwas Interessantes los. Deshalb mag ich Seoul.

## Wörter und Ausdrücke

| | |
|---|---|
| • **die Heimatstadt <-, -städte>** | 고향(시) |
| • **jm. et. vorstellen** | 누구에게 무엇을 소개하다 |
| • **aufwachsen <wächst ... auf, wuchs ... auf, ist ... aufgewachsen>** | 성장하다 |
| • **echt**<br>ein echter Seouler | 진짜의<br>서울 토박이 |
| • **die Halbinsel <-, -n>**<br>die koreanische Halbinsel | 반도<br>한반도 |
| • **der Einwohner <-s, ->** | 주민 |
| • **um ... herum** | <4격> ... 둘레에 |
| • **die Satellitenstadt**<br>der Satellit <-en, -en> | 위성도시<br>위성 |
| • **die Million <-, -en; 약자: Mill., Mio.>** | <수> 백만 |
| • **riesig** | 매우 큰, 거대한 |
| • **das Hochhaus <-es, -häuser>** | 고층 건물 |
| • **das Stockwerk <-(e)s, -e>** | (건물의) 층 |
| • **modern** | 현대적인 |
| • **die Vergangenheit** | <-, 항상 단수> 과거 |
| • **die Gegenwart** | <-, 항상 단수> 현재 |
| • **der Markt <-(e)s, Märkte>** | 시장 |
| • **der Königspalast <-(e)s, -paläste>** | 왕궁, 궁궐 |
| • **zahlreich** | 수많은, 무수한 |
| • **die Sehenswürdigkeit <-, -en>** | 볼거리, 관광명소 |
| • **das Volkskundedorf <-(e)s, -dörfer>** | 민속촌 |
| • **die Küche <-, -n>** | 부엌, <항상 단수> 음식, 먹거리, 요리 |
| • **attraktiv** | 매력적인 |
| • **hektisch** | 분주한, 성급한 |
| • **los sein → et. ist los** | 어떤 일이 일어나다 |

## Bausteine für den Textaufbau

### Was ist wichtig für eine Stadtbeschreibung?

» **Wie heißt die Stadt?**

Die Stadt heißt ...

» **Wo liegt die Stadt?**

Die Stadt liegt im Süden/Norden/Osten/Westen/in der Mitte (Deutschlands/von Deutschland)

» **Wie alt ist sie?**

Sie ist ... Jahre alt.

» **Wie viele Einwohner hat sie?**

Sie hat ... Einwohner.

» **Die wievieltgrößte Stadt ist sie?** (몇 번째로 큰 도시)

Sie ist die größte/zweitgrößte/... Stadt.

» **Welche Charakteristik hat sie?**

Sie ist die Hauptstadt/eine Messestadt/eine Kulturstadt ...

» **Wofür ist sie berühmt?**

Sie ist berühmt für ihre Museen/ihre schöne Altstadt...

» **Welche Sehenswürdigkeiten gibt es?**

Es gibt viele Sehenswürdigkeiten wie ...

» **Was macht die Stadt besonders attraktiv?**

Die vielen Galerien/Die vielen kleinen Gassen/... machen die Stadt besonders attraktiv.

» **Wie ist das Leben dort?**

Das Leben dort ist interessant/langweilig/hektisch/stressig(스트레스를 받는)/anstrengend(힘든)/angenehm(편안한)/ruhig(편안한)/bequem(쾌적한) ...

## 고향

### 'Heimat' oder 'Heimatstadt/-dorf'?

- Seoul ist meine Heimatstadt. (태어난 곳)
  서울은 내 고향이다.
- Ich komme aus Deutschland. Seit zehn Jahren wohne ich in Seoul. Seoul ist zu meiner zweiten Heimat geworden. (정이 든 곳)
  서울은 내게 제2의 고향이 되었다.

## 도시

### die Stadt

- 대도시 die Großstadt
- 중소도시 eine mittelgroße Stadt
- 백만 도시 die Millionenstadt
- 지방(시골) 도시 die Provinzstadt
- 대학/교육도시 die Universitätsstadt
- 문화도시 die Kulturstadt
- 소도시 die Kleinstadt
- 위성도시 die Satellitenstadt
- 수도 die Hauptstadt
- 항구도시 die Hafenstadt
- 산업도시 die Industriestadt
- 박람회(가 열리는) 도시 die Messestadt

## A1. Ergänzen Sie.

1. Eine Stadt mit einer berühmten Universität ist eine ______________________.

2. Eine Stadt in der Provinz ist eine ______________________.

3. Eine Stadt mit einem Hafen ist eine ______________________.

4. Eine Stadt mit viel Industrie ist eine ______________________.

5. Eine Stadt mit über 1.000.000 (eine Mio.) Einwohnern ist eine ______________________.

6. Eine Stadt, in der sich die Regierung befindet, ist eine ______________________.

7. Eine kleine Stadt in der Nähe einer großen Stadt ist eine ______________________.

8. Eine Stadt mit vielen Museen und Theatern ist eine ______________________.

9. Eine Stadt, in der viele Messen stattfinden, ist eine ______________________.

## 가장 큰 도시 중 하나

**eine der größten Städte**

- Seoul ist eine der größten Städte auf der ganzen Welt.
  (die Stadt를 말하기 때문에 eine가 됨)

- 가장 유명한 작가 중 한 사람
  Goethe ist einer der berühmtesten Schriftsteller auf der Welt.
  (der Schriftsteller(작가)를 말하기 때문에 einer가 됨)

- 가장 훌륭한 사전 중 하나
  Das ist eins der besten Wörterbücher für Deutsch als Fremdsprache.
  (das Wörterbuch을 말하기 때문에 eins가 됨)

- 두 번째로 큰 도시
  die **zweit**größte Stadt

- 세 번째로 오래된 대학
  die **dritt**älteste Universität

## ...이 넘는

**über .../mehr als ...**

- 천만 명이 넘는 Seoul hat über zehn Millionen Einwohner.
  Seoul hat mehr als zehn Millionen Einwohner.

- 10년이 넘는 Ich wohne schon über zehn Jahre in Seoul.
  Ich wohne schon mehr als zehn Jahre in Seoul.
  Wir kennen uns schon über zehn Jahre.
  Wir kennen uns mehr als zehn Jahre.

## A2. Ergänzen Sie die Sätze.

1. Immanuel Kant ist _______ _______ größten Philosophen.

2. Real Madrid ist _______ _______ besten Fußballmannschaften der Welt.

3. Ich kenne Peter schon seit drei Jahren. Petra kenne ich sogar noch länger, und zwar schon _______ fünf Jahre.

• und zwar 구체적으로 말해서

## A3. Übersetzen Sie ins Deutsche.

1. 베니스(Venedig)는 세계에서 가장 아름다운 도시 중의 하나이다.

→ ______________________________

2. 인천은 한국에서 3번째로 큰 도시이다.

→ ______________________________

3. 이 도시에는 100만이 넘는 주민이 살고 있다.

→ ______________________________

4. 바이마르는 독일의 동쪽에 있다.

→ ______________________________

5. 서울은 한반도의 중앙에 놓여있다.

→ ______________________________

## ...와/과 같은

**wie ...**

- einige Satellitenstädte wie Ilsan und Bundang
- Sehenswürdigkeiten wie das Volkskundedorf am Namsan–Berg
- das Volkskundedorf 민속촌

> **wie**로 서로 연관되는 말은 같은 격을 취함(동격).

neben traditionell**en** Märkt**en** (3격) wie **dem** Dongdaemun-Markt (3격)

berühmt für sein**e** alt**en** Königspaläste (4격) wie **den** Gyeongbokgung-Palast (4격)

## 독일어 관계절(II)

### 관계절에서 전치사의 목적어인 경우

• Um Seoul gibt es einige Satellitenstädte. In diesen Städten leben noch einmal mehrere Millionen Menschen.
(noch einmal '서울의 경우와 마찬가지로 또'의 의미를 가짐)

→ **Um Seoul gibt es einige Satellitenstädte, in denen noch einmal mehrere Millionen Menschen leben.**
(선행사가 복수명사이고(→ die), 관계대명사는 전치사 in의 3격 목적어이므로 denen)

• Seoul ist eine 600 Jahre alte Stadt. In der Stadt existieren Vergangenheit und Gegenwart nebeneinander.

→ **Seoul ist eine 600 Jahre alte Stadt, in der Vergangenheit und Gegenwart nebeneinander existieren.**
(선행사가 여성명사이고(→ die), 관계절 속에서 전치사 in의 3격 목적어이므로 der)

• In Seoul gibt es viele Berge. In den Bergen kann man gut wandern.

→ **In Seoul gibt es viele Berge, in denen man gut wandern kann.**
(선행사가 복수명사이고(die), 관계절 속에서 전치사 in의 3격 목적어이므로 denen)

• Dort ist das Studentenwohnheim. In dem Studentenwohnheim habe ich meine Frau kennengelernt.

→ **Dort ist das Studentenwohnheim, in dem ich meine Frau kennengelernt habe.**
(선행사가 중성명사이고(→ das), 관계절 속에서 전치사 in의 3격 목적어이므로 dem)

## A4. Ergänzen Sie den Text.

Seoul ist eine große Stadt, _____ _____ über zehn Millionen Menschen leben. Der Han-Fluss, _______ mitten durch die Stadt fließt, macht Seoul besonders attraktiv. Auf dem Fluss gibt es Schiffe, ______ ______ man von Yeouido bis Jamsil fahren kann. Am Fluss gibt es viele Parks, _____ ______ man spazieren gehen, Sport treiben und sich ausruhen kann. In Seoul gibt es auch viele Berge, _____ ______ man gut wandern kann. In Seoul gibt es noch traditionelle Märkte, _____ ______ man gut einkaufen kann. Eine berühmte Sehenswürdigkeit in Seoul ist z.B. der Gyeongbokgung-Palast, ______ mitten in Seoul liegt. Der Palast, _______ _______ früher der König wohnte, ist schon 600 Jahre alt.

- das Schiff <-(e)s, -e> 배
- sich ausruhen 휴식을 취하다

## A5. Übersetzen Sie ins Deutsche.

1. 서울은 전통적인 것과 현대적인 것이 공존하는 도시이다.

→ ______________________________

2. 이것은 내가 학교에 타고 가는 자전거이다.

→ ______________________________

3. 이 도시에는 산책하기에 좋은 공원이 많이 있다.

→ ______________________________

4. 나는 서울이나 베를린과 같은 대도시에서는 살고 싶지 않다.

→ ______________________________

## 형용사의 명사화 (Nominalisierung)

- 옛 것과 새 것 Altes und Neues
- 전통적인 것과 현대적인 것 Traditionelles und Modernes

alt → Altes, neu → Neues 추상적인 것을 나타낼 때 1·4격에서 특정관사 강변화 어미-es의 어미가 첨가됨

- 재미있고 아름다운 많은 것 viel Interessantes und Schönes

viel, etwas 다음에서는 1·4격에서 특정관사 강변화 어미-es의 어미가 첨가됨

- (뭔가) 맛있는 것 etwas Leckeres
- (뭔가) 이국적인 것 etwas Exotisches
- (뭔가) 웃기고 재미있는 것 etwas Interessantes und Lustiges

- 모든 좋은 것 alles Gute

alles에는 특정관사 어미 -es가 포함되어 있기 때문에 1·4격에서 형용사 어미 약변화 형태 -e가 옴

- 남자 노인 der Alte – den Alten
- 미인 die Schöne – die Schönen
- 최상의 것 das Beste – das Beste
- 부유한 사람들 die Reichen – die Reichen
- 가난한 사람들 die Armen – die Armen

특정관사 다음에는 모두 약변화: 남성 1격 -e, 남성 4격 -en, 여성 1·4격 -e, 중성 1·4격 das -e, 복수 1·4격 die –en

## A6. Ergänzen Sie die Sätze.

1. Kann man in Seoul etwas ________________ (besonder-) sehen?

2. In Seoul kann man ________________ (alt) und ________________ (neu), ________________ (traditionell) und ________________ (modern) sehen.

3. In diesem Restaurant kann man etwas ________________ (lecker) essen.

4. Auf der Reise habe ich viel ________________ (schön) gesehen.

5. Soll ich dir etwas ________________ (interessant) zeigen?

6. Ich habe dir etwas ________________ (wichtig) zu sagen.

## ...이 ...로 (인해서) 유명하다

**... ist berühmt für ...**

- Frankfurt ist in ganz Europa berühmt für seine Buchmesse.

die Buchmesse 도서 박람회
die Messe <-, -n> 박람회

### > ...로 (인해서) 세계적으로 유명하다

weltberühmt für ...

- Paris ist weltberühmt für den Eiffelturm und seine Museen.

der Eiffelturm 에펠탑
der Turm <-(e)s, Türme> 탑

### > ...로 (인해서) 잘 알려져 있다

bekannt für ...

- Hannover ist bekannt für die Cebit, eine große Messe für Informationstechnik.

die Informationstechnik 정보 (관련) 기술
die Technik<-, -en> 기술

### > ...로 (인해서) 인기가 있다

beliebt für ...

- Konstanz ist bei Touristen beliebt für seine historische Altstadt.

historisch 역사의, 역사가 깊은
die Altstadt <-, -städte> 구 도시, 구 도심, 구 시가지

## A7. Ergänzen Sie die Sätze.

1. Jeonju ______ bekannt ______ seine gute Küche.

2. Busan ______ international bekannt ______ sein Filmfestival.

3. Gyeongju ______ berühmt ______ seine Königsgräber.

4. München ______ weltweit bekannt ______ sein Oktoberfest.

- das Königsgrab 왕릉
- das Grab <-(e)s, Gräber> 무덤
- weltweit 전 세계에

## A8. Ergänzen Sie den Text.

1. ________ ist eine Messestadt. Es liegt im Süden Deutschlands. Es hat 1,54 Millionen Einwohner und ist die drittgrößte Stadt Deutschlands. Es ist berühmt für sein Bier, das Oktoberfest und das Deutsche Museum.

- drittgrößt- 세 번째로 큰;
  die drittgrößte Stadt Deutschlands
  = Deutschlands drittgrößte Stadt

2. ____ ist eine Industriestadt. Es liegt im Osten Koreas. Es hat 1,17 Millionen Einwohner und ist die achtgrößte Stadt Koreas. Es ist berühmt für seine Industrie und für den Bau von Schiffen.

## A9. Übersetzen Sie ins Deutsche.

1. 함부르크는 항구와 어시장으로 유명하다. (der Hafen, der Fischmarkt)

→ ____________________

2. 뮌헨은 맥주와 옥토버페스트로 유명하다.

→ ____________________

3. 독일은 메르체데스 벤츠나 BMW와 같은 자동차로 유명하다.

→ ____________________

## 무엇이 ... 무엇을/누구를 ...하게 하다

**et. macht et./jn. ...**

» Was macht Seoul besonders attraktiv?

Die vielen Paläste machen Seoul besonders attraktiv.
고궁이 많아서 서울은 특히 매력적이다.

- Der Rhein macht Köln besonders sehenswert.
  sehenswert 볼만한, -wert ...할 가치가 있는
- Die vielen Musikveranstaltungen machen Wien äußerst besuchenswert.
  besuchenswert 방문할 가치가 있는, 방문할만한
- Dein Geschenk hat mich sehr glücklich gemacht.
  너의 선물을 받고 나는 매우 기뻤다
- Die lange Fahrt macht mich müde.
  긴 여행으로 나는 피곤하다
- Die Hektik in der Großstadt macht mich müde.
  대도시의 부산함으로 나는 피곤하다
- Der Regen macht mich fertig.
  jn. fertig machen 누구를 지치게 하다
- Der Stress macht mich ganz krank.
  스트레스로 나는 아주 병이 든다

## A10. Ergänzen Sie die Sätze.

1. Die Nähe zum Flughafen ____________ Investitionen in Incheon besonders attraktiv.

2. Seine harte Kritik ____________ mich wütend ________________

3. Sein Anruf ____________ mich sehr glücklich ________________

   (그의 전화를 받고 나는 매우 행복해졌다.)

- die Investition 투자
- in et. investieren 무엇에 투자하다
- die Kritik 비판
- jn./et. kritisieren 누구/무엇을 비판하다
- wütend 몹시 화난

## A11. Übersetzen Sie ins Deutsche.

1. 무엇이 당신의 직업을 매력적으로 만듭니까?

→ ________________________________

2. 그의 행동이 나를 화나게 했다. (das Verhalten 행동)

→ ________________________________

3. 맥주는 항상 나를 피곤하게 한다.

→ ________________________________

4. 무엇이 너를 병들게 했니?

→ ________________________________

- das Verhalten 행동

## Text zum Ergänzen

Heute möchte ich dir meine Heimatstadt vorstellen. Ich ____ in München ________ und ________ ①. Ich bin also eine 'echte Münchenerin'. München, das ____ ________ ____________ ② liegt, ist die Hauptstadt von Bayern.

München hat knapp 1,5 Millionen Einwohner und ist ____ ________ ________ ______________ ③.

München ist schon ________ 800 ________ _____ ④. Es ist eine Kulturstadt und eine Messestadt, ____ ____ jedes Jahr viele Messen und Ausstellungen ________ ⑤. Es ____ ____________ ____ ________ vielen ____________ ____ ⑥ die Residenz, den Marienplatz, das alte Rathaus und das Deutsche Museum. Es ist aber auch ________ ____ ________ schönen ________ ⑦ wie den Englischen Garten, ____ ____ man ________ ⑧ gut erholen kann.

________ ____ 'München' hört, denkt man natürlich auch ____ das gute Münchener Bier, ____ die Münchener Weißwurst und ____ ⑨ das Hofbräuhaus. Das Hofbräuhaus ist ____ der ________ ⑩ Welt bekannt. Weltberühmt ist auch das Oktoberfest, ____ ________ Jahr ____ September ____ der Theresienwiese ____________ ⑪. Das Oktoberfest, ____ ____ auch "das größte Volksfest der Welt" ________ ⑫, fand im Jahr 2019 schon zum 185sten Mal statt.

Ich lebe gern in München, weil es eine schöne alte Stadt ist, _____ ________ immer _____ ____________ ⑬ los ist. Das Leben in München ist nie langweilig, aber auch nicht zu stressig.

**Tipps**

① 뮌헨에서 태어나서 성장했다.

② 독일 남부에 있는

③ 독일에서 세 번째로 큰 도시

④ 뮌헨은 800년 넘는 역사가 있다.

⑤ 뮌헨은 매년 많은 박람회와 전시회가 개최되는 도시이다.

⑥ 뮌헨은 그곳에 있는 많은 관광명소로 유명하다.

⑦ 뮌헨은 그곳에 있는 아름다운 공원으로도 유명하다.

⑧ 영국공원(der Englische Garten)에서는 휴식을 잘 취할 수 있다.

⑨ '뮌헨'이라는 말을 들으면 맥주, 소시지, 호프브로이하우스 등이 떠오른다.

⑩ 전 (세계에)

⑪ 매년 테레지언 초원(die Theresienwiese)에서 10월 축제(das Oktoberfest)가 열린다.

⑫ Oktoberfest는 세계 최대 민속축제로 불린다.

⑬ 뮌헨에는 항상 뭔가 재미있는 일이 생긴다.

# Wörter und Ausdrücke

| | |
|---|---|
| • **jm. et./jn. vorstellen** | 누구에게 무엇을/누구를 소개하다. |
| • **Ich bin in ... geboren.** | 나는 ...에서 태어났다. |
| • **aufwachsen (ist ... aufgewachsen)** | 성장하다 |
| • **München**<br>der Münch(e)ner<br>die Münch(e)nerin<br>das Münch(e)ner Bier<br>die Münch(e)ner Weißwurst | 뮌헨<br>(남자) 뮌헨사람<br>뮌헨 여자<br>뮌헨 맥주<br>(도시 이름에 -er가 붙어서 명사를 수식하는 경우이며, 성·수·격에 따른 어미변화는 없음.) |
| • **knapp** | (조금 못 미치는) 약 |
| • **die Ausstellung** | 전시회 |
| • **stattfinden (fand ... statt, hat ... stattgefunden)** | 개최되다 |
| • **die Residenz** | (성주, 왕 등이 사는) 대저택, 공관 |
| • **sich erholen** | 휴식을 취하다, 회복하다 |
| • **zum ... Mal**<br>zum ersten Mal<br>zum letzten Mal<br>zum 185sten Mal | ...번째로<br>처음으로<br>마지막으로<br>(숫자 + -st + 3격 어미) 185번째로 |
| • **los**<br>In diesem Dorf ist nichts los.<br>Was ist los? | (무슨 일이) 발생한<br>이 마을에는 별다른 일이 없다.<br>무슨 일이지? |
| • **stressig** | 스트레스를 주는 |

## Text zum Übersetzen

오늘은 네게 내 고향을 소개하고 싶다. 나는 서울에서 태어나서 성장했다. 그러니까 나는 토박이 서울여자다. 서울은 한국의 수도이며, 이 나라의 북서쪽에 놓여있다. 서울에는 천만 명이 넘는 주민이 있다. 서울은 한국에서 가장 큰 도시이며, 전 세계에서 가장 큰 도시 중의 하나이다. 서울은 이미 600년이 넘는 역사를 가진 문화도시이다. 서울은 왕궁이나 전통적인 (재래) 시장과 같은 많은 관광명소로 유명하다. 이 도시는 또한 훌륭한 음식과 아름다운 경치로도 잘 알려져 있다. 서울의 중앙을 관통하여 흐르는 한강(가)에서는 운동할 수 있고, 휴식도 잘 취할 수 있다. 서울에는 산행을 즐길 수 있는 산도 많이 있다.

서울 생활은 이따금 스트레스를 받게 한다. 왜냐하면 이곳에 사람들이 아주 많이 살고 있기 때문이다. 그러나 절대로 따분하지는 않다. 왜냐하면 서울에는 항상 뭔가 흥미로운 일이 있기 때문이다.

## Aufgepasst!

1. 누구에게 무엇을 소개하다 | jm. et. vorstellen
2. 생존 인물의 탄생을 의미할 때는 반드시 현재완료형을 사용한다. | Mein Bruder ist in Deutschland geboren.
3. 그러니까 | ... also ....; '토박이/순수'의 의미는 'echt'로 표현할 수 있다. 여성일 경우에는 'eine Seoulerin'이 된다.
4. 서울의 수도 | die Hauptstadt Koreas. 고유명사가 '-s'와 함께 수식하는 말의 뒤에 온다.
5. 이 나라의 북서쪽에 | im Nordwesten des Landes
6. 한국어에서는 무생물을 소유의 주체로 사용하지 않지만, 독일어에서는 무생물 주어가 소유의 주체가 되는 경우가 많다. 따라서 '서울에는 ...있다' 대신에 '서울은 ... 가지고 있다'라는 식으로 표현하는 것이 문맥상 더 자연스러울 수 있다.
7. '서울'이 반복되고 있는데, 이 경우 'es'로 대신 지칭할 수 있다.
8. 가장 큰 도시 | die größte Stadt; 가장 큰 도시 중의 하나 | eine der größten Städte. eine를 사용한 것은 지칭하는 말이 die Stadt로 여성명사이기 때문이다.
9. 600년이 넘는 역사를 가진 도시 | die Stadt, die über 600 Jahre alt ist. 한국어에 나타난 '역사'라는 말은 굳이 독일어로 옮기지 않아도 된다. 물론 die Stadt mit einer über 600 Jahre alten Geschichte도 가능하다.
10. 서울의 관광명소를 이야기하므로 관광명소 앞에 'sein-'을 사용하여 '... berühmt für seine vielen Sehenswürdigkeiten ...'으로 표현한다.
11. 특정 지역의 음식을 총체적으로 의미할 때, '훌륭한 음식'은 'eine gute Küche'라고 한다. 아름다운 경치 die schöne Landschaft
12. 서울의 중앙을 관통하여 흐르는 한강 | der Han-Fluss, der mitten durch Seoul fließt
13. 한국에서 많은 사람들이 즐기는 산행을 '등산'이라고 하는데, 이것은 독일어로 'in den Bergen wandern'에 가깝다. 물론 산에 오르는 본격적인 등산을 'auf die Berge steigen'이라는 말로 표현할 수도 있다. 산행을 즐길 수 있는 산 die Berge, in denen man gut wandern kann
14. 이따금 | manchmal
15. '왜냐하면, ... 때문이다'는 접속사 weil을 사용하여 앞 문장에 연결할 수 있다.
16. '사람들이 아주 많이 살고 있다'에서 양을 나타내는 말이 서술어를 수식하고 있다. 독일어에서는 수량을 나타내는 말이 명사를 수식하는 것이 보통이다: So viele Menschen leben hier.

## Text zum Korrigieren

möchte

Heute ~~mag~~ ich dir einmal meiner Heimatstadt vorstellen. Ich wurde in Busan geboren. Busan liegt südlich Koreas in der Provinz Gyeongsangnamdo. Sie hat etwa 3.5 Million Einwohner und ist die zweigroße Stadt Koreas.

Busan ist eine Hafenstadt und liegt direkt im Meer. In Busan gibt es viel interessanter zu sehen. Die Stadt ist berühmt als den ältesten Fischmarkt Koreas, die man auf Koreanisch '*Jagalchi-Sijang*' nennt. Sie ist auch bekannt von die Busaner Filmfestspiele, der einmal im Jahr stattfinden.

Wenn man 'Busan' hört, denkt er natürlich auch am Meer und Haeundae. Haeundae ist vor Busan ein Strand. Das ist einer der schöne und berühmte Strände in Korea. In Sommer gibt es hier viel Touristen, das sich im Meer erholen wollen.

Das Leben von Busan ist angenehm. Es ist nicht so hektisch und stressig wie z.B. in Seoul, weil Busan hat weniger Einwohner. Außerdem Busan liegt am Meer. Man kann im ganzen Jahr über am Strand spazieren gehen und im Sommer auf dem Meer baden. Deshalb man kann immer gut sich erholen.

## Ihr Text

A) Stellen Sie Ihren Freunden Ihren Heimatort vor.

B) Informieren Sie sich über einen Ort und stellen Sie ihn vor.

Lektion

# 3

# Über sein Leben erzählen

## Modelltext

# Erinnerungen

Ich heiße Sumi Lee. Ich bin 1997 in Incheon geboren. Incheon ist eine Hafenstadt westlich von Seoul. Als ich zwei war, zog meine Familie nach Seoul. Mit vier Jahren kam ich in den Kindergarten. Am Anfang ging ich nicht gerne in den Kindergarten, weil ich vor den anderen Kindern Angst hatte. Mit sechs Jahren kam ich in die H-Grundschule in Seoul, die ich von 2004 bis 2010 besuchte. Die Grundschulzeit war schön und ich war zweimal Klassensprecherin. Nachdem ich die Grundschule abgeschlossen hatte, besuchte ich drei Jahre die Y-Mittelschule in Seoul. Die Mittelschulzeit war anstrengend. Ich musste viel lernen, um mich auf die Oberschule vorzubereiten. Nach dem Abschluss der Mittelschule kam ich in die C-Mädchenoberschule in Seoul. Bis zur Mittelschule ging ich auf eine gemischte Schule mit Jungen und Mädchen. Aber im Herbst 2014 zog meine Familie nach Deutschland. Von 2014 bis 2018 lebten wir in Frankfurt. Mein Vater arbeitete dort als Ingenieur bei einer internationalen Firma. Als ich nach Deutschland kam, konnte ich nur das ABC. Ich lernte fleißig Deutsch, um den Sprachtest fürs Gymnasium zu bestehen. Ich wollte nämlich unbedingt studieren. Mit 17 kam ich in die 11. Klasse des Goethe-Gymnasiums in Frankfurt. Die Jahre bis zum Abitur waren wegen der Sprache schwer. Aber ich hatte bald gute deutsche Freunde, die mir halfen. 2018 machte ich Abitur. Nach dem Abitur kehrte ich mit meiner Familie wieder nach Korea zurück. Seit 2019 studiere ich an der H-Universität Germanistik.

# Wörter und Ausdrücke

| | |
|---|---|
| • **die Erinnerung <-, -en>** | 기억, 회상 |
| • **die Hafenstadt <-, -städte>** | 항구도시 |
| • **westlich von Seoul** | 서울(로부터) 서쪽에 |
| • **der Kindergarten <-s, -gärten>** | 유치원 |
| • **am Anfang** | 처음에 |
| • **die Angst <-, Ängste>** | 두려움, 겁 |
| • **die Grundschule**<br>die Grundschule besuchen | 초등학교<br>초등학교를 다니다 |
| • **die Mittelschule**<br>die Mittelschulzeit | 중학교<br>중학교 시절 |
| • **die Oberschule** | 고등학교 |
| • **der Klassensprecher /die Klassensprecherin**<br>der Studentensprecher<br>der Studentenvertreter | 반 대표, 학급 회장<br>학생 대표<br>학생회장 |
| • **nachdem** | <접속사> ... 후에 |
| • **abschließen**<br>die Grundschule abschließen<br>der Abschluss <-es, Abschlüsse> | 종결하다, 마치다<br>초등학교를 마치다<br>종결, 졸업 |
| • **gemischt**<br>mischen | 섞인, 혼합의<br>섞다 |
| • **der Sprachtest**<br>der Test <-(e)s, -s/-e> | 언어시험<br>시험 |
| • **unbedingt** | 무조건, 꼭 |
| • **zurückkehren** | 돌아가다/오다 |

## Bausteine für den Textaufbau

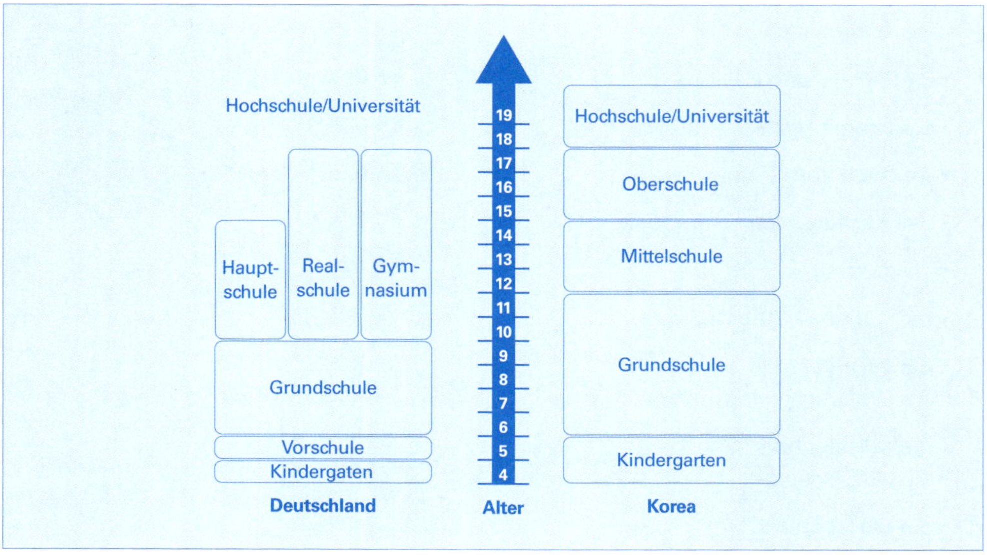


### 고등학교

**die Oberschule**

- 외국어고등학교 die Fremdsprachenoberschule
- 과학고등학교 die naturwissenschaftliche Oberschule
- 남녀공학 die gemischte Schule
- 여자고등학교 die Mädchenoberschule
- 남자고등학교 die Jungenoberschule

### 대학교

**die Hochschule**

- 전문대학 die Fachhochschule
- 종합대학 die Universität
- 여자대학교 die Frauenuniversität

## ... 시절

**-zeit** (항상 단수)

- 유치원 시절 die Kindergartenzeit
- 초등학교 시절 die Grundschulzeit
- 중학교 시절 die Mittelschulzeit
- 고등학교 시절 die Oberschulzeit
- 대학 시절 die Studienzeit

## ... (학교에) 다니다/진학하다

- 초등학교에 입학하다 in die Grundschule kommen
- 초등학교에 다니다 in die Grundschule gehen
- 김나지움에 다니다/진학하다 aufs Gymnasium kommen
- 대학교에 다니다/진학하다 auf die Universität gehen
- X 초등학교/김나지움/대학에 다니다 die X-Grundschule/das Gymnasium/die Universität besuchen

## ... (학교를) 졸업하다

- 김나지움을 졸업하다 das Gymnasium abschließen
- 대학을 졸업하다 die Universität/das Studium abschließen

## ...(시험을) 보다/치르다

- 아비투어를 치르다 das Abitur machen
- 대학입학시험을 치르다 die Universitätsaufnahmeprüfung machen

## A1. Ergänzen Sie den Text.

Name: Shinung Kang
Geburtsdatum: 3. 7. 2000
Geburtsort: Buan, Südkorea

| | |
|---|---|
| 2003 | Umzug nach Gwangju |
| 2005 - 2007 | Kindergarten in Gwangju |
| 2007 - 2013 | X-Grundschule in Gwangju |
| 2013 –2016 | Y-Mittelschule in Gwangju |
| 2016 - 2019 | Z-Fremdsprachenoberschule in Gwangju |

seit 2019: Informatik-Studium an der S-Universität in Seoul

______ __________ Shinung Kang. Ich ________ in Buan __________. Buan ist ein kleiner Ort ______ Süden __________. ________ ich zwei Jahre alt war, ________ meine Familie ________ Gwangju ______. ______ 2007 ________ 2013 __________ ich die X-Grundschule _____ Gwangju. Die ________zeit war schön, _______ ich noch nicht so viel lernen musste. 2013 ________ ich ________ die Y-Mittelschule, ________ ich drei Jahre lang __________. Die ______________ war anstrengend, ________ ich viel Nachhilfeunterricht bekam. ________ 16 __________ ________ ich ________ die Z-Fremdsprachenoberschule _____ Gwangju. Die ____________zeit war interessant, ________ ich viel Neu_____ lernte. ________ 2019 studiere ich Informatik _____ der S-Universität in Seoul.

- in eine Schule kommen 어떤 학교로 진학/전학하다
- auf/in eine Schule gehen 어떤 학교에 다니다

### ... 살 때

- 6살 때 Als ich sechs Jahre alt war (= Mit sechs Jahren) kam ich in die Schule.

### ... 가을/겨울에

- Im Herbst/Winter 1998 zog ich nach Deutschland.

### ... 초에/말에

- 2003년 초/중반/말에 Anfang/Mitte/Ende 2003 kehrten wir nach Korea zurück.

### ... (시간) 까지

- 고등학교에 갈 때까지 Bis zur Oberschule lebte ich in Berlin.
- 아비투어를 볼 때까지 Die Jahre bis zum Abitur waren schwer.

### ...부터 ...까지

- 1999년부터 2002년까지 Von 1999 bis 2002 besuchte ich ein Gymnasium in Mainz.
- 2001년 초부터 2002년 말까지 Von Anfang 2001 bis Ende 2002 studierte ich in Bonn.

### ...부터 (지금까지 계속)

- 2000년부터 Seit 2000 wohne ich in Bremen.
- 2년 전부터 Seit zwei Jahren lerne ich Deutsch.

## A2. Beschreiben Sie die Bilder.

| 3 Jahre | 6 Jahre | 17 Jahre |
|---|---|---|
|  |  |  |
| Angst vor Gewittern haben | nicht in die Schule gehen wollen | Angst vor der Uniaufnahmeprüfung haben |
| **20 Jahre** | **26 Jahre** | **29 Jahre** |
|  |  |  |
| zum Militär müssen | die Universität abschließen | heiraten |
| **31 Jahre** | **40 Jahre** | **50 Jahre** |
|  |  |  |
| einen Sohn bekommen | nach Amerika gehen | reich und berühmt sein |

1. Als er drei Jahre alt war, hatte er Angst vor Gewittern.

2. _____ er sechs Jahre _____ _____, wollte er nicht _____ _____ _______.

3. _____ _____ 17 Jahre _____ _____, hatte _____ _______ _____ _____ _______________.

4. _____ _____ 20 _____ _____ _____, musste _____ _____ ________.

5. _____ _____ 26 _____ _____ _____, ________ er _____ ________________ _____.

6. _____ _____ 29 _____ _____ _____, __________ er.

7. ____________________________________________________________

8. ____________________________________________________________

9. ____________________________________________________________

- zum Militär (gehen) müssen 군대 가야 하다
- 독일어에서는 보통 숫자 1-12는 글로 풀어쓰고(eins, zwei, ... zwölf), 13부터는 아라비아숫자를 사용한다.

## A3. Schreiben Sie die Sätze 2-9 nach Beispiel 1 um.

1. *Mit drei Jahren* hatte er Angst vor Gewittern.

2. ______ ______ _________ wollte er nicht ______ _________ ____________ ___________

3. ______ ______ _________ hatte ______ ___________ _______ _______ ________________

4. ______ ______ _________ musste ______ _________ _______________

5. ______ ______ _________ _____________ er ______ _____________ ______

6. ______ ______ _________ _____________ er.

7. ____________________________________________________________________________

8. ____________________________________________________________________________

9. ____________________________________________________________________________

## ... 후에

**nachdem**

nachdem-절에는 주절의 내용보다 먼저 있었던 내용이 나오므로 시제도 한 시제 앞선 시제를 사용함. 문어체에서는 nachdem-절의 내용을 'nach + 명사구' 형태로 표현하기도 함

### > 초등학교를 졸업한 후

- Nachdem ich die Grundschule abgeschlossen hatte, kam ich in die Mittelschule.

  (nachdem + 과거완료시제, 과거 ...)

  → Nach der Grundschule/Nach dem Abschluss der Grundschule ... 독일에 돌아간 후

- Nachdem sie nach Korea zurückgekehrt war, studierte sie Deutsch als Fremdsprache.

  → Nach der Rückkehr nach Korea ...

## A4. Schreiben Sie um.

1. Nach dem Abitur ging sie für ein Jahr nach England.

   Nachdem sie das Abitur gemacht ________, ging sie für ein Jahr nach England.

2. Nach dem Abschluss des Studiums arbeitete sie bei einer Firma.

   Nachdem sie das ________ ________________ ________, arbeitete sie bei einer Firma.

3. Nach _____ ____________ _______ ________________ ging er nach Amerika.

   Nachdem er die Oberschule abgeschlossen hatte, ging er nach Amerika.

## (누가/무엇이) ... 하도록 (목적)

**damit ...**

· 네가 학교에 지각하지 않도록

Ich wecke dich, damit du nicht zu spät zur Schule kommst.

• 네가 나를 위해서 책을 살 수 있도록

Ich gebe dir Geld, damit du die Bücher für mich kaufen kannst.

• 우리가 늦지 않도록

Wir müssen jetzt los, damit wir den Zug nicht verpassen.

• 여러분이 제 말을 잘 이해할 수 있도록

Ich versuche, langsam und deutlich zu sprechen, damit Sie mich gut verstehen können.

## (자기가) ... 하기 위해서 (목적)

**um ... zu ...**

(damit-절의 주어가 주절의 주어와 동일할 경우, 보통 um ... zu ...로 표현)

• 대학입학시험에 합격하기 위해서

Ich musste fleißig lernen, um die Uniaufnahmeprüfung zu bestehen.

(← ... **damit ich die Uniaufnahmeprüfung bestehen konnte.**)

• 언어테스트에 합격하기 위해서

Ich habe fleißig Deutsch gelernt, um den Sprachtest fürs Gymnasium bestehen zu können.

(← ... **damit ich den Sprachtest fürs Gymnasium bestehen konnte.**)

• 새 스마트폰을 사기 위하여

Mein Bruder spart Geld, um ein neues Smartphone zu kaufen.

(← ... **damit er ein neues Smartphone kaufen kann.**)

## A5. Ergänzen Sie die Sätze.

1. Mein Freund kommt nach Korea, ______ mich ______ besuchen.

2. Heute Nachmittag fahre ich zum Flughafen, ______ ihn ab____holen.

3. ______ er nicht zu spät kommt (= ______ nicht zu spät ____ ________), fährt er schon direkt nach dem Mittagessen los.

4. Ich gebe ihm eine U-Bahnkarte, ______ er bequem mit der U-Bahn fahren kann.

## A6. Ergänzen Sie die Präteritum- oder Perfektformen.

**Goethe erzählt:**

Ich ________ am 28. August 1749 in Frankfurt am Main ________(gebären). Mein Vater________(unterrichten) meine Schwester Cornelia und mich zu Hause. Wir ________(müssen) Schreiben, Rechnen, Geschichte, Geographie und fünf Sprachen lernen. Ich ________ (finden) Lateinisch und Griechisch besonders interessant, aber Cornelia ________ (lieben) Französisch und Englisch. Ich ________(bekommen) auch Unterricht im Tanzen und Reiten. Meine Schwester und ich ________(gehen) oft ins französische Theater.

Mit 16 Jahren ________(kommen) ich auf die Universität. Ab 1765 ________(studieren) ich Jura in Leipzig, aber das Studium ________(machen) mir keinen Spaß. Ich ________(besuchen) lieber die Vorlesungen in Literatur und Kunst. Leider ________(werden) ich schwer krank und ________(müssen) nach Frankfurt zurückkehren.

1770 ________(gehen) ich dann nach Straßburg, um mein Jurastudium fortzusetzen. Während des Studiums ________(machen) ich oft kleine Ausflüge mit meinem Freund. Bei einem Ausflug in das Dorf Sessenheim ________(begegnen) ich Friederike Brion. Sie ________(sein) schlank, ________(haben) blaue Augen und eine hübsche Nase.

Wir ________(gehen) oft zusammen spazieren und ________(besuchen) Friederikes Freunde. Ich ________(sein) sehr glücklich und ________(schreiben) viele Lieder und Gedichte wie z.B. das „Heideröslein". Aber schon bald ________(müssen) ich wieder nach Frankfurt zurück. Am 7. August 1771 ________(sehen) ich Friederike zum letzten Mal. Der Abschied ________(sein) sehr traurig.

- **die Geographie/Geografie** <-, 항상 단수> 지리
- **das Latein** <-s, 항상 단수> 라틴어
- **das Griechisch** <-, 항상 단수> 그리스어
- **reiten** <ritt, geritten> 말을 타(고 달리)다
- **zurückkehren** <kehrte ... zurück, ist ... zurückgekehrt> 돌아가다
- **et. fortsetzen** 무엇을 지속하다
- **jm. begegnen** 누구와 마주치다
- **das Heideröslein** 들장미
- **die Heide** <-, 항상 단수> (경작하지 않는) 벌판, 들판
- **+ das Röslein** (die Rose 장미(꽃) + -lein 축소 접미어)
- **zurückmüssen** (원래 있던 곳으로) 돌아가야 하다

## A7. Übersetzen Sie ins Deutsche.

1. 초등학교를 마치고 우리는 독일로 이사했다.

→ 

2. 내가 15살이었을 때, 우리는 한국으로 돌아왔다.

→ 

3. Aachen대학에서 물리학을 공부하기 위하여 나는 독일에 갔다.

→ 

4. 나는 대학을 마치고 Frankfurt에 있는 한 회사에서 일했다.

→ 

5. 2년 전부터 나는 다시 서울에서 살고 있다.

→ 

6. 나는 1년 전에 결혼했다.

→ 

7. 한 달 전에 나는 아들을 얻었다.

→ 

## Text zum Ergänzen

Ich heiße Yongman Kim. Ich ______ 1999 in Iksan ________①. Iksan ist eine Kleinstadt ____ __________ ______②. ____ ____ ______ ______③, zog meine Familie nach Daegu. ______ dem Abschluss ____ ________________④ kam ich 2006 in die B-Grundschule in Daegu, ____ ____ sechs Jahre lang __________⑤. Die _________________⑥ war schön, weil ich noch nicht so viel lernen musste. Ich konnte jeden Tag Fußball spielen und meine Freunde treffen. ______ dem __________ ____ __________⑦ besuchte ich ______ _______ _______⑧ die D-Mittelschule in Daegu. Das war eine Jungenschule. _______ _______⑨ ging meine ganze Familie dann _____ _________ _________⑩ in die USA. Mein Vater arbeitete dort als Arzt in einem Krankenhaus. Daher besuchte ich in Pittsburgh die Mittelschule. Das war nicht so schwer, ____ Englisch schon ____ mein ______________ ____⑪. ____ ____ 2015 _______ Korea __________⑫, zog meine Familie nach Seoul. Von 2015 bis 2018 besuchte ich die G-Fremdsprachenoberschule in Seoul. In Englisch hatte ich natürlich keine Probleme, aber in den anderen Fächern hatte ich _____ ________⑬ große Schwierigkeiten. Außerdem hatte ich während der Oberschulzeit kaum Freizeit. Ich musste von morgens bis abends lernen. _______ ich die Universitätsaufnahmeprüfung _____________ _________⑭, ging ich 2018 an die K-Universiät in Seoul, _______ Informatik _______ _________⑮. Nach vier Semestern musste ich meinen Militärdienst leisten, ________ ⑯ in Korea fast zwei Jahre dauert. Jetzt bin ich bald mit dem Studium fertig.

### Tipps

① 태어났다.

② 한국의 남서부에 있는

③ 내가 5살이었을 때

④ 유치원을 마치고 난 후에

⑤ 내가 6년간 다녔던 초등학교

⑥ 초등학교 시절

⑦ 초등학교를 마치고 난 후에

⑧ 1년 동안

⑨ 2013년 초에

⑩ 2년 기한으로/2년 동안 머무를 예정으로

⑪ 영어는 항상 내가 좋아하는 과목이었기 때문에

⑫ 한국으로 돌아왔을 때

⑬ 처음에

⑭ 대학입학시험에 합격하고 난 후에

⑮ 전산학을 공부하기 위해서

⑯ 한국에서 거의 2년 걸리는

## Wörter und Ausdrücke

- 독일에서 der Kindergarten은 3~6세의 어린이를 지도하는 교육기관이다. die Vorschule는 5~6세의 아이들을 지도하는 교육기관으로 보통 der Kindergarten을 마치고 die Grundschule에 입학하기 전의 아이들을 지도한다. 우리나라의 유치원은 der Kindergarten과 die Vorschule의 기능을 모두 담당하고 있다.

| | |
|---|---|
| • **sechs Jahre lang** | <어떤 행위의 지속 기간> 6년 동안 |
| • **für zwei Jahre**<br>Anfang 2003 ging meine ganze Familie dann für zwei Jahre in die USA. | <어떤 일이 계획된 기간> 2년 기한으로<br>2년간 머물 예정으로 (gehen 행위가 2년간 지속하여 일어날 수 없으므로 für zwei Jahre) |
| • **keine Probleme haben**<br>keine Schwierigkeiten haben | 문제가 없다;<br>어려움이 없다 |
| • **außerdem** | 게다가, 또한 |
| • **während + <2격 목적어>** | ... 하는 동안에 |
| • **von morgens bis abends** | 아침부터 저녁까지 |
| • **die Informatik** | 전산학 |
| • **den Militärdienst leisten** | 군복무를 수행하다 |
| • **et. dauert + <시간>** | 무엇이 ...동안 걸리다 |
| • **mit et. fertig sein** | 무엇을 끝내다 |

## Text zum Übersetzen

내 이름은 강유미이다. 나는 1997년 대전에서 태어났다. 대전은 인구 154만의 산업도시이다. 네 살 때 유치원에 들어갔다. 유치원 시절은 약간 지루했다. 그다음에는 서울에 있는 W 초등학교에 갔는데, 2004년부터 2010년까지 그 학교에 다녔다. 초등학교 시절은 좋았다. 왜냐하면 (여자) 친구가 많았기 때문이다. 초등학교를 마치고 3년 동안 대구에 있는 K 중학교에 다녔다. 중학교 시절은 힘들었다. 중학교를 마치고 대구에 있는 C 여자고등학교에 들어갔다. 고등학교 시절에는 스트레스를 매우 많이 받았다. 나는 대학입학시험에 합격하기 위해서 항상 공부만 했다. 지금은 서울에 있는 E 여자대학교에서 독어독문학을 전공하고 있다. 나는 독일어 교사가 되고 싶다.

## Aufgepasst!

1. '내 이름은 ...이다.'는 'Mein Name ist ...' 또는 'Ich heiße ...'로 표현할 수 있다.

2. 인구 154만의 산업도시 eine Industriestadt mit 1,54 Millionen Einwohnern. 독일어에서는 소수점 대신 콤마(,)를 사용하는 것에 유의해야 한다.

3. '네 살 때'는 'Als ich vier Jahre alt war, ...' 또는 'Mit vier Jahren ...'으로 표현할 수 있다. als로 시작하는 부문장의 끝에 콤마(,)를 사용하는 것에 유의해야 한다.

4. 유치원에 들어가다 | in den Kindergarten kommen

5. 약간/다소 지루하다 | etwas/ein bisschen langweilig sein

6. '... 초등학교에 갔는데, ... 그 학교에 다녔다'라는 문장은 초등학교를 선행사로 삼아 관계절을 만들어 사용할 수 있다: die Grundschule, die ich ... besuchte.

7. '여자 친구가 많았다'라는 표현은 '내가 많은 여자 친구를 가졌었다'라는 식으로 번역한다. 대부분의 '내가/내게 ... 있다/없다/많다 ...'는 'ich habe ...'라는 식으로 표현할 수 있다. Ich habe viel Zeit. Ich habe kein Geld.

8. 초등학교를 마치고 | nach der Grundschule; nach dem Abschluss der Grundschule; nachdem ich die Grundschule abgeschlossen hatte, ...

9. (행위가 지속하는) '3년 동안'이라고 말할 때 '동안'을 의미하는 전치사는 필요 없고, 기간을 강조하고자 하면 lang을 덧붙여 'drei Jahre lang'이라고 말한다.

10. 무엇이 힘들다 | et. ist anstrengend

11. 고등학교에 들어가다 | in die Oberschule kommen

12. '고등학교 시절에는 스트레스를 많이 받았다'는 '고등학교 시절이 매우 스트레스를 주었다.'로 번역할 수 있다.

13. 대학시험에 합격하기 위해서 | um die Universitätsaufnahmeprüfung zu bestehen

14. 대학에서 ...을 전공하다 | et. an der Universität studieren

15. 독일어 교사 | der Deutschlehrer/die Deutschlehrerin; 독일어는 성을 구분하는 언어이므로, 주어가 여성이면 die Deutschlehrerin이 된다.

## Text zum Korrigieren

Ich heiße Dongho Park. Ich ~~war~~ bin 1999 in Ulsan geboren. Ulsan ist eine Industriestadt mit über eine Millionen Einwohner. Als ich war ein Jahr alt, zog meine Familie nach der Hauptstadt Seoul. Nachdem Besuch des Kindergartens ging ich 2004 in die B-Grundschule in Seoul, das ich sechs Jahre lange besuchte. Die Grundschulzeiten war sehr schön. Ich hatte noch genügende Zeit, um spielen. Nachdem ich die Grundschule abgeschlossen habe, besuchte ich zwei Jahre lang die D-Mittelschule in Seoul. Mitte 2002 ging meine Familie dann vier Jahre lang zu Deutschland. Mein Vater arbeitete dort für eine groß koreanische Firma. Wir lebten in Bremerhaven. Das ist eine Hafenstadt nördlich von Deutschland. Ich habe schon in Korea etwas Deutsch gelernt. Aber um aufs Gymnasium zu gehen, ich musste wirklich fleißig lernen. Anfang finde ich die Schule sehr schwer, aber nach einem Jahr wurde es besser. Leider mussten wir ein Jahr vor meinem Abitur wieder nach Korea zurück kehren. Der Wechsel auf die koreanische Oberschule war mir sehr schwer. Aber 2018 habe ich die Uniaufnahmeprüfung bestehen und studiere jetzt Mathematik.

## Wörter und Ausdrücke

| | |
|---|---|
| · **genügend/genug Zeit haben** | 충분히 시간을 가지다 (genügend는 어미변화하지 않음, haben을 수식하는 부사어로 사용됨, Zeit haben이 사실상 '시간을 가지다'라는 하나의 의미 단위로 로 사용됨) |
| · **et. ist für jn. schwer** | 어떤 일 누구에게 힘들다 |

## Ihr Text

**Erzählen Sie über Ihr Leben. Wo und wann sind Sie geboren? Wann sind Sie in die Schule gekommen? usw.**

Lektion

# 4

## Über seine Pläne für die Zukunft erzählen

## Modelltext

# Zukunftspläne

Ich heiße Mihyang Lee, bin 22 Jahre alt und studiere Deutsch im vorletzten Semester an der H-Universität in Seoul. Im November werde ich die Abschlussprüfung machen. Ich bin ziemlich sicher, dass ich die Prüfung bestehen kann, weil ich alle Kurse mit guten Noten abgeschlossen habe. Ich werde auf jeden Fall mein Bestes geben! Denn ich plane, in Deutschland Design zu studieren. Schon als Kind habe ich mich für Zeichnen interessiert und alle möglichen Geräte gezeichnet.

Ich habe schon an einigen Hochschulen einen Zulassungsantrag gestellt und warte jetzt auf Antwort. Ich möchte am liebsten in Stuttgart studieren und hoffe, dass ich die Zulassung von der dortigen *Staatlichen Akademie der bildenden Künste* bekomme. Wenn alles gut geht, werde ich schon im nächsten März nach Deutschland gehen, um vor Studienbeginn mein Deutsch noch zu verbessern. Das kostet natürlich viel Geld. Deshalb werde ich versuchen, fleißig zu lernen, und mich um ein Stipendium bewerben. In den Semesterferien werde ich jobben, um etwas Geld zu verdienen. Ich werde vielleicht in einem Designbüro oder als Bedienung in einem Restaurant oder Café arbeiten. Ich hoffe, dass ich später eine gute Stelle als Designerin bei einer koreanischen oder einer ausländischen Firma bekomme. Mein Traum ist aber, einmal mein eigenes Designbüro aufzumachen. Dann kann ich meine eigenen kreativen Ideen entwickeln.

Das sind meine Pläne für die Zukunft. Ich weiß nicht, ob ich sie alle verwirklichen kann, aber ich hoffe, dass es möglich sein wird.

# Wörter und Ausdrücke

| | |
|---|---|
| · **vorletzt-** | 끝에서 두 번째, 지지난 |
| · **die Abschlussprüfung**<br>der Abschluss + die Prüfung | 졸업시험<br>졸업 + 시험 |
| · **sicher** | 확신하는, 확실한 |
| · **auf jeden Fall** | 아무튼 |
| · **dortig-**<br>dort + -ig<br>hier → hiesig- | <형용사> 그곳의,<br><부사> 그곳(에) + <형용사 접미어><br><부사> 이곳(에) → <형용사> 이곳의 |
| · **sein Bestes geben** | 최선을 다하다 |
| · **das Design** | 디자인 |
| · **sich für et. interessieren** | 무엇에 흥미를 느끼다 |
| · **das Gerät <-(e)s, -e>** | 기기, 도구 |
| · **der Zulassungsantrag**<br>die Zulassung <-, -en> + der Antrag <-(e)s, Anträge><br>einen Antrag stellen | 입학허가 신청(서)<br>허가 + 신청(서)<br>신청하다, 신청서를 제출하다 |
| · **staatlich**<br>der Staat + -lich | 국가의, 국립의<br>국가 + <형용사 접미어> |
| · **die Akademie** | 아카데미, 학술원, 대학 |
| · **die bildende Kunst** | 조형예술 |
| · **natürlich** | 물론 |
| · **die Bedienung <-, -en>**<br>als Bedienung arbeiten | (요식업소에서 일하는) 종업원<br>(식당) 종업원으로 일하다 |
| · **ein Designbüro aufmachen** | 디자인 사무실을 열다 |
| · **kreativ** | 창의적인 |
| · **seine eigenen Ideen entwickeln** | 자신의 아이디어를 개발하다 |
| · **die Zukunft** | <-, 항상 단수> 미래 |
| · **verwirklichen** | 실현하다 |

## Bausteine für den Textaufbau

### ...학기에 재학 중이다

**im ... Semester sein**

- 3학기에 재학 중이다

  Ich bin jetzt im dritten Semester.

- 마지막 학기에 재학 중이다

  Ich bin im letzten Semester.

### 시험을 보다/치르다

**die Prüfung machen**

#### > 대학입학시험을/졸업시험을 보다

die Universitätsaufnahmeprüfung/die Abschlussprüfung machen/ablegen

- Ich mache dieses Jahr die Universitätsaufnahmeprüfung/die Abschlussprüfung.

#### > 시험에 합격하다

die Prüfung bestehen

- Ich habe die Prüfung bestanden.

#### > 시험에 떨어지다

in/bei der Prüfung durchfallen, durch eine Prüfung fallen

- Ich bin in/bei der Prüfung durchgefallen.

## ... 시작하다

**mit ... anfangen/beginnen**

- 대학에서 전산학(공부)을 시작하다

  mit dem Informatik-Studium anfangen/beginnen

- 대학에서 영어영문학을 시작하다

  mit dem Anglistik–Studium anfangen/beginnen

- 대학에서 디자인을 시작하다

  mit dem Design-Studium anfangen/beginnen

## ... 마치다/졸업하다

**et. abschließen**

- (초·중등) 학교를 마치다

  die Schule abschließen

- 대학공부/직업교육을 마치다

  das Studium/die Ausbildung abschließen

## A1. Ergänzen Sie die Sätze.

1. Nach der Oberschule ______ in Korea viele Schüler ______ die Universität.

2. Ich muss fleißig lernen, ______ die Aufnahmeprüfung ______ ______

3. Wenn ich ______ der Aufnahmeprüfung ______, kann ich nicht studieren.

4. Bevor man die Sprachprüfung nicht ______ hat, kann man ______ dem Studium nicht ______.

5. Schon als Kind habe ich mich ______ Musik ______.

## 나는 ...를 바라다/희망하다

**ich hoffe, dass ...**

- 네가 잘 지내기를 바란다.
  Ich hoffe, dass es dir gut geht.

- 네가 방학에 일해야 하는 것을 바라지 않는다.
  Ich hoffe nicht, dass du in den Ferien arbeiten musst.

## ...것을 알다

**wissen, dass ...**

- Ich weiß, dass du fleißig bist.

## ...것을/이라고 확신하다

***sicher sein, dass ...***

- 그 시험에 합격할 것이라고

  Ich bin sicher, dass du die Prüfung bestehst.

## ...것을/이라고 확신하지 못하다

***nicht sicher sein, ob ...***

- 모든 것이 잘 될 것이라고

  Ich bin nicht sicher, ob alles gut geht.

## ...인지 (아닌지) 모르다

***nicht wissen, ob ...***

- 장학금을 받을 수 있는지

  Ich weiß nicht, ob ich ein Stipendium bekommen kann.

## 언제, 어디, 어떻게, 왜, 얼마나 오랫동안

| 언제 **wann** | 어디 **wo** | 어떻게 **wie** | 왜 **warum** | 얼마나 오랫동안 **wie lange** |
|---|---|---|---|---|

• 언제 태어났는지

Weißt du, wann er geboren ist?

Nein, ich weiß nicht, wann er geboren ist.

• 어디에 사는지

Weißt du, wo er wohnt?

Nein, ich weiß nicht, wo er wohnt.

• 이름이 어떻게 되는지

Weißt du, wie er heißt?

Nein, ich weiß nicht, wie er heißt.

• 왜 안 왔는지

Weißt du, warum er nicht gekommen ist.

Nein, ich weiß nicht, warum er nicht gekommen ist.

• 얼마나 오랫동안

Weißt du, wie lange der Flug von Seoul nach Paris dauert?

Nein, ich weiß nicht, wie lange der Flug dauert.

## A2. Ergänzen Sie den Text.

Ich weiß nicht, ________ er ist,

________ er kommt,

________ er macht,

________ er wirklich heißt,

________ er wohnt,

________ lange er bleibt

und ________ er wieder geht.

Und ich weiß auch nicht, _____ er mich mag.

Aber ich hoffe, _____ er mich mag.

## A3. Aus dem Leben einer Reiseleiterin

*Die Leute, die ich begleite, fragen mich alles Mögliche:*

1. Wissen Sie, ______ lange die Fahrt dauert?

2. Können Sie mir sagen, ______ man hier gut einkaufen kann?

3. Sind Sie sicher, ______ Picasso das Bild gemalt hat?

4. Wissen Sie, ______ viel die Tasche kostet?

5. Ich hoffe, ______ es bald etwas zu essen gibt!

6. Wissen Sie denn nicht, ______ teuer das Hotel ist?

7. Können Sie mir sagen, ______ der Bus kommt?

8. Ich möchte wissen, ______ es in diesem Sommer so heiß ist.

9. *So viele Fragen! Und manchmal frage ich mich, ______ ich Reiseleiterin geworden bin!*

### ...은 ...(하는) 것이다

**ist, ... zu-부정사**

- 내 꿈은 세계 여행을 하는 것이다.

  Mein Traum ist, eine Weltreise zu machen.

- 내 희망은 많은 친구를 갖는 것이다.

  Mein Wunsch ist, viele Freunde zu haben.

## ...것을 계획/시도/시작/중단/고려하다

**planen, versuchen, anfangen, beginnen, aufhören, überlegen, ... zu-부정사**

- 나는 고등학교를 마치고 외국어 갈 계획이다.

  Ich plane, nach der Oberschule ins Ausland zu gehen.

- 나는 좋은 성적을 받으려고 노력한다.

  Ich versuche, gute Noten zu bekommen.

- 나는 2년 전에 독일어를 배우기 시작했다.

  Ich habe vor zwei Jahren angefangen, Deutsch zu lernen.

- 나의 아버지께서는 담배 피우는 것을 중단하셨다.

  Mein Vater hat aufgehört, zu rauchen.

- 나는 방학에 독일에서 어학코스를 다닐까 생각 중이다.

  Ich überlege, in den Ferien in Deutschland einen Sprachkurs zu machen.

## 미래시제〈계획〉: ...할 것이다

**werden ... 부정사**

- 대학공부를 시작할 것이다

  Ich werde nächstes Jahr mit dem Studium anfangen.

- 지원서를 쓸 것이다

  Ich werde heute Abend meine Bewerbung schreiben.

- 7시까지 집에 오려고 노력할 것이다

  Ich werde heute versuchen, bis/vor sieben Uhr zu Hause zu sein.

- 7시까지 집에 있으려고 노력할 것이다

  Ich werde morgen versuchen, bis sieben Uhr zu Hause zu bleiben.

## 미래시제〈추측〉 ...할 것이다

- 내 친구 울리가 어쩌면 나를 도와줄 것이다.

  Mein Freund Ulli wird mir vielleicht helfen.

## A4. Ergänzen Sie *werden* oder *zu*.

Im nächsten Frühling ______ ich Abitur machen. Die meisten meiner Klassenkameraden ______ nach dem Abitur sofort studieren oder eine Ausbildung machen. Meine Freundin und ich ______ aber erst ein Jahr lang reisen. Wir planen, zuerst nach Indien ______ gehen. Danach ______ wir China, Korea und Japan besuchen. Die Reise ______ sicherlich anstrengend sein, weil wir mit dem Rucksack unterwegs sein ______. Wir haben auch nicht so viel Geld. Deshalb ______ wir versuchen, ______ jobben. Das ______ nicht einfach sein. Wenn wir wieder in Deutschland sind, ______ ich mit dem Studium anfangen. Meine Freundin überlegt, eine Ausbildung zur Dolmetscherin ______ machen.

- der Klassenkamerad <-en, -en> (초·중등학교) 반 동료 (=Mitschüler, Schulkamerad)
- die Ausbildung <-, 보통 단수> 직업교육
- Indien <국가명> 인도
- sicherlich 분명히
- anstrengend 힘든
- der Rucksack <-(e)s, -säcke> 배낭
- unterwegs sein 이동 중이다
- der Dolmetscher <-s, -> 통역사, die Dolmetscherin <-, -nen> 여자 통역사

## A5. Ergänzen Sie den Text.

Mein Name ist Sangwon Park und ich ________ Informatik _____ einer Universität in Seoul. Schon _____ Jugendlicher habe ich _____ _____ Computer interessiert und eigene Programme geschrieben. Mathematik und Physik waren meine ______________. _____ dem Abschluss der Oberschule habe ich gleich _____ dem Informatik-Studium angefangen. Mein Studium _____ aber lange dauern, _____ ich _____ den Ferien immer jobben _____, um Geld _____ verdienen. Außerdem war ich sechs Monate _____ den USA und dort ein Praktikum gemacht. Nach ________ Studienabschluss will ich _____ _____ ein Stipendium bewerben, _____ ich noch promovieren möchte. _____ ich kein Stipendium bekomme, werde ich _____ eine Stelle _____ Informatiker suchen.

- **jugendlich** 청소년의
  ein Jugendlicher (남자) 청소년
  eine Jugendliche (여자) 청소년
  der/die Jungendliche 청소년
- **das Praktikum <-s, Praktika>** 실습
  ein Praktikum machen 현장실습을 하다
- **sich um et. bewerben** 무엇을 얻기 위해서 지원하다
- **promovieren** 박사과정을 밟다

## A6. Übersetzen Sie ins Deutsche.

1. 나는 그 시험에 합격하기를 희망한다.

→ ______________________________

2. 내년에는 내가 더 열심히 운동할 것이다.

→ ______________________________

3. 나는 커피를 (더) 적게 마시려고 노력한다.

→ ______________________________

4. 나는 고등학교 학생일 때 독일어를 배우기 시작했다.

→ ______________________________

5. 나는 고등학교를 마치고 대학에서 물리학을 공부할 계획이다.

→ ______________________________

6. 나는 좋은 성적을 얻기 위해서 최선을 다할 것이다.

→ ______________________________

## Text zum Ergänzen

Ich heiße Yunho Shin und bin 18 Jahre alt. Ich gehe _____ _____ _____① Klasse der S-Fremdsprachenoberschule in Daegu. Bald _____ ich die Universitätsaufnahmeprüfung _____②. Ich hoffe, _____ ich genug Punkte bekomme, _____ _____ eine gute Universität gehen _____③ können. Für eine gute Universität brauche ich wirklich eine hohe Punktzahl. Ich werde _____ jeden Fall _____ _____④ geben!

Mein Traum ist, Germanistik _____⑤ studieren. Deutsch ist nämlich mein Lieblingsfach. _____ Kind _____ ich _____ _____ _____⑥ in Heidelberg gelebt. Ich bin dort in die Grundschule und die erste Klasse des Gymnasiums gegangen. _____ meiner Rückkehr _____⑦ Korea habe ich weiter fleißig Deutsch gelernt.

Wenn _____ _____ _____⑧, _____ ich also _____ März _____ dem Studium _____⑨. Ich hoffe, _____ ich _____ den Semesterferien einmal einen Sprachkurs in Deutschland _____⑩ kann, _____ _____ _____ _____ _____⑪.

_____ _____ _____ _____⑫ Germanistik-Studiums möchte ich noch weiter studieren. Ich _____ _____, ein Stipendium für Deutschland _____ bekommen, _____ dort _____⑬ promovieren. Vielleicht

_________ ich aber auch ein Ausbildung _________ Dolmetscher und Übersetzer für Deutsch _________ ⑭. Diese Ausbildung dauert nicht _________ lange _________ ⑮ eine Promotion. Nach _________ Abschluss kann ich _________ dann auch _________ einer deutschen Firma _________ ⑯. Das _________ meine Pläne _________ ⑰ die Zukunft. Ich weiß, _________ es Träume _________, aber ich hoffe, _________ meine Träume wahr _________ ⑱.

## Tipps

① 3학년에 다니다
② 대학입학시험을 치르다
③ 좋은 대학에 갈 수 있도록 충분한 점수를 얻기를 바라다
④ 최선을 다하다
⑤ 독어독문학을 공부하는 것
⑥ 어릴 때 4년 동안
⑦ 한국으로 돌아온 후에
⑧ 모든 일이 잘 진행된다면
⑨ 대학공부를 시작하다
⑩ 방학에 어학코스를 다닐 수 있기를 희망하다
⑪ 나의 독일어를 향상하기 위하여
⑫ (독어독문학 수학을) 마친 후에
⑬ 박사학위를 취득하기 위해서 장학금을 받으려고 노력할 것이다
⑭ 어쩌면 통·번역사 양성과정을 이수할 것이다
⑮ 박사학위 과정처럼 오래 걸리지 않는다
⑯ 독일회사에 지원하다
⑰ 이것이 나의 미래계획들이다
⑱ 꿈인 것을 알지만, 내 꿈이 실현되기를 희망한다

# Wörter und Ausdrücke

| | |
|---|---|
| **in die dritte Klasse der Oberschule gehen** | 고등학교 3학년에 다니다 |
| **die Punktzahl** | 점수 |
| **auf eine gute Universität gehen** | 좋은 대학에 진학하다 |
| **sein Bestes geben/tun** | 최선을 다하다 |
| **als Kind** | 어린이였을 때 |
| **in die Grundschule gehen** | 초등학교에 다니다 |
| **nach meiner Rückkehr nach Korea** | 내가 한국으로 돌아온 뒤(귀국 후) |
| **einen Sprachkurs in Deutschland machen** | 독일에서 어학코스에 다니다 |
| **die Promotion <-, -en>** | 박사학위 과정 |
| **eine Ausbildung zum Dolmetscher und Übersetzer für Deutsch machen**<br>eine Ausbildung für Dolmetschen und Übersetzen machen | 독일어 통·번역사 양성 교육을 밟다<br>통·번역 교육을 받다 |
| **sich bemühen, ein Stipendium zu bekommen** | 장학금을 받기 위하여 애쓰다 (= sich um ein Stipendium bemühen) |
| **wahr werden** | 실현되다 |

## Text zum Übersetzen

내 이름은 김주용이고, 24살이다. 서울에 있는 D 대학교에서 전산학을 공부하고 있다. 2학년을 마치고 군 복무를 했으며, 지금 4학년에 다닌다. 11월 졸업시험에 합격하면, 내년 2월에 졸업할 것이다. 나는 내가 그 시험에 합격할 것이라고 아주 확신하고 있다. 아무튼 좋은 성적을 얻기 위해서 최선을 다할 것이다. 큰 회사의 일자리를 얻기 위해서는 내가 좋은 졸업성적이 필요하기 때문이다.

나의 가장 큰 소원은 외국에서 전산학을 더(계속) 공부하는 것이다. 컴퓨터와 인터넷에 관심이 많기 때문에. 수학과 물리는 또 항상 내가 가장 좋아하는 과목이기도 했다. 그러나 지금은 내가 외국에서 공부하기에 아직 충분한 돈이 없다. 그래서 우선 돈을 벌기 위해서 몇 년 동안 한 회사에서 일할 것이다. 이를 위해서 나는 이미 전산처리사 일자리에 지원하였다. 지금은 아직 답을 기다리고 있다. 나는 그 일자리를 얻어서 빨리 돈을 벌 수 있기를 희망한다. 돈을 충분히 모으게 되면, 나는 외국으로 공부하러 갈 것이다. 내가 가장 원하는 것은 미국에서 공부하고 박사학위를 취득하는 것이다. 내 꿈이 실현되기를 희망한다.

## Aufgepasst!

1. 이름을 말할 때는 'Mein Name ist ...' 또는 'Ich heiße ...'로 표현할 수 있다.
2. 대학에서 전산학을 공부하다 → Informatik studieren
3. 2학년을 마치고 | nach dem zweiten Studienjahr
4. 군 복무를 하다 | seinen Wehrdienst ableisten
5. 4학년에 다니다 | im vierten Studienjahr sein
6. 졸업시험에 합격하다 | die Abschlussprüfung bestehen
7. 내년 2월 im Februar nächsten Jahres. Jahres에 2격 표지 -es가 있으므로 nächst-에는 약변화 어미 –en이 온다. im Februar nächstes Jahres는 틀림.
8. 나는 ...을 확신한다 | ich bin sicher, dass ...
9. 일자리를 얻다 | eine Stelle bekommen
10. ...때문이다 ... | nämlich ...
11. 충분한 돈이 없다 | nicht genug/genügend Geld haben; 돈을 충분히 모으다 genug/genügend Geld sparen (genug과 genügend는 어미 변화를 하지 않음)
12. ...에 지원하다 | sich um et. bewerben
13. 돈을 충분히 모으다 | genug/genügend Geld sparen
    내가 돈을 모으게 되면 | wenn ich Geld gespart habe/gespart haben werde (미래완료를 의미하지만 현재완료 시제를 사용할 수도 있음)
14. 꿈이 실현되다 | Die Träume werden wahr.

## Text zum Korrigieren

der dritten

Ich heiße Hana Lee, bin 17 Jahre alt und besuche die T-Oberschule in Seoul. Ich bin jetzt in ~~drei~~ Klasse. Dezember habe ich die Universtitätsaufnahmeprüfung machen. Ich bin nicht sicher, dass ich die Prüfung bestehe, weil meine Noten sind nicht so gut. Aber ich hoffe, ob alles gut geht. Weil ich zu wenig Punkte bekomme, werde ich noch ein Jahr fleißig lernen, für im nächsten Jahr mehr Punkte zu bekommen.

Nämlich möchte ich gerne Journalistik studieren. Ich schreibe sehr gerne. Als zwölf Jahren bin ich angefangen, um kleine Geschichten zu schreiben. Mein Lieblingsfach ist Koreanisch. Ich interessiere auch Politik, Kultur und Gesellschaft.

Wenn alle gut geht, werde ich also seit März Journalistik studiert. Im Semesterferien werde ich mein Englisch verbessern, denn Englisch im Berufsleben sehr wichtig ist. Ich hoffe, ob ich einmal einen Sprachkurs in den USA machen kann. Während des Studierens werde ich versuchen, ein Praktikum bei einer Zeitung machen. Nachdem Studium werde ich mich für einer Zeitung, bei Radio oder im Fernsehen als Journalistin bewerben. Ich weiß, ob es nicht einfach ist, um eine Stelle zu bekommen, aber ich hoffe, Erfolg haben zu werden.

## Ihr Text

**Schreiben Sie über Ihre Zukunftspläne. Was werden Sie studieren und warum? Was werden Sie in den Semesterferien machen? Was werden Sie nach dem Abschluss des Studiums machen?**

Lektion

# 5

# Lebenslauf schreiben

## Modelltext

# Tabellarischer Lebenslauf

### LEBENSLAUF

#### PERSÖNLICHE DATEN

| | |
|---|---|
| Name: | Soyeon Lee |
| Geburtsdatum: | 03. 09. 1994 |
| Geburtsort: | Suwon, Südkorea |
| Staatsangehörigkeit*: | koreanisch |
| Familienstand: | ledig |
| Adresse: | Shinho Apt. 223-202 Bangbae-dong 725, Seocho-gu Seoul, Korea |
| Telefon: | +82-2-596-7996 Handy: +82-10-5477-3546 |

#### BERUFLICHE ERFAHRUNGEN

| | |
|---|---|
| Juni/Juli 2021 | 6-wöchiges Praktikum bei der Deutschen Welle in Köln |
| seit 2019: | Freie Mitarbeiterin der deutschen Abteilung von Radio Korea International<br>Übersetzungen koreanischer und deutscher Texte für Unternehmen und Institutionen<br>Dolmetschen bei verschiedenen Konferenzen und Messen |

#### HOCHSCHULAUSBILDUNG

| | |
|---|---|
| 02. 2021 | Abschluss: M.A.; Magisterarbeit über „Fachbegriffe im Bereich Wirtschaft", Note gut |
| 03. 2019 - 02. 2021 | Studium des Dolmetschens und Übersetzens (Koreanisch-Deutsch) an der Graduate School of Interpretation and Translation der H-Universität |
| 02. 2019 | Abschluss: B.A., Note gut (3,65) |

| | |
|---|---|
| 03. 2015 - 02. 2019 | Studium der Germanistik an der H-Universität in Seoul, Nebenfach: Anglistik |

**SCHULBILDUNG**

| | |
|---|---|
| 08. 2011 - 06. 2015 | Geschwister-Scholl-Gymnasium Berlin, Abitur, Note 2,3 |
| 03. 2010 - 02. 2011 | Changwon-Mädchenoberschule in Seoul |
| 03. 2007 - 02. 2010 | Youngho-Mittelschule in Seoul |
| 03. 2001 - 02. 2007 | Sunshin-Grundschule in Seoul |

**BESONDERE KENNTNISSE**

| | |
|---|---|
| Sprachkenntnisse | Deutsch: fließend<br>Englisch: sehr gut<br>Teilnahme am Sommerkurs „Business English“ der University of Maryland (Juli 2020)<br>Französisch: Grundkenntnisse |
| EDV | Word, Excel, PowerPoint, Photoshop |
| Interessen, Hobbys | Politik, klassische Musik, Tennis |

Seoul, den 25. September 2021 *Soyeon Lee*

## Wörter und Ausdrücke

| | |
|---|---|
| • **der Lebenslauf <-(e)s, -läufe>** | 이력서 (= Curriculum Vitae) |
| • **die Institution <-, -en>** | 기관 |
| • **die Staatsangehörigkeit <-, -en>** | 국적; 다국적 기업에 지원할 때는 국적을 명시함 |
| • **EDV (Elektronische Datenverarbeitung)** | 전산처리 |
| • **B. A. (Bachelor of Arts)** | 학사 |
| • **M. A. (Magister Artium; Magistra Artium; Master of Arts)** | 석사 |

## '–' 사용법

**• 숫자와 낱말이 연결될 때**

- ein 6-wöchiges Praktikum 6주간의 실습
- eine 14-tägige Reise 14일간의 여행,
- ein 4-jähriges Kind 네 살배기 아이

**• 낱말에 접미사가 연결될 때는 '–'를 사용하지 않음**

- Anfang der 90er Jahre 90년대 초

## A1. Wie heißen die Fragen?

1. ________________________? - Mein Name ist Soyeon Lee.

2. ________________________? - Mein Geburtsdatum ist der 3. 9. 1974.

3. ________________________? - Mein Geburtsort ist Suwon.

4. ________________________? - Ich habe die koreanische Staatsangehörigkeit.

5. ________________________? - Ich bin ledig.

6. ________________________? - Ich habe für viele Unternehmen übersetzt und gedolmetscht.

7. ________________________? - Ich spreche fließend Deutsch und Englisch. Ich kann gut mit dem Computer umgehen.

## 혼인여부 및 가족사항

Familienstand 혼인여부

| | | |
|---|---|---|
| • ledig 미혼 | • verheiratet 기혼 | • geschieden 이혼 |
| • verwitwet 배우자와 사별 | • zwei Kinder 자녀 2명 | • keine Kinder 자녀 없음 |

## 군 복무 사항

• 2015 – 2017 Militärdienst 군복무

## A2. Ergänzen Sie den Lebenslauf.

### LEBENSLAUF

______________________________

________________ : Haeyong Song

________________ : 07. 09. 1994

________________ : Anyang, Südkorea

________________ : koreanisch

________________ : verheiratet, ein Kind

________________ : Na-1307, Samick Apt. Dangsan-dong 725, Yeongdeungpo-gu Seoul, Korea

________________ : +82-2-485-6885 Handy: +82-10-4365-2435

______________________________

| | |
|---|---|
| 03. 2001 - 02. 2007 | Hanam-Grundschule in Anyang |
| 03. 2007 - 02. 2010 | Boram-Mittelschule in Seoul |
| 03. 2010 - 02. 2013 | Hongik-Jungenoberschule in Seoul |

____________________

03. 2013 - 02. 2019 Studium der Germanistik an der *K-Universität* in Seoul, Nebenfach: Informatik

(02. 2015 - 02. 2017: Militärdienst)

02. 2019 Abschluss: B.A.

03. 2019 - 02. 2021 Studium der Regionalwissenschaft EU an der *Graduate School der K-Universität*

02. 2021 Abschluss: M.A.

____________________

seit 2019: Dolmetschen und Übersetzen für verschiedene koreanische und deutsche Unternehmen

____________________

________ Koreanisch: Muttersprache
Deutsch: sehr gut
Englisch: gut

____ Textverarbeitung (Word, Hangul), Excel, PowerPoint

________ Computer, Filme

(________)*, (________)

(________)

* ( )에 들어갈 내용에 대한 명칭

- die Regionalwissenschaft 지역학

## Nominalisierung(명사화)

이력서에는 '주어 + 동사' 구조의 문장보다는 명사구 형태의 압축된 표현이 사용된다.

• Von 1998 bis 2002 habe ich in Bonn Germanistik studiert.

→ 1998 - 2002 Studium der Germanistik in Bonn
(Germanistik-Studium)

• Im Juli und August 2013 habe ich ein 6-wöchiges Praktikum bei der Deutschen Welle in Köln gemacht.

→ Juli/August 2013 6-wöchiges Praktikum bei der Deutschen Welle in Köln

• Ich spreche fließend Italienisch und etwas Japanisch.

→ Sprachkenntnisse Italienisch: fließend
Japanisch: Grundkenntnisse

• Ich kenne mich sehr gut im Bereich Windows und Internet aus.

→ EDV sehr gute Kenntnisse im Bereich Windows und Internet

• Im Juli 2020 habe ich am Kurs 'Business English' der University of Maryland teilgenommen.

→ Juli 2020 Teilnahme am Kurs `Business English` der University of Maryland

## A3. Ergänzen Sie den Lebenslauf.

1. Von 2009 bis 2013 habe ich an der Y-Universität in Seoul Journalistik studiert.

→ ______________________________

2. Vom 5. Juni bis zum 14. August 2020 habe ich ein Praktikum bei der X-Tageszeitung in Seoul gemacht.

→ ______________________________

3. Ich spreche fließend Englisch und etwas Chinesisch und kenne mich sehr gut im Bereich Windows aus.

→ Sprachkenntnisse ______________________________

______________________________

EDV ______________________________

4. Im Juli 2020 habe ich am Kurs *Wirtschaftsdeutsch* der Universität Düsseldorf teilgenommen.

→ ______________________________

5. Seit 2015 arbeite ich als freie Mitarbeiterin bei KBS World Radio.

→ ______________________________

6. Ich interessiere mich besonders für Kunst und schwimme gerne.

→ ______________________________

## A4. Ergänzen Sie die Texte auf Basis des Lebenslaufs.

1.

### Lebenslauf

**Angaben zur Person**

| | |
|---|---|
| Name, Vorname: | Shin, Yura |
| Geburtsdatum: | 18. März 1991 |
| Geburtsort: | Mokpo, Republik Korea |
| Staatsangehörigkeit: | koreanisch |
| Adresse: | Zn. 204, Imun-ro 170, Dongdaemun-gu, Seoul, Republik Korea<br>PLZ: 02454 |
| E-Mail-Adresse: | yurashin318@gmail.com |
| Telefon: | +82-10-6231-7524 |

- die Angabe <-, -n> 진술, 정보
- Zn. Zimmernummer의 약자, Zimmer의 약자로 Zi, Zr. 등이 사용되기도 함

Mein ________ _____ Yura Shin. Ich _____ _____ 18. 3. 1991 _____ Mokpo, Republik Korea, ______________ und besitze _______ ______________ Staatsangehörigkeit. Ich _______ _____ Seoul. Meine E-Mail-Adresse _______ yurashin318@gmail.com. Meine Handynummer ______ +82-10-6231-7524.

- besitzen 소유하다

2.

**Schulische und akademische Ausbildung**

| | |
|---|---|
| 09. 2017 – 02. 2020 | Hankuk University, Seoul, Republik Korea (M.A.)<br>Hauptfach: Deutsche Sprachwissenschaft |
| 03. 2012 – 08. 2017 | Hankuk University, Seoul, Republik Korea (B.A.)<br>Hauptfach: Deutsch; Nebenfach: Kognitive Linguistik<br>Zusatzausbildung: Deutschlehrerqualifikation |
| 03. 2009 – 02. 2012 | J-Fremdsprachenoberschule, Naju, Republik Korea<br>Hauptfach: Englisch<br>Zweites Fach: Chinesisch<br>Drittes Fach: Französisch |
| 03. 2006 – 02. 2009 | M-Mittelschule, Mokpo, Republik Korea |
| 03. 2003 – 02. 2006 | G-Grundschule, Mokpo, Republik Korea |

- schulisch (초·중등) 학교의
- akademisch 대학의, 대학에서 취득한
- die Ausbildung <-, 보통 단수> (직업) 교육, 양성
- die Zusatzausbildung 추가교육
- kognitiv 인지의
- Kognitive Linguistik 인지 언어학
- die Deutschlehrerqualifikation 독일어 교사 자격
  der Deutschlehrer 독일어 교사 + die Qualifikation <-, -en> 자격

Zu meiner _________ und __________ Ausbildung: ____ März 2003 ____ Februar 2006 _____________ ich die G-Grundschule ______ Mokpo und anschließend/danach die M-Mittelschule ______ Mokpo. ______ März 2009 ______ Februar 2012 ______ ich auf der J-Fremdsprachenoberschule _______ Naju, wo ich Englisch als Hauptfach hatte. ______ dieser Fremdsprachenoberschule ______ ich auch Chinesisch und Französisch. ______ der Oberschule ___________ ich von März 2012 bis August 2017 ______ der Hankuk University Deutsch als Hauptfach und Kognitive Linguistik als Nebenfach. ______________ machte ich eine Ausbildung, ______ die Deutschlehrerqualifikation _________ erwerben. _________ meinem B.A.-Abschluss setzte ich mein Studium fort. _____ Februar 2020 __________ ich mein Magisterstudium _____ Fach Deutsche Sprachwissenschaft ____.

- **..., wo ich Englisch als Hauptfach hatte** 내가 영어를 전공했던 ...
  wo는 관계절을 이끄는 관계부사로 앞에 오는 선행사(장소)를 수식함
- **erwerben** 습득하다

3.

| **Weiterbildung** | |
|---|---|
| 10. 2016 – 11. 2019 | Deutschlehrerausbildung am Goethe-Institut Korea: 16 Stunden Unterrichtspraxis, 75 Stunden Hospitation, 6 Fortbildungsseminare |
| 07. 2018 – 08. 2018 | DAAD-Weiterbildungsprogramm „Internationaler Sommerkurs für Germanistik“ an der Friedrich Schiller Universität Jena: insgesamt 120 Stunden Fortbildungsseminar |

- die Deutschlehrerausbildung 독일어 교사 양성 (교육)
- die Unterrichtspraxis 수업 실습
- die Hospitation 수업 참관
- das Fortbildungsseminar 추가교육/재교육 세미나(연수)
- das Weiterbildungsprogramm 추가교육 프로그램
- DAAD (Deutscher Akademischer Austauschdienst) 독일 학술교류처
- insgesamt 총

___ _______ 2016 ___ _______ 2019 machte ich eine Deutschlehrerausbildung ___ Goethe-Institut Korea. _____ Ausbildung gehörten 16 Stunden Unterrichtspraxis, 75 Stunden Hospitation und 6 Fortbildungsseminare. ___ _______ bis _______ 2018 _______ ich am DAAD-Weiterbildungsprogramm „Internationaler Sommerkurs für Germanistik“ ____ ____ Friedrich Schiller Universität Jena ____. Das Fortbildungsseminar umfasste ________ 120 Stunden.

- das Weiterbildungsprogramm 추가교육 프로그램
- umfassen 포함하다

4.

**Praktische Erfahrungen**

| | |
|---|---|
| 04. 2020 – 05. 2020 | Unterrichtsvertretung (37 Stunden) für das Fach ‚Deutsch I' an der *S-Oberschule* in Seoul, Republik Korea |
| 06. 2019 – 08. 2019 | Unterricht (45 Stunden) für den Deutsch-Konversationskurs für Krankenschwestern am *S-Health College* in Seoul, Republik Korea |
| 08. 2017 | Unterstützung bei der Durchführung des Deutsch-Camps für Studenten KiSDaF (Koreanisches interuniversitäres Seminar für Deutsch als Fremdsprache), Yongin, Republik Korea |
| 04. 2017 – 05. 2017 | Lehrpraktikum an der H-Oberschule, Yongin, Republik Korea |
| 11. 2014 – 07. 2015 | Hilfskraft für die Bearbeitung deutschsprachiger Materialien über Korea an der *Academy of Korean Studies*, Seongnam, Republik Korea |
| 03. 2013 – 02. 2014 | Hilfskraft am *Institute of EU Studies* an der *Hankuk University* |

- die Unterrichtsvertretung <-, -en> 대리 수업
- die Vertretung 대신/대표하기
- jn. vertreten 누구를 대신하(여 무엇을하)다
- praktisch 실제의, 실습의
- die Krankenschwester <-, -n> 간호사
- die Unterstützung <-, -en> 지원
- die Durchführung <-, -en> 실행, et. durchführen (무엇을) 실행하다
- interuniversitär 대학 간의
- das Lehrpraktikum <-s, -praktika> 교육실습
- die Hilfskraft <-, -kräfte> 보조원, 조교
- deutschsprachig 독일어의
- das Material <-s, -ien> 자료, 재료
- die Bearbeitung <-, -en> 처리
- bearbeiten 처리하다

____ ______ ____ ______ 2020 _____ ich eine Unterrichtsvertretung ____ das Fach‚Deutsch I‘

_____ der S-Oberschule in Seoul. Die Vertretung __________ 37 Unterrichtsstunden.

____ ______ ____ __________ 2019 ___________ ich 45 Stunden Deutsch-Konversation

für Krankenschwestern am *S-Health College* in Seoul.

_____ August 2017 _________ ich die Durchführung des Deutsch-Camps für Studenten

KiSDaF (Koreanisches interuniversitäres Seminar für Deutsch als Fremdsprache) in Yongin.

________ _________ ________ _________ 2017 _____________ ich ein Lehrpraktikum

an der H-Oberschule in Yongin.

______ _____________ 2014 ______ _______ 2015 half ich ______ Hilfskraft ______ der

*Academy of Korean Studies* _____ Seongnam _____ der Bearbeitung deutschsprachiger

Materialien _______ Korea.

_______ _________ 2013 _______ _________________ 2014 _________ ich Hilfskraft

_____ *Institute of EU Studies* an der *Hankuk University.*

5.

**Sprachkenntnisse**

Koreanisch: Muttersprache

Deutsch: fließend (Goethe-Zertifikat C1)

Englisch: fließend (TOEFL C1)

Chinesisch: Grundkenntnisse

Französisch: Grundkenntnisse

Seoul, den 28. 04. 2020

Yura Shin

- das Zertifikat <-(e)s, -e> 인증서

Zu ______________ Sprachkenntnissen: Meine ______________ ist Koreanisch. Mein Deutsch ist ______________. Ich ______________ das Goethe-Zertifikat C1. Ich ______________ auch fließend Englisch (TOEFL C1). Zudem ______________ ich Grundkenntnisse in Chinesisch und Französisch.

## Text zum Ergänzen

# LEBENSLAUF

__________________________ ①

| | |
|---|---|
| Name: | Taeho Kim |
| Geburtsdatum: | 03. 09. 1980 |
| Geburtsort: | Cheongju, Republik Korea |
| Staatsangehörigkeit: | koreanisch |
| Familienstand: | ____________ ②, ein Kind |
| Adresse: | Da-1205, Samsung Apt. Cheongdam-dong 118, Gangnam-gu Seoul, Korea |
| Telefon: | (02) 542-4701, 010-6242-5743 |

## SCHULBILDUNG

| | |
|---|---|
| 03. 1987 - 02. 1993 | B-____________ ③ in Seoul |
| 03. 1993 - 02. 1996 | Y-____________ ④ in Seoul |
| 03. 1996 - 02. 1999 | C-____________________ ⑤ in Seoul |

## HOCHSCHULAUSBILDUNG

| | |
|---|---|
| 03. 1999 - 02. 2005 | _________ ____ _________ ____ ⑥ der K-Universität in Seoul; ____________ ⑦: Wirtschaftswissenschaft |
| 02. 2001- 02. 2003 | _______________ ⑧ |
| 02. 2005 | ____________ : ____ ⑨, Note gut |

**BERUFLICHE ERFAHRUNGEN**

| | |
|---|---|
| seit 03. 2005: | bei Samsung Corning in Suwon |
| 05. 2009 - 08. 2009 | ________ ⑩ Weiterbildung bei Samsung Corning Berlin |

**BESONDERE KENNTNISSE**

| | |
|---|---|
| Sprachkenntnisse | Deutsch: fließend; ________ ⑪ Sommerkurs \`Wirtschaftsdeutsch\` der Universität Düsseldorf<br>Englisch: gut |
| EDV | Umfangreiche ________ ⑫ im Bereich DOS/Windows, Hangul, Internet |
| Interessen, Hobbys | Deutsche Literatur, Computer, Golf |

________, ________ ⑬

________ ⑭

## Tipps

| | |
|---|---|
| ① 인적사항 | ② 기혼 |
| ③ 초등학교 | ④ 중학교 |
| ⑤ 외국어고등학교 | ⑥ 서울 소재 K 대학에서 독어독문학 전공 |
| ⑦ 부전공 | ⑧ 군복무 |
| ⑨ 학사 학위 취득 | ⑩ 3개월 연수 |
| ⑪ '경제 독일어' 여름 연수강좌 참가 | ⑫ 풍부한 지식 |
| ⑬ 이력서를 작성한 곳과 날짜 | ⑭ 작성자 서명 |

## Wörter und Ausdrücke

| | |
|---|---|
| · die Wirtschaftswissenschaft | 경제학 |
| · umfangreich | 풍부한, 큰, 많은 |
| · deutsche Literatur | 독문학 |

## Text zum Übersetzen

> 다음에 소개하는 사람의 이력서를 작성하시오.

내 이름은 윤아미이다. 나는 1987년 7월 30일 부산에서 태어났다. 아직 미혼이다. 내 주소는 부산광역시 동래구 온천동 397번지이며, 전화번호는 051-554- 9483이고, 핸드폰 번호는 010-6242-5743이다.

1994년 3월부터 2000년 2월까지 부산 A 초등학교에 다녔으며, 2000년 3월부터 2003년 2월까지 부산 B 중학교에 다녔다. 2003년 3월부터 2006년 2월까지는 부산 C 여자고등학교에 다녔다.

2006년 3월부터 2010년 2월까지 서울 S-여대에서 디자인을 전공했으며, 부전공은 프랑스어였다. 2010년 2월에 학사 학위를 취득하였다.

2010년 9-10월에는 프랑스 마르세유(Marseille)에 있는 '라 모드(La Mode)' 사에서 8주간의 실습을 하였다. 2011년 3월부터 서울의 '모라도(Morado)' 사에서 디자이너로 근무하고 있다.

특별한 지식을 언급하자면, 나는 프랑스어를 유창하게 한다. 몽펠리에(Montpellier)대학의 어학코스에 참가했었다(2011년 7-8월). 영어도 잘한다. DOS/Windows, 한글, 인터넷, MS Word, Excel 등의 분야에 대한 매우 풍부한 지식을 가지고 있다.

관심 및 취미로는 패션과 스키를 들 수 있다.

2011. 10. 13. 서울에서 윤아미

### LEBENSLAUF

#### PERSÖNLICHE DATEN

Name: Ami Yun

Geburtsdatum: ____________

Geburtsort: ____________

**Aufgepasst!**

**1.** 이력서 작성의 기본 틀에 유의한다. 인적사항(persönliche Daten), 학교 교육(Schulbildung), 대학교육(Hochschulausbildung), 경력 사항(berufliche Erfahrungen), 특기 사항(besondere Kenntnisse) 등의 순서로 기술함. 독일에서는 보통 고등학교까지의 학교교육과 대학교육을 분리하여 기술함.

**2.** 국제적 차원에서는 국가번호(+82)를 제시한다.

**3.** 디자인 전공 | Design-Studium

**4.** 학사 학위 취득 | Abschluss: B.A.

**5.** ... (회)사에서 | bei der Firma ...

**6.** 디자이너 | der Designer/die Designerin

**7.** 특별한 지식 | besondere Kenntnisse

**8.** 외국어를 유창하게 구사하면 'fließend'라고 말한다. 한국에서는 보통 '상, 중, 하'로 외국어 능력을 표시하기도 하는데, 독일어로는 'sehr gut, gut, Grundkenntnisse' 등을 사용할 수 있다.

**9.** ...에 참가하였다 | Teilnahme an/am ...

**10.** ...분야에 대한 매우 풍부한 지식 | sehr gute/umfangreiche Kenntnisse im Bereich ...

**11.** 패션 | die Mode

**12.** 독일어 이력서에는 '장소'와 '날짜'를 적고, 그다음에 이름을 쓴다.

## Text zum Korrigieren

# LEBENSLAUF

### PERSÖNLICHE DATEN

| | |
|---|---|
| Name: | Jungu Lee |
| ~~Geburt:~~ Geburtsdatum | 07. 10. 1990 |
| Ort: | Gwangju, Republik Korea |
| Staat: | Korea |
| Familienstand: | geheiratet, zwei Kinder |

### SCHULE

| | |
|---|---|
| 1997. 03. - 2003. 02. | J-Grundschule von Gwangju |

### HOCHSCHULAUSBILDUNG

| | |
|---|---|
| 03. 2009 - 02. 2015 | Studium von Journalistik in der Y-Universität in Seoul, Nebenfach: Anglistik |

### BERUFLICHE ERFAHRUNGEN

| | |
|---|---|
| 01.07 - 31. 12. 2016 | Praktikum an der Boston Times in Boston/USA |
| von 03. 2017 | Journalist bei der Tageszeitung X-Ilbo in Seoul |

### BESONDERE KENNTNISSE

| | |
|---|---|
| Sprachkenntnis | Englisch: fließend; Teilnahme an Kurs *Business Englisch* der Universität Stanford (Januar 2020)<br>Japanisch: Grundkenntnisse |
| EDV | Sehr gut im Bereich DOS/Windows, Internet, Hangul, MS Word, Excel, Power Point |
| Interesse, Hobby | Philosophie, Kochen |

13. 10. 2021, Seoul

*Jungu Lee*

## Ihr Text

**Schreiben Sie Ihren Lebenslauf: 1) Tabellarischer Lebenslauf, 2) Lebenslauf in Textform.**

Lektion

# 6

# Offizielle Kontaktaufnahme

## Modelltext

# Betreuung meiner Promotion

Seoul, den 29. 4. 2020

Sehr geehrte Frau Prof. Dr. Schwarz,

mein Name ist Yura Shin. Ich habe in Korea an der Hankuk University Deutsch als Fremdsprache und Germanistik studiert. Im Wintersemester 2019/20 habe ich mein Masterstudium mit einer Arbeit über das Thema *Analyse und Kritik der Wortschatzarbeit in koreanischen Oberschullehrbüchern für Deutsch als Fremdsprache* abgeschlossen.

Nun möchte ich mein Studium im Bereich *Deutsche Sprachwissenschaft* bzw. *Didaktik für Deutsch als Fremdsprache* in Deutschland vertiefen. Wie der Titel meiner Masterarbeit zeigt, interessiere ich mich besonders für die Didaktik des Wortschatzes. Ich möchte gerne untersuchen, wie man den koreanischen Deutschlernern den deutschen Wortschatz möglichst effektiv vermitteln kann.

Über die Webseite der Humboldt-Universität habe ich erfahren, dass Sie auf den Gebieten forschen, die mich besonders interessieren. Daher möchte ich Sie höflich fragen, ob Sie mich bei der Promotion mit einem Thema im Bereich DaF-Wortschatz betreuen könnten. Zu Ihrer Information füge ich als Anhang meinen Lebenslauf bei.

Ich würde mich sehr freuen, wenn Sie mich als Doktorandin annehmen würden. Ich hoffe, dass ich meine wissenschaftliche Fähigkeit bei Ihnen in Berlin weiterentwickeln und mit einem für den Deutschunterricht in Korea sinnvollen und nützlichen Thema promovieren kann.

Mit freundlichen Grüßen

Yura Shin

# Wörter und Ausdrücke

| | |
|---|---|
| • **die Betreuung <-, -en>**<br>betreuen | 돌봄, 지도<br>돌보다, 지도하다 |
| • **Dr. → der Doktor <-s, -en>** | 박사 |
| • **das Masterstudium**<br>der Master<br>das Studium <-s, studien> | → 석사과정<br>석사(학위 과정)<br>대학 수학 |
| • **die Analyse <-, -n>** | 분석 |
| • **die Kritik <-, -en>** | 비판 |
| • **die Wortschatzarbeit**<br>der Wortschatz <-(e)s, **보통 단수**> + die Arbeit <-, -en> | 어휘 학습<br>어휘 + 일 |
| • **das Oberschullehrbuch**<br>die Oberschule + das Lehrbuch <-(e)s, -bücher> | 고등학교 교과서<br>고등학교 + 교과서 |
| • **die Sprachwissenschaft**<br>die Sprache <-, -n> + die Wissenschaft <-, -en> | 언어학<br>언어 + 학문 |
| • **bzw. → beziehungsweise** | 내지, 또는 |
| • **die Didaktik <-, 항상 단수>** | 교수법 |
| • **der Titel <-s, ->** | 제목 |
| • **die Masterarbeit** | 석사 논문 |
| • **untersuchen** | 조사하다 |
| • **effektiv** | 효과적인 |
| • **vermitteln** | 전달하다 |
| • **das Gebiet <-(e)s, -e>** | 영역, 분야 |
| • **höflich** | 공손한 |
| • **die Promotion <-, -en>** | 박사과정 |
| • **der Anhang <-(e)s, Anhänge>** | 부록, 첨부 |
| • **der Doktorand <-en, -en>**<br>die Doktorandin | 박사학위 과정생<br>여자 박사학위 과정생 |
| • **annehmen** | (누구의 신청을) 받아들이다, 수용하다 |

- **wissenschaftlich** 학문의
- **die Fähigkeit <-, -en>** 능력
- **weiterentwickeln** 지속해서/더욱 발전시키다
- **sinnvoll** 의미 있는
- **nützlich** 유용한

## Bausteine für den Textaufbau

### ... 대학에서 ...전공하다

- Münster 대학에서 독어독문학을 전공하고 있다.

  Ich studiere an der Universtität Münster Germanistik.

- Düsseldorf 전문대학에서 디자인을 전공하고 있다.

  Ich studiere an der Fachhochschule Düsseldorf Design.

- Detmold 음악대학에서 피아노를 전공했다.

  Ich habe an der Hochschule für Musik Detmold Klavier studiert.

### ... 과정을 마치다/...학위를 취득하다

- 학사/석사/박사과정을 마쳤다.

  Ich habe das B.A.-Studium (Bachelorstudium) abgeschlossen.
  das M.A.-Studium (Masterstudium)
  das Ph.D.-Studium (Doktorstudium)

- 연극학에 관한 주제로 박사학위를 취득했다.

  Er hat über Theaterwissenschaft promoviert.

## ...을 심화하다

**... vertiefen**

- 학습/수업 내용을 심화하고 싶다.
  Ich möchte den Lehrstoff/den Unterrichtsstoff vertiefen.
- 유럽의 역사/경제에 관한 지식을 심화하고 싶다.
  Ich möchte meine Kenntnisse über die europäische Geschichte/mein Wissen über die Wirtschaft vertiefen.
- 독일어 지식을 심화하고/향상하고/확장하고/더 발전시키고 싶다.
  Ich möchte meine Deutschkenntnisse vertiefen/verbessern/erweitern/weiterentwickeln.

## ...이 보여주듯이

**wie ... zeigt,**

- 그림/사진이 보여주듯이, 서울에는 고층빌딩이 많다.
  Wie das Bild/das Foto zeigt, gibt es in Seoul viele Hochhäuser.
- 도표/통계가 보여주듯이, 경기가 지난 몇 달 동안 악화되었다.
  Wie die Tabelle/die Statistik zeigt, hat sich die Konjunktur in den letzten Monaten verschlechtert.
- 도표 4/그림 4가 보여주듯이, 출산율이 급격히 감소했다.
  Wie Tabelle 4/Abbildung 4 zeigt, ist die Geburtenrate stark gesunken/zurückgegangen.

- die Konjunktur <-, -en> 경기
- verschlechtern (sich) 나빠지다
- die Geburtenrate <-, -n> 출산율
- sinken 줄다, 가라앉다
- zurückgehen 줄어들다

## A1. Ergänzen Sie die Wörter.

1. Deutsch ________ ich zunächst ________ der Fremdsprachenoberschule ____________

2. Meine Schwester ___________ _______ einer Musikhochschule ______ Wien Gesang.

3. Nachdem ich ______ Korea mein M.A.-Studium ______ Germanistik ______________ hatte, bin ich ______ Deutschland gegangen, _____ _____ Bereich Sprachwissenschaft ______ promovieren.

4. __________ den Ferien habe ich viele deutsche Romane ______________, um mein Leseverständnis zu _________________

5. ______ das Foto ________, war meine Mutter _______ junges Mädchen sehr hübsch.

- das Leseverständnis 독해력

## A2. Übersetzen Sie ins Deutsche.

1. 나는 서울에 있는 S 대학에서 3년 전부터 심리학을 전공하고 있다.

→ ______________________________

2. 나의 형은 독일 아헨 대학에서 기계공학 분야에서 박사학위를 취득했다.

→ ______________________________

3. 나는 독일의 언어와 문화에 대한 지식을 넓히기 위해서 독일로 가고 싶다.

→ ______________________________

4. 통계가 보여주듯이, 대학생 수가 지난 몇 년 동안 급감했다.

→ ______________________________

- 심리학 die Psychologie
- 기계공학 분야에서 im Bereich Maschinenbau
- 넓히다 erweitern
- 감소하다 zurückgehen/ sinken

## ...를 통해서 ...을 알게 되다

**über/von/durch/aus ... erfahren, ...**

- 나는 밴드를 통해서 네가 시험에 합격했다는 것을 알게 되었다.
  Ich habe über Band erfahren, dass du die Prüfung bestanden hast.
- 내가 장학금을 받게 될 것을 교수님으로부터 (듣고) 알게 되었다.
  Ich habe von meinem Professor/durch meinen Professor erfahren, dass ich das Stipendium bekommen werde.
- 전직 대통령이 죽었다는 것을 언론(보도)을 통해서 알게 되었다.
  Ich habe aus der Presse erfahren, dass der ehemalige Präsident gestorben ist.

## 내가 특히/매우/정말로/어쩌면 흥미를 느끼는 ...

**..., der/das/die mich besonders interessiert/interessieren**

- das Thema, das mich besonders interessiert
- der Film, der mich sehr interessiert
- die Frage, die mich wirklich interessiert
- die Leute, die mich vielleicht interessieren

## ...인지를 묻고/알고 싶다

**Ich möchte Sie fragen/Ich möchte gern wissen, ob ...**

- 그 일을 하는 데 저를 도와주실 수 있는지를 묻고 싶습니다
  Ich möchte Sie fragen, ob Sie mir dabei helfen können.
- 그 행사가 계획대로 열리는지를 알고 싶다
  Ich möchte gern wissen, ob die Veranstaltung wie geplant stattfindet.

## 정보를 (드리기) 위해

**zu Ihrer Information**

- 정보를 드리기 위해 기숙사 목록을 첨부합니다.

  Zu Ihrer Information füge ich als Anhang eine Wohnheimliste bei.

- 정보를 얻으시도록 강좌목록을 (받으시도록) 보내드립니다.

  Zu Ihrer Information erhalten Sie anbei das Vorlesungsverzeichnis.

- beifügen 첨부하다
- erhalten 받다, 얻다
- das Vorlesungsverzeichnis <-es, -se> 강좌목록

## 완곡한/공손한 화법

접속법 2식을 사용하면 공손한 표현을 사용할 수 있다. 동사 과거형 어간을 기본으로 하며, 어간의 a, o, u는 ä, ö, ü로 변모음 된다(화법조동사 wollen, sollen은 예외). 인칭에 따른 어미변화와 어간 사이에 항상 –e-를 첨가함

> **화법조동사**의 접속법 2식 형태

| 인칭 | 어미 | können | werden | müssen | mögen | wollen | sollen |
|---|---|---|---|---|---|---|---|
| | | konnt- | wurd- | musst- | mocht- | wollt- | sollt- |
| ich | -e | könnte | würde | müsste | möchte | wollte | sollte |
| du<br>Sie | -(e)st<br>-en | könntest<br>könnten | würdest<br>würden | müsstest<br>müssten | möchtest<br>möchten | wolltest<br>wollten | solltest<br>sollten |
| er/sie/es | -e | könnte | würde | müsste | möchte | wollte | sollte |
| wir | -en | könnten | würden | müssten | möchten | wollten | sollten |
| ihr<br>Sie | -(e)t<br>-en | könntet<br>könnten | würdet<br>würden | müsstet<br>müssten | möchtet<br>möchten | wolltet<br>wollten | solltet<br>sollten |
| sie | -en | könnten | würden | müssten | möchten | wollten | sollten |

- 내 부탁 하나 들어줄 수 있을까?
  Könntest du mir bitte einen Gefallen tun?
- 저 대신 그것을 처리해주실 수 있을까요?
  Könnten Sie das bitte für mich erledigen?
- 네가 올 수 있다면 기쁘겠다.
  Ich würde mich freuen, wenn du kommen könntest.
- 저를 도와주실 수 있으면 감사하겠습니다.
  Ich würde mich sehr freuen, wenn Sie mir helfen könnten.

- jm. einen Gefallen tun 누구의 부탁을 들어주다

## A3. Ergänzen Sie die Wörter.

1. Heute habe ich ________ meinem Deutschlektor gehört, dass es in Deutschland keine Studiengebühren gibt.

2. Ich habe gerade ________ dem Internet erfahren, ________ die koreanische Mannschaft gewonnen hat.

3. Er hat _____ Facebook ________, _____ seine ehemalige Freundin geheiratet hat.

4. Antje hat ______ eine Bekannte/______ einer Bekannten ________, ______ ihr Freund in Japan war.

5. Das Thema, ______ mich während ______ Studiums besonders interessiert ______, war „Medien im Fremdsprachenunterricht".

6. Das ist der Film, ______ mehr ______ zehn Millionen Menschen gesehen ________.

7. Ich möchte ________ wissen, ________ ich ein Zimmer im Studentenwohnheim bekommen kann.

8. ________ ________ Information lege ich Ihnen meinen Lebenslauf bei.

9. ________ Sie mir _____ mitteilen, _____ ich schon im September einziehen kann?

10. Wir ______ ______ sehr freuen, wenn Sie unsere Einladung annehmen ________.

11. Ich ______ ______ sehr dankbar, wenn Sie das für mich erledigen ________.

- das Medium <-s, Medien> 매체
- et. beilegen 무엇을 동봉하다
- dankbar 감사하는

## A4. Übersetzen Sie ins Deutsche.

1. 제 박사 논문을 지도해주실 수 있는지 여쭙고 싶습니다.

→ ______________________________

2. 이분이 박사과정에서 나를 지도해주신 교수님이시다.

→ ______________________________

3. 학과 사무실로부터 그 모임이 다음 주에 열린다는 소식 벌써 들으셨습니까?

→ ______________________________

4. 여행 중 찍은 사진 몇 장을 첨부한다.

→ ______________________________

## 관사와 명사 사이에 오는 수식어

- 주제

  ein Thema

- 의미 있고 유익한 주제

  ein sinnvolles und nützliches Thema

- 독일어 교육에 의미 있고 유익한 주제

  ein für den Deutschunterricht sinnvolles und nützliches Thema

- 한국의 독일어 교육에 의미 있고 유익한 주제

  ein für den Deutschunterricht in Korea sinnvolles und nützliches Thema

- 한국의 독일어 교육에 의미 있고 유익한 주제로

  mit einem für den Deutschunterricht in Korea sinnvollen und nützlichen Thema

  (전치사 mit의 3격 목적어)

  mit einem Thema, das für den Deutschunterricht in Korea sinnvoll und nützlich ist

  (선행사를 수식하는 관계절로 표현할 수도 있음)

## A5. Ergänzen Sie die Wörter.

1. Ich möchte einen Aufsatz über ein Thema schreiben, das für Studenten in Korea nützlich und interessant ist.

→ Ich möchte einen Aufsatz über ein ________ ________ ________ ________

________ ________ ________ Thema schreiben.

2. Ich werde in ein Zimmer einziehen, das von der Universität nicht so weit entfernt ist.

→ Ich werde in ein ____ ____ ________ ______ ____ ______ ______ Zimmer einziehen.

3. Ich habe heute per E-Mail erfahren, dass die Konferenz, die für August dieses Jahres geplant wurde, nicht stattfinden kann.

→ Ich habe heute per E-Mail erfahren, dass die ____ ________ ________ ______

________ ________ nicht stattfinden kann.

3. Ich habe zu meinem Geburtstag ein Buch, das mit dem Nobelpreis für Literatur ausgezeichnet wurde, geschenkt bekommen.

→ Ich habe zu meinem Geburtstag ein ____ ____ ____________ ____

________ ______________ ______ geschenkt bekommen.

- der Nobelpreis <-es, -e> 노벨상
- jn./et. mit et. auszeichnen 누구/무엇에게 무엇을 수여하여 인정하다

## A6. Übersetzen Sie ins Deutsche.

1. 우리가 그 주제를 토론할 수 있으면 좋겠습니다.

→ ______________________________

2. 저희를 곧 다시 방문해 주시면 (저희가) 대단히 기쁘겠습니다.

→ ______________________________

3. 네가 나를 좀 도와줄 수 있으면 기쁘겠다.

→ ______________________________

4. 이 사안을 담당하는 직원과 이야기하고 싶습니다.

→ ______________________________

5. 그는 이 분야에서 세계적으로 가장 유명한 연구자 중 한 사람이다.

→ ______________________________

- 사안 die Angelegenheit
- 담당하는 zuständig (für et.)
- 직원 der Mitarbeiter
- 연구자 der Forscher
- ... 중의 한 사람 einer der ...

## Text zum Ergänzen

_____ _____① Herr Prof. Dr. Müller,

_____ _____② ist Daejin Choi. Ich habe _____ Korea _____ der T-Universität Betriebswirtschaftslehre _____③. Im Wintersemester 2019/20 habe ich mein Masterstudium _____ einer Arbeit _____ Online-Marketing _____④. Mein Nebenfach war Germanistik. Ich habe als Jugendlicher _____ _____ in Frankfurt _____ und dort das Goethe-Gymnasium _____⑤. Nun möchte ich mein BWL-Studium _____ und in Deutschland _____⑥. _____ Sie _____ Titel meiner Masterarbeit _____ _____⑦, interessiere ich _____ besonders _____ die Optimierung der Logistik _____⑧ Online-Marketing. _____ Professor Whanki Kim, _____ meine Magisterarbeit betreut _____⑨, habe ich erfahren, dass Sie Spezialist für Logistikentwicklung im Bereich Online-Marketing sind. Daher möchte ich Sie fragen, _____ Sie mich _____ der Promotion _____ einem Thema _____ Bereich Logistik im Online-Marketing betreuen _____⑩.

_____ _____ finden _____ meinen Lebenslauf.

Ich _____ _____ sehr freuen, wenn Sie mich als Doktorand annehmen _____⑫. Ich hoffe, _____ ich meine wissenschaftliche Kompetenz _____ Ihnen _____ Hamburg weiter entwickeln und mit _____ _____ das Zeitalter der Künstlichen Intelligenz

_______________ ⑬ Thema promovieren kann.

Mit freundlichen Grüßen

Daejin Choi

## Tipps

① 존경하는

② 제 이름은

③ 한국 T 대학에서 공부했습니다.

④ 온라인 마케팅에 관한 논문으로 석사과정을 마쳤습니다.

⑤ 4년 동안 프랑크푸르트에 살았고, 괴테 김나지움에 다녔습니다.

⑥ 경영학 공부를 심화하고 독일에서 박사학위를 취득하고 싶습니다.

⑦ 제 석사 논문 제목에서 보실 수 있는 것처럼

⑧ 온라인 마케팅의 물류 최적화에 관심이 있습니다.

⑨ 제 석사 논문을 지도해주신 김환기 교수님으로부터

⑩ 온라인 물류 분야의 주제로 박사학위를 하는 데 지도해주실 수 있는지를

⑪ 첨부 파일에 제 이력서가 있습니다.

⑫ 저를 박사과정생으로 받아주시면 기쁘겠습니다.

⑬ 함부르크에 계시는 교수님에게서 학문 역량을 발전시키고 인공지능 시대에 유용한 테마로 박사학위를 할 수 있기를

## Wörter und Ausdrücke

| | |
|---|---|
| **die Betriebswirtschaftslehre (BWL) <-, ->** | 경영학 |
| **die Optimierung <-, -en>** | 최적화 |
| **die Logistik**<br>die Logistikentwicklung | 물류<br>물류사업 개발 |
| **die Kompetenz <-, -en>** | 지식과 능력, 권능 |
| **das Zeitalter <-s, ->** | 시대 |
| **die Künstliche Intelligenz (KI)** | 인공지능(영어: AI) |

## Text zum Übersetzen

안녕하십니까?

제 이름은 박미나입니다. 저는 현재 한국의 서울에 있는 H 대학교에서 패션 디자인을 전공하고 있습니다. 귀 아카데미의 인터넷 사이트를 통해서 제게 매우 흥미를 끄는 6주간의 "패션 디자인" 여름 과정을 제공한다는 것을 알게 되었습니다.

저는 이미 (고등)학교에서 독일어를 배웠고 독일문화원 독일어 과정도 다녔습니다만, 제 독일어 실력은 아직 그다지 좋지 않습니다(겨우 A2). 그래서 제 독일어가 그 여름 과정에 참가하기에 충분한지 알고 싶습니다. 혹시 중간중간 영어설명이 있는지요?

몇 가지 질문이 더 있습니다. 유감스럽게도 저는 한국의 학기 시작 때문에 과정이 끝나기 한 주 전에 벌써 돌아가야 합니다. 1) 그런데도 과정 참여가 가능한지요? 2) 가능하다면, 과정에 대한 인증서도 받을 수 있는지요? 3) 6주간 강좌 수강료를 모두 내야 하는지요?

제 질문에 답변해주실 수 있으시면 기쁘겠습니다.

안녕히 계십시오.

박미나 드림

## Aufgepasst!

1. 서신을 받게 될 사람이 누구인지 모를 때 우리말에서는 보통 '안녕하십니까?'로 시작한다. 이 경우 독일에서는 'Sehr geehrte Damen und Herren'을 사용할 수 있다.

2. 현재 | jetzt, zurzeit

3. 인터넷 사이트를 통해서 | über die Internetseite

4. 6주간의 | sechswöchig-

5. 여름 과정을 제공하다 | einen Sommerkurs anbieten

6. '제게 매우 흥미를 끄는'은 관계대명사를 사용하여 앞 문장에 연결할 수 있다. | ..., für den ich mich sehr interessiere

7. ...다녔습니다만, (그러나) ... | ... zwar besucht, aber ...

8. ...하기에 충분하다 | für et. ausreichen

9. 중간중간에 | zwischendurch

10. 가능성에 대한 완곡한 물음의 '...있는지요?'는 접속법 2식을 사용하는 것이 좋다.

11. '앞의 질문에 긍정적인 답이 가능하다면'의 뜻으로 '그렇다면'은 wenn ja로 함축하여 표현할 수 있다.

12. 강좌 수강료를 모두 | die volle Kursgebühr

13. '내야 하는지요?' 역시 완곡한 문의에서는 접속법 2식을 사용하는 것이 좋다.

14. <Sie를 사용하는 사람에게 보내는 서한에서> 안녕히 계십시오 | Mit freundlichen Grüßen

## Text zum Korrigieren

Sehr geehrter Frau Park,

vielen

~~Vielen~~ Dank für Ihre Interesse an unseren Kurs. Da wir den Sommerkurs „Modedesign" bereits seit fünf Jahre anbieten, ist er zwischen Modedesign-Studenten schon bekannt und beliebt. Die Unterrichtssprache ist zwar Deutsch, und wichtige Inhalte erklären die Kursleiter auch auf Englisch, denn viele Studenten von dem Ausland kommen. Ich glaube aber, dass Ihr Deutsch ausreicht, die Erklärungen verstehen zu können.
Auf Ihren weitere Fragen: Ja, Sie können früher zurückfliegen. Wir können Ihnen ein Zertifikat für fünf Wochen ausstellen. Leider gibt es keine Gebührenermäßigung. Wir werden uns sehr freuen, dass Sie trotzdem an unseren Sommerkurs teilnehmen werden. Ich bin sicher, dass es sich lohnt, daran zu teilnehmen.

Für weitere Fragen stehe ich Ihnen jederzeit gerne zur Verfügung.

Mit ganz herzlichen Grüßen

Anja Münterfering

### Wörter und Ausdrücke

- **jm. ein Zertifikat ausstellen** 누구에게 인증서를 교부하다/발행하다
- **jm. gerne zur Verfügung stehen** 누구의 뜻에 기꺼이 응하다

## Ihr Text

Sie wollen in Deutschland weiterstudieren. Schreiben Sie eine Mail an eine Professorin oder an einen Professor in Deutschland. Erklären Sie, was Sie studiert haben und warum Sie in Deutschland weiterstudieren möchten. Bitten Sie sie/ihn um eine Betreuung.

Lektion

# 7

# Eine Anfrage schreiben: Schüleraustausch, Stellenbewerbung

## Modelltext

# Tageszeitung

No.12,345 | Stuttgart, den 15. 3. 2020

### Dr. Tim-Sprachreisen:

Fremdsprachen im Ausland lernen - der Weg zum Erfolg!

Über 25 Jahre Erfahrung mit Sprachreisen für Erwachsene, Schüler und Studenten nach England und Frankreich. Anfängerkurse, Mittelstufenkurse, Kurse für Fortgeschrittene, Fremdsprachen-Intensivtraining, Sprachferien für Schüler, Schüleraustausch in die USA. Bitte fordern Sie unsere ausführlichen Unterlagen an:

Dr. Tim-Sprachreisen, Greifstr. 17, 70913 Stuttgart

Tel. 0711/93 85 93 Fax 0711/93 85 94

**Frank Becker**
Hans Böckler Allee 19
52074 Aachen

**Dr. Tim-Sprachreisen**
Greifstr. 17
70913 Stuttgart

Aachen, den 25. 2. 2020

Sehr geehrte Damen und Herren,

ich habe Ihre Anzeige in der Zeitung gelesen. Ich interessiere mich für Ihr Schüleraustauschprogramm in die USA. Ich bin 16 Jahre alt und gehe zurzeit in die 10. Klasse eines Gymnasiums. Im nächsten Jahr würde ich gerne ein Jahr in den USA verbringen. Ich hätte gerne nähere Informationen dazu und möchte Sie deshalb um die Zusendung von Informationsmaterial (Kataloge, Broschüren, Anmeldeformulare u.ä.) an die obige Adresse bitten.

Vielen Dank im Voraus.

Mit freundlichen Grüßen

*Frank Becker*

## Bausteine für den Textaufbau

### 어학/외국어

**Sprach-**

- 어학/외국어 연수여행 die Sprachreise
- 방학 중에 열리는 어학/외국어 연수 die Sprachferien
- 어학/외국어 강좌 der Sprachkurs

- 초급 die Grundstufe
- 초급과정 der Grundstufenkurs
- 중급 die Mittelstufe
- 중급과정 der Mittelstufenkurs
- 고급 die Oberstufe
- 고급과정 der Oberstufenkurs
- 초급과정 der Anfängerkurs
- 중·고급과정 der Kurs für Fortgeschrittene/der Fortgeschrittenenkurs
- 집중강좌 der Intensivkurs

### 교환 프로그램

**das Austauschprogramm**

- 교환학생 der Austauschschüler/-student
- 학생교환 der Schüleraustausch/der Studentenaustausch

### 광고

**die Anzeige/das Inserat**

- 신문광고를 읽다/신문에 광고를 게재하다 eine Anzeige/ein Inserat in der Zeitung lesen/aufgeben
- 광고에 응답하다 auf eine Anzeige/ein Inserat antworten

## 정보 | - das Informationsmaterial 정보자료

**die Information**

- 팸플릿 die Broschüre
- 카탈로그 der Katalog
- 누구에게 안내 팸플릿을 보내다
  jm. eine Informationsbroschüre senden/zusenden (schicken/zuschicken)
  (senden/zusenden이 문체상 schicken보다 더 공식적임)

## 서류 | - die ausführlichen Unterlagen 상세한 서류

**die Unterlage <보통 복수, -n>**

- 지원 서류 die Bewerbungsunterlage
- 신청서 das Anmeldeformular

## 무엇을 요청하다

**et. anfordern**

- 정보자료/서류를 요청하다 Informationsmaterial/Unterlagen anfordern
- 평가서를 요청하다 ein Gutachten anfordern

## 무엇을 부탁하다

**jn. um et. bitten**

- 안내 자료를 (보내달라고) 부탁하다 um (die Zusendung von) Informationsmaterial bitten
- 정보를 요청하다 um Auskunft/Informationen bitten

## A1. Ergänzen Sie die Wörter.

anfordern, antworten, Anzeige, bitten, Inserat, lesen/sehen, schicken/zuschicken/senden/zusenden, Sprachkurs, Stellenanzeige, suchen, Unterlagen

1. Vor zwei Wochen habe ich eine ________ für Sprachreisen in der Zeitung ________. Da ich im nächsten Jahr Sprachferien in den USA machen möchte, habe ich Informationsmaterial ________. Man hat mir die Unterlagen auch sofort ________.

2. Heute habe ich eine interessante ________ in der Zeitung ________. Eine große deutsche Firma ________ einen Informatiker. Ich habe sofort auf die ________ ________ und meine ________ an die Firma ________.

   (senden - sendete/sandte - gesendet/gesandt; '물건을 보내다'는 의미로는 sandte, gesandt를, '방송을 하다'라는 뜻으로는 sendete, gesendet를 사용함)

3. Ich habe Ihr ________ für Sprachreisen in der Zeitung ________ Ich bin 16 Jahre alt und lerne seit anderthalb Jahren Deutsch. In den Ferien möchte ich einen ________ in Deutschland besuchen. Deshalb ________ ich Sie, mir Informationsmaterial über Mittelstufenkurse für Deutsch ________.

## (가능하면) ...하고 싶다

**würde gern(e) + 부정사**

- 미국에서 일 년을 보내고 싶다 Ich würde gerne ein Jahr in den USA verbringen.
- 외국어를 많이 배우고 싶다 Ich würde gerne viele Fremdsprachen lernen.

## ...을 원하다/...이 갖고 싶다

**hätte gerne + 4격 목적어**

- 멋진 집을 갖고 싶다 Ich hätte gerne ein tolles Haus.
- 긴 머리카락을 가지고 싶다 Ich hätte gerne lange Haare.

## 접속법 2식 형태

- 동사의 과거 형태를 바탕으로 하며, 어간모음 a, o, u가 변모음한다.

| 인칭 | 어미 | haben | sein | kommen | wissen |
|---|---|---|---|---|---|
| | | hatt- | war- | kam- | wusst- |
| ich | -e | hätte | wäre | käme | wüsste |
| du<br>Sie | -(e)st<br>-en | hättest<br>hätten | wär(e)st<br>wären | käm(e)st<br>kämen | wüsstest<br>wüssten |
| er/sie/es | -e | hätte | wäre | käme | wüsste |
| wir | -en | hätten | wären | kämen | wüssten |
| ihr<br>Sie | -(e)t<br>-en | hättet<br>hätten | wäret<br>wären | kämet<br>kämen | wüsstet<br>wüssten |
| sie | -en | hätten | wären | kämen | wüssten |

## A2.

1)

Er würde gerne „Hallo“ zu ihr sagen,
er würde sie gerne anrufen,
er würde gerne mit ihr ins Kino gehen,
er würde gerne mit ihr tanzen,
er würde ihr gerne sagen, dass er sie mag.
Aber er hat keinen Mut.

Sie würde gerne „Hallo“ zu ihm sagen,

sie ________ ihn gerne anrufen,

sie ________ ______ mit ihm ins Kino gehen,

sie ________ ______ ______ ihm tanzen,

sie ________ ______ ______ ______ ________, dass sie ihn mag.

Aber sie ______ auch ______ __________.

2)

Sie hätte gerne einen Freund mit langen Haaren,
sie hätte gerne einen Freund mit großen Augen,
sie hätte gerne einen Freund mit kleinen Ohren,
sie hätte gerne einen Freund mit einer kleinen Nase,
aber am liebsten hätte sie einen Freund mit einem großen Mund.

Er hätte sie gerne als Freundin:

Er ______ gerne längere Haare,

er ______ ______ größere Augen,

er ______ ______ ______ Ohren,

er ______ ______ ______ ______ Nase,

aber am liebsten ______ er ______ ______ ______.

## A3. Übersetzen Sie ins Deutsche.

1. 저는 신문에 실린 귀하의 광고를 읽었습니다.

→ ______

2. 저는 독일어 중급 강좌에 관심이 있습니다.

→ ______

3. 귀사가 제공하는 어학 프로그램에 관해 더 자세한 정보를 알고 싶습니다.

→ ______

4. 제게 안내 자료를 보내 주십시오(보내 주실 것을 부탁드립니다).

→ ______

## Brief und E-Mail: persönlich oder formell

| | persönlich | formell |
|---|---|---|
| Anrede<br>(호칭) | Liebe(r) Herr/Frau ...,<br>Liebe(r) + <Vorname>,<br>Hallo, ... | Sehr geehrte(r) Herr/Frau ...,<br>Sehr geehrte Damen und Herren, |
| Gruß<br>(인사) | Mit herzlichen/freundlichen/<br>besten Grüßen<br>Herzliche Grüße<br>Liebe Grüße (LG)<br>Mit bestem Gruß<br>Alles Liebe | Mit freundlichen Grüßen<br>Mit besten Empfehlungen<br>Hochachtungsvoll<br>Mit vorzüglicher Hochachtung |
| Bitte<br>(부탁) | Bitte schicken Sie mir ...<br>Bitte schick mir ... | Bitte senden Sie mir ...<br>Ich bitte Sie um die Zusendung von<br>... |
| Dank<br>(감사) | Vielen Dank, dass ...<br>Ich danke Ihnen/dir, dass ... | Vielen Dank im Voraus.<br>Vielen/Besten Dank für Ihre Mühe. |

### 주의 사항

1) Anrede: 공식 서한에서 수취인의 이름을 모르면 'Sehr geehrte Damen und Herren'을 사용함. 독일어의 공식 서한에서는 한국어의 '안녕하십니까? 잘 지내셨기를 바랍니다.' 등과 같은 개인적인 안부는 묻지 않는다. 따라서 'Sehr geehrte Damen und Herren, wie geht es Ihnen?'과 같은 표현은 어색하다. 또한, 끝맺는 인사말로 'Bleiben Sie gesund und ich grüße Sie herzlich.'같은 표현도 공식 서신에서는 사용하지 않는다.

2) Gruß: 공식 서한이나 격식칭 Sie를 사용하는 사람에게는 맺음 인사말로 'Mit freundlichen Grüßen'을 가장 보편적으로 사용한다. 'Mit besten Empfehlungen'은 상거래용 서신에서 많이 사용하고, 'Hochachtungsvoll' 또는 'Mit vorzüglicher Hochachtung'은 의전적인 표현이다.

3) 공식 서한에는 함축적인 명사구 표현을 자주 사용한다.

4) 약자 LG (Liebe Grüße), MfG (Mit freundlichen Grüßen) 등은 공식 서신에서는 사용하지 않는다.

## A4. 1)–6)에서 적합한 문장을 하나씩 선택하여 KONTAKTE에 정보 자료를 요청하는 글을 작성하시오.

*Inserat: KONTAKTE*

Internationale Sprach- und Studienreisen für Schüler, Studenten und Erwachsene. KONTAKTE bietet alles: vom Anfängerkurs bis zum intensiven Sprachtraining für Geschäftsleute. Wir organisieren auch Highschool-Aufenthalte: Schüleraustausch in die USA, nach Kanada, Australien, England, Frankreich oder Japan.
Wir schicken Ihnen gerne ausführliches Informationsmaterial. Schreiben Sie uns:
KONTAKTE
Bahnhofstr. 7
60433 Frankfurt a.M.

1) ⓐ Hallo,...
ⓑ Liebe Frau Meyer, ...
ⓒ Sehr geehrte Damen und Herren, ...

2) ⓐ ich danke Ihnen für Ihr Interesse an unserer Firma.
ⓑ ich habe Ihr Inserat in der Zeitung gelesen.
ⓒ ich hoffe, dass es Ihnen gut geht.

3) ⓐ Ich interessiere mich für Ihre Sprachkurse für Erwachsene. Ich würde gerne einen Englisch-Intensivkurs für Geschäftsleute machen. Bieten Sie auch Anfängerkurse für Japanisch an?
ⓑ Ich bin 32 Jahre alt und kann schon ziemlich gut Englisch. Ich will einen Kurs für Erwachsene machen.
ⓒ Können Sie mir sagen, ob es auch Sprachtraining für Geschäftsleute gibt?

4) ⓐ Ich hoffe, dass Sie mir ein gutes Angebot machen können.
ⓑ Ich würde mich freuen, wenn Ihnen mein Angebot gefällt.
ⓒ Bitte senden Sie mir Informationsmaterial an die obige Adresse.

5) ⓐ Vielen Dank im Voraus.

ⓑ Ich danke Ihnen dafür, dass Sie mir Informationen schicken.

ⓒ Es tut mir leid, dass Sie mir Informationen schicken müssen.

(Es tut mir leid. 유감입니다.)

6) ⓐ Alles Liebe

ⓑ Mit den besten Empfehlungen

ⓒ Mit freundlichen Grüßen

## Text zum Ergänzen

17. 1. 2020

BOSCH KOREA

Arbeiten Sie gerne im Team?

Wir suchen für unser Verkaufsteam eine Projekt-Assistentin mit sehr guten Kenntnissen in Deutsch, Englisch und EDV.

Bewerbungen bitte an: Dr. Wilhelm Schäfer
1688-5, Shindong-ro Daedeok-gu, Daejeon
34324, Korea

---

**Seol Lee**
114, Imun-ro
Dongdaemun-gu, Seoul
02419, Korea

**Dr. Wilhelm Schäfer**
1688-5, Shindong-ro
Daedeok-gu, Daejeon
34324, Korea

Seoul, den 19. 1. 2020

______ ________ ① vom 17. 1. 2020

______ ________ ______ ② Dr. Schäfer,

____ __________ ____ ____③ die Stelle als Projekt-Assistentin.

Ich bin 26 Jahre alt und ledig. _____ _____ _____④ werde ich mein Studium der Germanistik und Wirtschaftswissenschaften an der Hankuk Universität _________⑤. Ich spreche und schreibe fließend Deutsch, da ich _____ _____⑥ mehrere Jahre in Deutschland zur Schule gegangen bin. Meine _________- und _____-___________⑦ sind ebenfalls sehr gut.

Als Anlage ____ ich ____ ____ _________⑧ und Kopien meiner Zeugnisse.

Ich _______ _____ _______⑨, bald von Ihnen zu hören.

_____ _________ _____⑩

*Seol Lee*

Anlagen

## Tipps

① 귀하의 광고

② 편지에서의 호칭(Anrede)

③ 일자리에 대한 관심표명

④ 2020년 2월 말

⑤ 끝마치다

⑥ 어린이였을 때

⑦ 영어 및 전산처리 지식

⑧ 귀하에게 저의 이력서를 보냅니다.

⑨ 기쁘겠습니다.

⑩ 편지를 끝마치는 인사

## Wörter und Ausdrücke

| | |
|---|---|
| · **die Bewerbung** | 지원 |
| · **das Verkaufsteam** | 판매팀 |
| · **die Assistentin** | 보조원 |
| · **die Wirtschaftswissenschaft/ Wirtschaftswissenschaften** | 경제학 |
| · **ebenfalls** | 마찬가지로 |
| · **die Anlage** | 첨부(서류) |
| et. als Anlage schicken/anhängen/beifügen | 무엇을 첨부하여 보내다. |
| Als Anlage sende ich Ihnen meinen Lebenslauf. | 이력서를 첨부하여 보냅니다. |
| In der Anlage finden Sie meinen Lebenslauf. | 이력서를 첨부하였습니다. |
| Als Anhang füge ich meinen Lebenslauf bei. | 이력서를 첨부합니다. |

## Text zum Übersetzen

> **다음은 171쪽의 광고에 대한 문의입니다. 적절한 양식에 유의하여 번역하시오.**

안녕하십니까.

신문에서 귀사의 광고를 보았습니다. 학생들을 위한 방학 어학(연수) 프로그램에 관심이 있습니다. 저는 17살이고, 일 년 전부터 프랑스어를 배우고 있습니다. 여름방학 때 3주간 프랑스에서 방학 어학(연수) 프로그램에 참여하고 싶습니다. 그것에 관한 좀 더 많은 정보를 얻고 싶습니다. 안내 자료를 부탁드립니다.

감사합니다.

안녕히 계십시오.

Mainz에서

2020년 2월 17일

강유미 드림

## Aufgepasst!

1. 이 편지는 받는 사람과 보내는 사람의 주소는 생략되었다. 그러나 독일어 편지에서는 편지를 보내는 장소와 날짜를 본문 위에 쓴다.

2. '안녕하십니까.'는 독일어의 'Anrede'에 해당하며, 편지를 받는 사람의 이름을 알 수 없을 때 사용한다.

3. '방학 어학(연수) 프로그램'은 독일어로는 'Sprachferien'이라고 한다. 우리말로 옮길 때에는 상황에 따른 번역이 요구된다.

4. 방학 어학(연수) 프로그램에 참여하다 | Sprachferien machen

5. 그것에 관한 좀 더 많은/자세한 정보 | mehr/nähere Informationen darüber

6. 안내자료 | Informationsmaterial

7. '감사합니다'는 '자신의 요청에 응하는 데 필요한 수고에 (미리) 감사드린다'는 의미이다. 이 경우 보통 'Vielen Dank im Voraus(우선/미리 감사드린다)'라고 표현한다.

8. 편지 끝맺음에 '답변을 기다리겠다'라는 의미로는 'Ich warte auf Ihre Antwort.'라는 직접적인 표현보다는 'Ich freue mich auf Ihre Antwort.' 또는 'Ich würde mich freuen, bald von Ihnen zu hören.'이라는 우회적 표현이 더 무난하다.

9. '안녕히 계십시오'는 서신 첫머리에 사용한 'Anrede'의 형태에 따라서 적절한 형태가 사용되어야 한다.

10. 작성 장소 및 날짜는 서신의 위쪽에 기재하며, 본문 밑에는 사용하지 않는다.

11. '씀, 드림' 등의 말은 사용하지 않고, 서명으로 대체한다. 개인적인 관계에서는 dein- 또는 Ihr-를 이름 앞에 사용하기도 한다.

## Text zum Korrigieren

(아래 글은 174쪽의 광고와 관련된 내용이다.)

**Youngsoo Kim**
Dong-gu, Gwangju
263 Guseong-ro
61422, Korea

순서가 바뀌었음

**Dr. Wilhelm Schäfer**
1688-5, Shinildong-ro
Daedeok-gu, Daejeon
34324, Korea

im Januar 2020

Bewerbung

Ihre Anzeige am 17. 1. 2020

Sehr geehrte Damen und Herren,

Wie geht es Ihnen?

Ich interessiere mich für die Stelle von einer Projekt-Assistentin.

Ich werde 25 Jahre alt und ledig. Am Ende Februar 2020 werde ich mein Studium der Germanistik und Informatik an der Y-Universität abschließen.

Ich hatte in Deutschland Abitur gemacht und spreche und schreibe fliessend Deutsch. Meine Englisch- und EDV-Kenntnis sind ebenfalls sehr gut.

In Anlage sende ich Ihnen meine Lebenslauf und Kopien meiner Zeugnisse.

Ich werde mich freuen, bald von Ihnen zu hören.

Ich hoffe, Sie bleiben gesund.

Viele Grüße

Ihre

*Youngsoo*

## Ihr Text

**Lesen Sie das Inserat. Wofür interessieren Sie sich? Fordern Sie Unterlagen an.**

Sprachreisen in die USA - ein Erlebnis, das man das ganze Leben nicht mehr vergisst!

Wir bieten alles: von Anfänger- über Intensivkurse bis hin zu Geschäftsenglisch und Vorbereitungskursen zu TOEFL und TOEIC. Sie können bei Gastfamilien, in Studentenapartments oder im Hotel wohnen.

Fordern Sie noch heute unsere Unterlagen an: ISKA-Sprachreisen, Bismarckstr. 10, 20259 Hamburg

| | |
|---|---|
| • **das Erlebnis <-ses, -se>** | 경험, 체험 |
| • **der Vorbereitungskurs** | 준비 코스/ 강좌 |
| die Vorbereitung | 준비 |
| et. vorbereiten | 무엇을 준비하다 |
| • **die Gastfamilie <-, -n>** | 손님을 받아주는 가정, 민박 가정, 홈스테이 가정 |
| • **das Studentenapartment <-s, -s>** | 학생 원룸 (기숙사) |
| das Apartment | 대개 한 사람이 사는 비교적 작은 아파트형 집 |

Lektion

# 8

## Eine Anfrage schreiben: Wohnungssuche

## Modelltext

# Bewerbungsmail für eine Wohnung

Sehr geehrte Frau Lewinski,

ich habe Ihre Wohnungsanzeige in den *Westfälischen Nachrichten* im Internet gesehen und möchte mich als Bewerberin für die Wohnung vorstellen. Mein Name ist Yuri Kim. Ich bin 23 Jahre alt und komme aus Seoul. Derzeit studiere ich noch an der Y-Universität in Seoul Germanistik.

Im April 2021 werde ich als Stipendiatin meiner Universität für ein Jahr nach Deutschland gehen, um meine Deutschkenntnisse zu verbessern. Auf meiner Suche nach einer Einzimmerwohnung bin ich auf Ihre Anzeige gestoßen. Da die Wohnung von der Universität aus leicht zu Fuß oder mit dem Fahrrad zu erreichen ist, würde ich sie mir gerne einmal anschauen. Ich hoffe, sie ist noch nicht vergeben.

Bitte lassen Sie mich wissen, wann ich die Wohnung besichtigen kann. Ich werde bereits ab 18. März in Münster sein und kann jederzeit bei Ihnen vorbeischauen.

Mit freundlichen Grüßen

Yuri Kim

PS: Eine Frage hätte ich noch: Gibt es in der Nähe der Wohnung vielleicht einen größeren Supermarkt? Und ein Schwimmbad?

## Wörter und Ausdrücke

| | |
|---|---|
| • **die Anfrage <-, -n>** | 문의 |
| • **das Wohnungsinserat <-(e)s, -e>**<br>das Inserat | 집 광고, 공고<br>광고, 공고(= die Anzeige, die Annonce) |
| • **die Bewerbungsmail <-, -s>** | 응모 메일 |
| • **die Wohnungsanzeige** | 집 광고(= das Wohnungsinserat) |
| • **sich vorstellen**<br>sich als ... vorstellen | 자신을 소개하다<br>...로서 자신을 소개하다 |
| • **derzeit** | 현재, 지금(= zurzeit) |
| • **die Einzimmerwohnung** | 원룸 (아파트) |
| • **die Anzeige <-, -n>** | 광고, 공고 (= das Inserat, die Annonce) |
| • **auf et. stoßen**<br>auf die Anzeige stoßen | 무엇에 (우연히) 봉착하다<br>그 광고를 보게 되다 |
| • **von ... aus**<br>von der Universität aus<br>Von diesem Fenster aus hat man einen schönen Blick. | ...로/에서부터<br>대학에서부터<br>이 창문에서 보면 아름다운 광경을 볼 수 있다. |
| • **erreichen** | 도달하다 |
| • **sich et. anschauen** | 무엇을 (살펴)보다 |
| • **vergeben sein** | (물건·권리 따위가 누구에게) 양도되다 |
| • **jn. ... wissen lassen** | 누구에게 ...을 알려주다 |
| • **die Wohnung besichtigen** | 집을 살펴보다(= sich die Wohnung ansehen |
| • **bereits** | 이미(= schon) |
| • **ab <3격 요구 전치사>**<br>ab 3. (drittem/dritten) März | ...부터<br>3월 3일부터 (ab 다음에 관사 없이 명사를 수식하는 형용사, 서수 등이 오면 4격을 취하기도 함) |
| • **jederzeit** | 언제든지 |
| • **bei jm. vorbeischauen** | 누구에게 들르다 |
| • **in der Nähe + <2격 명사>** | ...의 근처에/가까이에 |

## Bausteine für den Textaufbau

### ...광고/알림

**die –anzeige**

- die Geburtsanzeige 출생 알림
- die Heiratsanzeige 결혼 알림
- die Todesanzeige/die Sterbeanzeige 부고
- die Immobilienanzeige 부동산 광고
- die Kontaktanzeige 교제 광고 (애인 구함)
- die Werbeanzeige 구인·구직 광고
- die Wohnungsanzeige 전매·전세 광고

### ...로서, ...의 자격으로

**als ...**

- 지원자로서 저를 소개합니다.
  Ich stelle mich als Bewerberin für die Stelle vor.
- 음악 전문가로서 그 자리에 관심이 많습니다.
  Als Experte für Musik bin ich an der Stelle sehr interessiert.

## ...을 찾는 중에, ...을 찾다가

**auf der Suche nach ...**

- 좋은 식당을 찾다가 그 음식점을 알게 되었다.
  Auf der Suche nach einem guten Restaurant bin ich auf das Lokal gestoßen.

- 나는 대학 근처의 집을 찾는 중이다.
  Ich bin auf der Suche nach einer Wohnung in der Nähe der Universität/in Universitätsnähe.

- 인터넷에서 저렴한 독일행 비행기 표를 찾다가 그녀의 블로그를 발견했다.
  Auf der Suche im Internet nach einem günstigen Flug nach Deutschland habe ich ihren Blog gefunden.

## 무엇이 ...하기 쉽다/어렵다, 무엇이 쉽게/어렵게 ...되다 〈수동의 가능〉

**et. ist leicht/schwer zu + ...〈부정사〉**

- 그것은 설명하기 쉽다/쉽게 설명된다.
  Das ist leicht zu erklären.

- 그 책은 이해하기 쉽다/쉽게 이해된다.
  Das Buch ist leicht zu verstehen.

- 문들이 열기 쉽지 않다/잘 열리지 않는다.
  Die Türen sind nicht leicht zu öffnen.

- 시내에서 가성비가 좋은 집을 구하기는 어렵다/잘 구할 수 없다.
  In der Stadtmitte sind günstige Wohnungen nur schwer zu finden.

## 명사구의 기본 어순

- ... würde ich sie mir gerne einmal anschauen.

  (인칭·재귀)대명사 4격 3격

- 문장 속에서는 보통 인칭대명사가 명사보다 먼저 나온다.

- Karin hat mir das Buch geschenkt.

  인칭대명사 3격 - 명사 4격

- Ich habe es meinem Freund ausgeliehen.

  인칭대명사 4격 - 명사 3격

- 인칭대명사가 연달아 오면: 1격 - 4격 - 3격

- Ich habe es ihm gegeben.

  인칭대명사 4격 - 인칭대명사 3격

- 명사가 연달아 오면: 1격 - 3격 - 4격

- Sie hat ihrem Freund das Buch geschenkt.

  명사 3격 - 명사 4격

## A1. Ergänzen Sie die Sätze.

1. Seine Handschrift ______ schwer ______ lesen.

2. Das Viertel ______ leicht mit der U-Bahn ______ erreichen.

3. Dieser Koffer ______ sehr schwer ______ tragen.

4. Dieser Drucker ______ leicht ______ bedienen.

5. Seine Fragen ______ immer schwer ______ beantworten.

6. Dieser Text ______ schwer ______ übersetzen.

7. Die Erklärungen des Professors ______ immer leicht ______ verstehen.

- die Handschrift 필체
- das Viertel 지역, 구역
- der Drucker 프린터
- et. bedienen 무엇을 사용하다, 조작하다
- et. beantworten 무엇에 대답하다

## A2. Übersetzen Sie ins Deutsche.

1. 팀장으로서 제가 그 프로젝트를 책임지고 있습니다.

→ ______________________________

2. 나는 새 일자리를 찾고 있다.

→ ______________________________

3. 역으로 가는 길은 찾기 쉽다.

→ ______________________________

4. 그 공원은 우리 집에서 자전거로 쉽게 갈 수 있다.

→ ______________________________

- für et. verantwortlich sein 무엇에 책임을 지고 있다
- auf der Suche nach et. sein 무엇을 찾고 있다

## 제가 ...을 알게 해주세요(= 제게 ...을 알려주세요)

**Lassen Sie mich (bitte) wissen, ...**

- Lassen Sie mich (bitte) et.[4] wissen. (명령문으로 요청하는 말)
  사역동사 / lassen의 목적어 / wissen의 목적어

- 도착시간 좀 알려주세요.
  Lassen Sie mich bitte Ihre Ankunftszeit wissen.

- 핸드폰 번호 좀 알려주세요.
  Lassen Sie mich bitte Ihre Handynummer wissen.
  → wissen의 목적어가 절로 표현되는 경우

- 무엇이 필요한지 알려주세요.
  Lassen Sie mich (bitte) wissen, was Sie brauchen.
  wissen의 4격 목적절

- 언제 오시는지 알려주세요.
  Lassen Sie mich (bitte) wissen, wann Sie kommen.

- 회의에 참석하는지 알려주세요.
  Lassen Sie uns (bitte) wissen, ob Sie an der Sitzung teilnehmen.

- 어디로 가는지 알려줘.
  Lass mich (bitte) wissen, wohin du fährst.

- 제 도움이 필요하면 알려주세요.
  Lassen Sie mich (bitte) wissen, wenn Sie meine Hilfe brauchen.

## 제가 ...하게 해주세요. (= 제가 ...해드리겠습니다)

**Lassen Sie mich (bitte) + ...〈부정사〉**

• 제가 ...을 설명하게 해주세요 (= 제가 ...에 관하여 설명하겠습니다)

Lassen Sie mich Ihnen (bitte) erklären, ...

• 제가 ...을 보여주게 해주세요 (제가 ...을 보여드리겠습니다)

Lassen Sie mich es Ihnen (bitte) zeigen, ...

• 이 기기가 어떻게 작동하는지 설명해드리겠습니다.

Lassen Sie mich Ihnen (bitte) erklären, wie dieses Gerät funktioniert.

• 이 과제를 어떻게 해결할 수 있는지 보여드리겠습니다.

Lassen Sie mich Ihnen (bitte) zeigen, wie man die Aufgabe löst.

## A3. Ergänzen Sie die Sätze.

1. ______ mich wissen, wann du ankommst.

2. ________ ______ mich wissen, wenn ich Ihnen helfen kann wenn Sie Hilfe brauchen.

3. __________ ______ ______ Ihnen bitte erklären, warum ich zu spät gekommen bin.

4. ______ ______ ______ zeigen, was ich in Deutschland alles gekauft habe.

## A4. Übersetzen Sie ins Deutsche.

1. 얼마 동안 머무르실 것인지 알려주세요.

→ ______________________________

2. 제가 그 집에 언제 입주할 수 있는지 알려주세요.

→ ______________________________

3. 우리 회사로 오는 길을 설명해드리겠습니다.

→ ______________________________

4. 내가 한국에서 무엇을 가져왔는지 보여줄게.

→ ______________________________

- einziehen 입주하다
- mitbringen 가져오다

## 비교적 큰 슈퍼마켓

**einen größeren Supermarkt**

groß의 비교급 größer가 '특정 대상과 비교하여 더 큰'을 의미하면 상대비교라고 하고, '일반적 기준에 비춰볼 때 비교적 큰'을 의미하면 절대비교라고 한다. 형용사가 절대비교로 사용되면 형용사 원급보다 덜하다는 의미가 있게 된다.

- 비교적 큰 집은 큰 집보다 더 작다.
  Eine größere Wohnung ist kleiner als eine große Wohnung.
- 비교적 나이든(중년의) 남자는 늙은 남자보다 더 젊다.
  Ein älterer Mann ist jünger als ein alter Mann.

### A5. Ergänzen Sie die fehlenden Präpositionen.

Sehr geehrte Frau Kim,

vielen Dank ______ Ihre Mail.

Es freut mich, dass Sie sich ________ die Wohnung interessieren. Sie ist noch nicht vergeben. Wir können gerne einen Termin ________ die Besichtigung ausmachen. Unter der Woche bin ich _______ der Regel schon _______ 17.00 Uhr _____ Hause. _______ günstigsten wäre Mittwoch, der 24. März, so __________ 15.00 Uhr, da ich mittwochs nur halbtags arbeite. Ansonsten kann ich Ihnen noch Samstagvormittag, den 27. März, 10.00 Uhr vorschlagen.

______ Ihren Fragen: ______ der Straße, in der ich wohne, gibt es einen großen Aldi-

Supermarkt und fünf Gehminuten ______ der Wohnung entfernt einen 24-Stunden-Laden. Das nächste Schwimmbad ist leider etwas weit entfernt. Aber ______ dem Fahrrad dauert es nur eine Viertelstunde.

______ besten Grüßen

Greta Lewinski

PS: Ihr Deutsch ist aber schon sehr gut!

- die Besichtigung <-, -n> 관람
- besichtigen 관람하다
- einen Termin/einen Treffpunkt ausmachen 약속 일시/약속장소를 (합의하여) 정하다
- unter der Woche 주 중에
- in der Regel 보통 (= normalerweise)
- In der Regel fahre ich mit dem Bus zur Arbeit. 보통은 버스를 타고 출근한다.
- halbtags 반나절
- ansonst/ansonsten 그렇지 않으면
- jm. et. vorschlagen 누구에게 무엇을 제안하다
- zu Ihren Fragen 당신의 질문에 대하여
- fünf Gehminuten 걸어서 5분
- 24-Stunden-Laden 24시간 영업하는 가게
- etwas weit 다소/조금 (= ein bisschen, ein wenig) 먼
- Ich spreche etwas Deutsch. 나는 독일어를 조금 한다.
- dauern

1) es dauert ... (시간이) 걸리다
   Es dauert eine Viertelstunde zu Fuß zur Universität. 대학까지 걸어서 15분 걸린다.
2) et. dauert ... 무엇이 ... 동안 지속되다/걸리다/소요되다
   Seine Rede dauert 40 Minuten. 그의 연설이 40분 지속된다/걸린다.

## A6. Unten sehen Sie Ausschnitte (a - h) aus einer Mail von Yumi und einer Mail von Petra. Welche Ausschnitte stammen aus der Mail von Yumi, welche aus der Mail von Petra? Bringen Sie die Ausschnitte in die richtige Reihenfolge.

a

Bis du ein Zimmer gefunden hast, kannst du gern bei mir wohnen. Ich habe zwar nicht viel Platz, aber für ein paar Tage wird es schon gehen. Dann können wir auch Weihnachten zusammen feiern! Und zwar gemeinsam mit meiner Familie. Da kannst du dann erleben, wie die Deutschen das Weihnachtsfest feiern.

- ... wird es schon gehen 충분히 가능할 것이다;
- es geht 가능하다
- erleben 체험하다

b

wie geht es dir? Wir haben lange nichts mehr voneinander gehört! Heute habe ich eine Überraschung für dich: Ich habe die Zulassung von der Universität Mannheim erhalten! Ist das nicht wunderbar? Ab Februar 2021 werde ich Digitales Marketing studieren.

- et./nichts voneinander hören 서로에게서 무슨 소식을 듣다/아무런 소식을 듣지 못하다
- die Überraschung 놀라움, 놀라운 소식
- wunderbar 매우 좋은

c

Viele Grüße aus einem sonnigen Seoul

Yumi

d

Soweit für heute

LG aus dem kalten Mannheim

- soweit für heute 오늘은 여기까지

e

Daher bin ich jetzt auf der Suche nach einem Zimmer, in dem ich bis Ende Januar wohnen kann. Kennst du vielleicht jemanden in Mannheim? Hast du vielleicht eine Idee, wie ich dort ein Zimmer für sechs Wochen finden kann?

f

das ist ja wirklich eine tolle Nachricht! Ich gratuliere dir ganz herzlich und freue mich für dich! Natürlich freue ich mich auch, dass wir uns nach zwei Jahren endlich einmal wiedersehen.

g

Ich habe zwar schon die Zusage für ein Zimmer im Studentenwohnheim bekommen, aber da kann ich erst ab dem ersten Februar einziehen. Ich möchte jedoch schon Mitte Dezember nach Deutschland fliegen, um vor dem Beginn des Studiums mein Deutsch noch weiter zu verbessern. Außerdem möchte ich die Weihnachtsstimmung in Deutschland erleben.

- die Weihnachtsstimmung 크리스마스 분위기
- erst ab dem ersten Februar 2월 1일부터서야

**h**

Zu deiner Frage: Leider kenne ich niemanden in Mannheim, aber ich habe eine Idee: Viele StudentInnen sind während der Ferien weg, d.h. im Studentenwohnheim stehen Zimmer leer. Wir können uns mal erkundigen, ob jemand dir sein Zimmer überlassen kann. Im Studentenwohnheim kannst du sicher auch schnell Kontakte knüpfen. Außerdem hast du Internet-Anschluss.

- StudentInnen 남녀 대학생 (= Studentinnen und Studenten)
- jm. sein Zimmer überlassen 누구에게 자기 방을 사용하도록 비워주다

| 1. | 2. |
|---|---|
| Liebe Petra, | Hallo Yumi, |
| ______________ | ______________ |
| ______________ | ______________ |
| ______________ | ______________ |
| ______________ | ______________ |

## Text zum Ergänzen

**Lesen Sie die Anzeige und ergänzen Sie die Anfragemail unten.**

1. Zi. für 1 Per. TOP Komfort tageweise 35€

Standort: D-90471 Nürnberg Langwasser

Nürnberg-Langwasser: 1 Zimmer, Wohnfläche 14qm

Vermiete tageweise/wochenweise ein Einzelzimmer für eine Person.
Das Zimmer ist komfortabel, gemütlich; separate Toilette und Dusche; Bettwäsche, Handtücher inklusive; Frühstücksvorbereitungsmöglichkeit.

Toplage in einem Familienreihenhaus im Nürnberger Stadtteil Langwasser; viele Einkaufsmöglichkeiten in der Nähe; 5 Gehminuten zu öffentlichen Verkehrsmitteln (Bus, S-Bahn, U-Bahn; sehr gute Parkmöglichkeit);
35€ pro Übernachtung

Anfragen an: Thomas Berger Tel: 0911-23 47 66 Mail: TomBerger@gmail.com

# Wörter und Ausdrücke

| | |
|---|---|
| **der Komfort** | 편안함, 편리함 |
| **tageweise** | 일당으로, 하루 단위로 |
| **die Wohnfläche** | 주거 면적 |
| **vermieten** | 세놓다 (↔ mieten) |
| **-weise ...**<br>tageweise<br>wochenweise | 방식으로<br>일 단위로<br>주 단위로 |
| **das Einzelzimmer (EZ)**<br>das Doppelzimmer (DZ) | 1인실, 싱글 룸<br>2인실, 더블 룸 |
| **komfortabel** | 편안한, 쾌적한 |
| **separat** | 분리된 |
| **die Bettwäsche** | 침구세트 |
| **das Handtuch** | 수건 |
| **die Frühstücksvorbereitungs-möglichkeit** | 아침식사 차려 먹을 수 있음<br>(das Frühstück 아침 식사 + die Vorbereitung 준비/차림 + die Möglichkeit 가능성) |
| **die Toplage** | 최상의 위치 |
| **das Familienreihenhaus** | (가족 형) 연립주택 |
| **der Stadtteil** | 시 구역 |
| **die Einkaufsmöglichkeit** | 쇼핑 가능성 |
| **öffentliches Verkehrsmittel** | 대중 교통수단 |
| **die Parkmöglichkeit** | 주차 가능성 |
| **die Übernachtung**<br>pro Übernachtung | 숙박<br>1박당 |
| **anfragen** | 문의하다 |

________①: ________ ____② Ihre Wohnungsanzeige

Sehr geehrter Herr Berger,

_____ _____ Suche _____③ einer günstigen Unterkunft in Nürnberg bin ich _____ Ihre ________ im Nürnberger Stadtanzeiger ________④. _____ 2. März 2020 werde ich ein dreimonatiges Praktikum _____ Bosch _____⑤ Nürnberg machen. Da die Wohnung, ____ ich ________ ____, erst ____⑥ 15. März frei ist, ____ ich ____⑦ einer günstigen Unterkunft. Daher ____ ich ________, ____ ich das Zimmer für 14 Tage (ich komme am 1. März um 16.30 Uhr mit dem ICE in Nürnberg an) ________ _____⑧ _____ eine positive Antwort _____ ich _____⑨ freuen.

Mit ________⑩ Grüßen

Sangmin Park

## Wörter und Ausdrücke

| | |
|---|---|
| • **die Unterkunft** | 숙소 |
| • **Nürnberger Stadtanzeiger** | <고유명사> 뉘른베르크시에서 발행되는 신문 이름 (Nürnberg + -er 뉘른베르크의; 고유명서 + -er) |
| • **dreimonatig** | 3개월의 (drei + -monatig) |
| • **das Praktikum** | 실습 |
| • **positiv** | 긍정적인 |

## Tipps

① ...과 관련하여, 공문서의 제목을 표시하는 말

② ...에 관한 문의

③ ...을 찾는 과정에서

④ 귀하의 광고를 발견하였다

⑤ 3월 2일부터 Nürnberg에 있는 Bosch사에서 실습을 한다

⑥ 내가 임대한 집이 3월 15일부터 비기 때문에

⑦ ...을 찾는다, 구하고 있다

⑧ 방을 빌릴 수 있는지 문의하고 싶다

⑨ 긍정적인 답을 주면 기쁘겠다

⑩ 공식 서한에서: 안녕히 계십시오

## Text zum Übersetzen

Frau Lewinski씨께,

안녕하십니까?

*Westfälische Nachrichten*에 실린 귀하의 광고를 인터넷에서 보았습니다. 집을 구하는 사람으로서 저를 소개하고 싶습니다. 제 이름은 강민구라고 합니다. 저는 26살이고 한국 출신입니다. 지금은 아직 서울에서 음악을 전공하고 있습니다.

2021년 4월 저는 학업을 심화하고 독일어 실력을 향상하기 위해서 저희 대학의 교환학생으로 한 학기 동안 베를린에 갈 것입니다. 원룸 아파트를 구하다가 귀하의 광고를 보게 되었습니다. 대학 근처에 살고 싶어서 그 집에 관심이 있습니다. 아직 나가지 않았으면 좋겠습니다.

저는 3월 18일에 베를린에 도착하며, 가능한 한 빨리 입주하고 싶습니다. 당장 3월 19일이면 가장 좋겠습니다.

긍정적인 답장을 주시면 기쁘겠습니다.

안녕히 계십시오.

강민구 드림

추신: 질문이 하나 있습니다. 집 근처에 비교적 큰 슈퍼마켓이 있는지요?

## Aufgepasst!

**1.** 독일에서는 업무적 편지의 형식적인 인사인 '안녕하십니까?'를 사용하지 않는다. 'sehr geehrt- ...'에 포함된다고 볼 수 있다.

**2.** 'Westfälische Nachrichten'은 독일 Nordrhein-Westfalen주 Münster시에 소재한 지방 신문사이다. 고유명사이나 westfälisch가 형용사이므로 격에 따라서 어미변화한다.

**3.** ...로서 자신을 소개하다 | sich als ... vorstellen

**4.** '대학에서 ...을 전공하다'라는 뜻의 studieren은 'an der Universität'을 내포할 수 있다.

**5.** ...을 하기 위하여 | um ... zu ...

**6.** 원룸 아파트 | die Einzimmerwohnung

**7.** (우연히) ...하게 되다 | auf ... stoßen

**8.** 집이 벌써 (전매 또는 전세로) 나갔다. | Die Wohnung ist vergeben.

**9.** ...했으면 좋겠다 | Hoffentllich ...

**10.** 가능한 한 빨리/일찍 | so früh wie möglich

## Text zum Korrigieren

Betreff: Ihre Wohnungsanzeige im Internet

Sehr ~~geehrte~~ geehrter Herr Backes,

wie geht es Ihnen?

Ich habe Ihr Inserat im Internet gesehen und möchte Ihnen als Bewerber für die Einzimmerwohnung vorstellen. Ich heiße Minkyu Kim, bin 26 Jahre alt und komme von Korea. Zurzeit ich studiere Informatik noch an der K-Universität in Seoul.

Von dem Frühlingssemester 2021 werde ich als ein Stipendiat meiner Universität für zwei Semester an der Universität Saarbrücken studieren, um meine Kenntnis in Informatik und meine Deutschkenntnis vertiefen. Da ich Nähe der Universität wohnen möchte, interessiere ich mich an Ihrer Wohnung. Ich hoffe, es ist noch nicht vergeben.

Ich werde aber schon vor Semesterbeginn (ab dem 10. Januar) in Saarbrücken sein, da ich habe von der PLUSCARD GmbH einen Praktikumsplatz bekommen. Mein Praktikum beginnt schon am 1. Februar, deshalb möchte ich früh wie möglich einziehen.

Auf eine positive Antwort würde ich mich freuen.

Mit herzlichen Grüße

Minkyu Kim

PS: Gibt es in Nähe der Wohnung vielleicht einen größeren Supermarkt? Und ein Sportplatz?

## Ihr Text

**Sie suchen eine Wohnung. Schreiben Sie eine Mail, die folgende Inhalte enthält:**

- Stellen Sie sich kurz vor.
- Woher haben Sie die Information, dass die Wohnung frei ist?
- Warum wollen Sie in diese Wohnung einziehen?
- Wie lange wollen Sie die Wohnung mieten?
- Wann möchten Sie einziehen?
- Bitten Sie um weitere Informationen zu Lage der Wohnung, Verkehrsverbindungen (Bus, U-Bahn, usw.), Einkaufsmöglichkeiten usw.
- Fragen Sie, wann Sie die Wohnung besichtigen können.

Lektion

# 9

## Von einem Ereignis erzählen

## Modelltext

# Bello ist weg!

Endlich habe ich die Führerscheinprüfung bestanden! Am Wochenende hat mir meine Mutter ihren alten VW ausgeliehen und ich bin mit meiner Freundin Songju ans Westmeer gefahren. Ich habe auch meinen kleinen Hund Bello mitgenommen. Nach anderthalb Stunden Fahrt sind wir an unserer Pension, in der wir ein Zimmer reserviert hatten, angekommen. Nachdem wir den Wagen hinter der Pension geparkt hatten, haben wir unser Gepäck in unser Zimmer gebracht. Bello ist auf dem Parkplatz herumgelaufen und hat auf unser Auto aufgepasst.

Doch als wir kurz darauf zum Parkplatz zurückkamen, war Bello verschwunden. Ich fragte erschrocken: „Wo ist denn mein Bello?“ Songju meinte: „Vielleicht hat er sich unter dem Auto versteckt. Du weißt doch, dass er gerne unterm Auto schläft.“ Aber unter dem Auto war Bello nicht. „Wo kann er denn nur sein? Hoffentlich ist ihm nichts passiert!“, rief ich erschrocken. „Mach dir keine Sorgen“, beruhigte mich Songju, „wir finden ihn sicher. Er wird schon an den Strand gelaufen sein. Du weißt doch, wie neugierig er ist.“

Wir sind an den Strand gegangen, um Bello zu suchen. Aber obwohl wir immer wieder ganz laut „Bello! Bello!“ gerufen haben, kam Bello nicht. Ich bin fast gestorben vor Angst. Mein armer Bello! Da zeigte Songju auf einen Hotdog-Stand vor der Pension. Dort saßen zwei Hunde nebeneinander und schauten auf die Hotdogs! Bello hatte sich mit dem Hund des Pensionsbesitzers angefreundet. Und beide Hunde schienen sehr hungrig zu sein. Ich kaufte zwei Hotdogs: einen für Bello und einen für seinen neuen Freund.

Gott sei Dank hatten wir Bello gefunden! Und Bello hatte einen neuen Freund gefunden!

# Wörter und Ausdrücke

| | |
|---|---|
| **die Führerscheinprüfung**<br>der Führerschein | 운전면허시험<br>운전면허 |
| **der VW (= Volkswagen)** | (독일 자동차) 폭스바겐 |
| **jm. et. ausleihen** | 누구에게 무엇을 빌려주다 |
| **jn./et. mitnehmen** | 누구/무엇을 데리고/가지고 가다 |
| **anderthalb** | 1과 2분의 1(1½) (= eineinhalb) |
| **die Pension** | 펜션, 여관 |
| **reservieren** | 예약하다 |
| **parken** | 주차하다 |
| **der Parkplatz <-es, -plätze>** | 주차장 |
| **das Gepäck**<br>das Gepäckstück<br>Wie viele Gepäckstücke haben Sie dabei? | <-s, 셀 수 없음> 짐<br>개체로서의 짐<br>(당신의) 짐이 몇 개입니까? |
| **herumlaufen** | 이리저리 돌아다니다 |
| **auf et. aufpassen** | 무엇에 유의하다, 무엇을 지키다 |
| **kurz darauf** | 잠시 후 |
| **verschwinden <verschwand, ist ... verschwunden>** | 사라지다 |
| **erschrocken**<br>erschrecken <erschrickt, erschrak, hat/ist ... erschrocken><br>erschrecken <erschreckte, hat ... erschrocken> | 깜짝 놀란<br>놀라다<br>놀라게 하다, jn. erschrecken 누구를 놀라게 하다 |
| **sich verstecken** | 숨다 |
| **die Sorge <-, -n>** | 근심, 걱정 |
| **jn. beruhigen** | 누구를 안심시키다 |
| **neugierig** | 호기심이 많은 |
| **vor et. sterben** | 무엇 때문에 죽을 지경이다 |

| | |
|---|---|
| • der Hotdog-Stand | 핫도그 가판대 |
| • nebeneinander | 옆으로 나란히 |
| • sich mit jm./et. anfreunden | 누구와 친해지다/무엇과 친숙해지다 |
| • scheinen ... zu-부정사 | ...것 같다, ...처럼 보이다 |
| • hungrig | 배가 고픈 |

## Bausteine für den Textaufbau

### 누구에게 무엇을 빌려주다 | jm. et. ausleihen
### 무엇을 빌리다 | jm. et. ausleihen

• A: 내게 그 책을 빌려줄 수 있니?

Kannst du mir das Buch ausleihen?

B: 아니, 나도 필요해. 너는 그것을 도서관에서 빌릴 수 있어.

Nein, ich brauche es selber. Du kannst es dir in der Bibliothek ausleihen.

## 누구를 데리고 가다/오다 | jn. mitnehmen/mitbringen
## 무엇을 가지고 가다/오다 | et. mitnehmen/mitbringen

- A: 나를 시내로 데려갈 수 있니?
  Kannst du mich in die Stadt mitnehmen?

  B: (너를) 기꺼이 데려갈게. 우산 가져가는 것 잊지 마. 비 온대.
  Kein Problem. Ich nehme dich gerne mit. Vergiss nicht, einen Regenschirm mitzunehmen. Es soll regnen.

- A: (당신에게) 꽃을 가져왔습니다.
  Ich habe Ihnen Blumen mitgebracht.

  B: 고맙습니다. 매번 뭔가를 가져오실 필요 없습니다.
  Vielen Dank. Aber Sie brauchen doch nicht jedes Mal etwas mitzubringen.

## 분수 | 서수 + -el

| | 명사 앞 수식어 | 명사 |
|---|---|---|
| ½ | halb- | die Hälfte |
| ⅓ | ein drittel | ein Drittel |
| ⅔ | zwei drittel | zwei Drittel |
| ¼ | ein viertel | ein Viertel |
| ¾ | drei viertel | drei Viertel |
| ⅛ | ein achtel | ein Achtel |
| 1½ | eineinhalb, anderthalb | |
| 1⅓ | eineindrittel | |
| 2½ | zweieinhalb | |

- ½은 halb-, die Hälfte를 사용한다. halb-가 명사 앞에 오면 형용사 어미가 첨가된다. 명사형인 Hälfte는 여성이다.

• 나는 매일 우유를 반 리터 마신다.
Ich trinke jeden Tag einen halben Liter Milch.
<halb-에 형용사 어미첨가>

• 이 달의 절반이 벌써 지났다.
Die Hälfte des Monats ist schon vorbei.

- 나머지 분수는 명사 앞에서 어미변화하지 않고, 명사로 사용되면 중성으로 취급한다.

• 나는 벌써 ⅓리터 커피를 마셨다.
Ich habe schon ein drittel Liter Kaffee getrunken.
<명사 앞에 오지만 어미변화하지 않음>

• 그가 10분의 1초 더 빨리 목표에 도달했다.
Er war eine zehntel Sekunde schneller am Ziel.

• 나는 벌써 이 소설의 ⅓을 읽었다.
Ich habe schon ein Drittel des Romans gelesen.
<분수가 명사로 사용되면 중성으로 취급함>

• 국민의 4분의 1이 65세 이상이다.
Ein Viertel der Bevölkerung ist über 65 Jahre alt.

- halb가 다른 수와 결합하면 어미변화하지 않는다.

• 우리는 1년 반 동안 서로 보지 못했다.
Wir haben uns eineinhalb/anderthalb Jahre nicht gesehen.

• 우리 아들은 (태어난 지) 이제 비로소 두 달 반 되었다.
Mein Sohn ist erst zweieinhalb Monate alt.

• 우리는 세 시간 반 동안 걸었다.
Wir sind dreieinhalb Stunden gelaufen.

• 나는 4년 반 동안 독일에서 대학을 다녔다.
Ich habe viereinhalb Jahre in Deutschland studiert.

## 무엇이 두려워서 | aus Angst vor et.;
## 두려워서 | vor Angst

- 주어가 결정한 행동의 원인 | aus Angst vor ...

• 많은 호텔들이 코로나 바이러스가 두려워서 문을 닫는다.
Viele Hotels schließen aus Angst vor dem Coronavirus.

• 많은 사람들이 바이러스에 감염될 것을 걱정하여 집에 머무른다.
Viele Leute bleiben aus Angst davor, sich mit dem Virus anzustecken, zu Hause.

- 주어가 통제할 수 없는 행동의 원인 | vor Angst

• 그녀는 두려워서 몸을 떨었다.
Sie zitterte vor Angst.

• zittern (몸을) 떨다

> 주어가 통제할 수 없는 행동/상태의 원인을 나타내는 전치사 vor는 다른 명사와도 자주 함께 사용된다.

• 나는 배가 고파서 죽을 지경이다.
Ich sterbe fast vor Hunger.

• 나는 추워서 몸을 떨었다.
Ich zitterte vor Kälte.

• 그는 지쳐서 잠에 들었다.
Er schlief vor Erschöpfung ein.

• 두려워서/배가 고파서/그리워서/피곤해서/걱정이 되어서 죽을 지경이다
vor Angst/Hunger/Sehnsucht/Müdigkeit/Sorgen sterben

• die Erschöpfung 지침, 탈진, 기진맥진

## ...을 (향해서) 가리키다 | auf et. zeigen;
## ...을 (향해서) 바라보다 | auf et. schauen

• 그 경찰관이 "주차 금지"라는 표지판을 가리켰다.

Der Polizist zeigte auf das Schild „Parken verboten".

• 페터가 놀라서 표지판을 바라보았다.

Peter schaute erstaunt auf das Schild.

• erstaunt (뜻밖이라서) 놀란, (뜻밖의 상황에) 놀라서

## A1. Übersetzen Sie ins Deutsche.

1. 내게 네 카메라 좀 빌려줄 수 있니?

→ ______________________________

2. 나는 책 몇 권을 빌리기 위해서 도서관에 가야 한다.

→ ______________________________

3. 네가 그 책을 읽고 싶으면, 가져가도 좋다.

→ ______________________________

4. 독일에서 어떤 사람에게 집으로 초대를 받으면 보통 선물로 무엇을 가져갑니까?

→ ______________________________

5. 내가 대학생이었을 때는 2년 반 동안 군 복무를 해야 했다.

→ ______________________________

6. 눈이 내리면, 많은 사람이 사고가 날까 두려워서 자동차보다는 지하철을 이용한다.

→ ______________________________

7. 7시간 동안 등산을 한 후 나는 지쳐서 금방 잠이 들었다.

→ ______________________________

- 군복무를 하다 (seinen) Wehrdienst leisten

## 불특정대명사(Indefinitpronomen)

- ein-: 어떤 (불특정한) 것 하나
- welch-: (셀 수 없는) 어떤 것/(불특정한 그런) 것들
- kein-: ein-, welch-의 부정을 의미함

## 불특정대명사 ein-, welch-, kein-의 형태 변화

| | 남성 | 여성 | 중성 | 복수 |
|---|---|---|---|---|
| 1격 | einer<br>welcher<br>keiner | eine<br>welche<br>keine | eins/eines<br>welches<br>keins/keines | -<br>welche<br>keine |
| 2격 | eines<br>-<br>keines | einer<br>-<br>keiner | eines<br>-<br>keines | -<br>-<br>keiner |
| 3격 | einem<br>welchem<br>keinem | einer<br>welcher<br>keiner | einem<br>welchem<br>keinem | -<br>welchen<br>keinen |
| 4격 | einen<br>welchen<br>keinen | eine<br>welche<br>keine | eins/eines<br>welches<br>keins/keines | -<br>welche<br>keine |

- 가장 유명한 정치인 중 한 사람(남성)

  Er ist einer der bekanntesten Politiker in Korea.

- 첫 번째 여성 중 한 사람(여성)

  Sie war eine der ersten Frauen, die Medizin studierte.

- A: 나는 자동차가 (한 대) 있어. 너도 (한 대) 있니?

  Ich habe ein Auto. Hast du auch eins?

  B: – 응, (자동차가 한 대) 있어.

  Ja, ich habe eins.

  – 아니, (자동차가 한 대도) 없어.

  Nein, ich habe keins.

- 하나는 ..., 하나는 ...

  Ich kaufte zwei Hotdogs: einen für Bello und einen für seinen neuen Freund.

## A2. Antworten Sie auf die Fragen mit einem Indefinitpronomen wie ein-, kein- oder welch-.

1. Haben Sie noch Fragen?

Ja, ______________________ / ______________________

Nein, ______________________

2. Gibt es noch Eier im Kühlschrank?

Ja, ______________________ / ______________________

Nein, ______________________

3. Haben wir noch Brot?

Ja, ______________________

Nein, ______________________

4. Ist er ein berühmter Schauspieler in Deutschland?

Ja, ______________________________________________

5. Können Sie mir einige Sehenswürdigkeiten in Seoul empfehlen?

Ja, ______________________________________________

## ...인 것 같다/...처럼 보이다/... 인상을 주다

### scheinen ... zu 부정사

• 배가 고픈 것 같다.

Er ist hungrig. → Er scheint hungrig zu sein.

Er hat Hunger. → Er scheint Hunger zu haben.

• 비가 내릴 것 같다.

Es gibt Regen. → Es scheint Regen zu geben.

• 인터넷에 문제가 있는 것 같다.

Es gibt ein Problem mit dem Internet. → Es scheint ein Problem mit dem Internet zu geben.

### > 과거 사실에 대한 추측의 경우에는 zu 부정사 완료형을 사용한다.

• 그는 배가 고픈 것 같다. → 그는 배가 고팠던 것 같다.

Er scheint hungrig zu sein. → Er scheint hungrig gewesen zu sein.

• 인터넷에 문제가 있는 것 같다. → 인터넷에 문제가 있었던 것 같다.

Es scheint ein Problem mit dem Internet zu geben. → Es scheint ein Problem mit dem Internet gegeben zu haben.

## A3. Bilden Sie die Sätze mit scheinen.

1. Er ist glücklich. → Er ______________________________

2. Er ist enttäuscht. → Er ______________________________

3. Er fühlt sich wohl. → Er ______________________________

4. Er ist nett. → Er ______________________________

5. Alles ist in Ordnung. → Alles ______________________________

6. Er war krank. → Er ______________________________

7. Er vermisste dich. → Er ______________________________

## 직접 인용문(direkte Rede)의 부호사용

### 1) 인용문이 주절의 뒤에 올 때

Ich fragte: „Wo ist denn mein Bello?"

Songju meinte: „Vielleicht hat er sich unter dem Auto versteckt."

Ich rief: „Bello ist weg!"

• 인용문을 이끄는 주절 다음에 ':'를 사용하여 인용문과의 경계를 표시하고, 인용문에는 인용부호(„ ... ")를 사용한다. 마침표, 물음표, 느낌표 등은 인용부호 안에 찍는다.

### 2) 인용문이 주절 앞에 올 때

„Mach dir keine Sorgen", beruhigte mich Songju.

„Wo kann er denn nur sein?", rief ich.

„Bello ist weg!", rief ich.

• 인용문이 마침표로 끝날 때는 마침표를 찍지 않고, 인용부호와 주절 사이에 ","만 찍는다.

• 인용문이 의문문이거나 감탄문일 때는 물음표와 느낌표를 인용부호 안에 찍고, 인용부호와 주절 사이에 ","도 찍는다.

### 3) 주절이 인용문 사이에 올 때

„Mach dir keine Sorgen", beruhigte mich Songju, „wir finden ihn sicher."

• 주절은 ','로 앞뒤 인용문과 구분되고, 인용문의 부호는 1)과 2)의 규칙에 따른다.

## A4. Ergänzen Sie die fehlenden Satzzeichen und setzen Sie die Verben in die Vergangenheit.

So ein Pech!

Vorgestern ________(bitten) mich meine Mutter_ _Mark, fahr doch bitte mal schnell zum Supermarkt und hol mir ein Kilo Zucker, zehn Eier, eine Packung Milch und ein Pfund Salz._ _Na gut, wenn es sein muss_ _ __________(antworten) ich. _Hier hast du zehn Euro_ _ __________(sagen) meine Mutter und _____(geben) mir das Geld. Ich _______(stecken) es in die Hosentasche und _____(fahren) mit dem Fahrrad zum Supermarkt. Im Supermarkt ______ (sind) viele Leute und es ______ (dauern) lange, bis ich alle Sachen gefunden hatte. _Endlich geschafft_ _ ___________(denken) ich, als ich an der Kasse stand. _Das macht zusammen acht Euro_ _ ___________(sagen) der Herr an der Kasse. Aber als ich bezahlen _________(wollen), _______(sein) das Geld weg! Mama hatte mir doch zehn Euro gegeben! Ich _________(werden) ganz nervös und _______(suchen) überall. Nichts! _Es tut mir leid_ _ ___________ich _________(sich entschuldigen)_ _aber ich habe mein Geld verloren._ _Dann bring die Sachen wieder an ihren Platz zurück_ _ ___________(sagen) der Herr an der Kasse. Ich _________(werden) ganz rot und _________(bringen) die Sachen zurück. _Was wird Mutter sagen_ _ _ ________(denken) ich_ _ Sie wird bestimmt wütend sein._ Als ich zu Hause _________(ankommen), ________(erzählen) ich Mutter die ganze Geschichte. Mutter ________(seufzen) nur und ________(schütteln) den Kopf.

Ich ________(schauen) auf den Boden und was ______(sehen) ich da? Die zehn Euro!

Sie waren mir zu Hause aus der Tasche gefallen!

- vorgestern 그제
- der Zucker <-s, -> 설탕
- das Salz <-(e)s, -e> 소금
- schaffen 해내다
- Endlich geschafft! 마침내 해냈다!
- stecken 집어넣다
- et. in die Hosentasche stecken 무엇을 바지 주머니에 넣다
- die Kasse <-, -n> 계산대
- nervös 신경이 예민해진
- Es tut mir leid. 유감입니다. 미안합니다.
- seufzen 한숨을 쉬다
- den Kopf schütteln 머리를 (좌우로) 흔들다
- der Boden <-s, Böden> (땅)바닥
- fallen <fiel, ist ... gefallen> 떨어지다

## 과거완료시제

**haben/sein의 과거형 + 과거완료**

과거시제보다 더 앞선 시점의 일을 나타낼 때 사용한다.

- Nach anderthalb Stunden Fahrt sind wir an unserer Pension, in der wir ein Zimmer reserviert hatten, angekommen.
  펜션에 도착하기 전에 이미 예약했으므로
- Nachdem wir den Wagen hinter der Pension geparkt hatten, haben wir unser Gepäck in unser Zimmer gebracht.
  짐을 방으로 옮기기 전에 주차를 했으므로
- Als wir kurz darauf zum Parkplatz zurückkamen, war Bello verschwunden.
  돌아왔을 때 이미 사라지고 없었으므로
- Bello hatte sich mit dem Hund des Pensionsbesitzers angefreundet.
  Bello를 발견했을 때 그가 이미 팬션 주인의 개와 친구가 되어있었으므로
- Gott sei Dank hatten wir Bello gefunden! Und Bello hatte einen neuen Freund gefunden!
  과거에 있었던 일의 결말로 현재 시점과 거리를 두기 위하여

## 종속접속사

- (시간) ... 동안에

Während wir das Gepäck in unser Zimmer brachten, ist Bello auf dem Parkplatz herumgelaufen.

- (시간) ... 후에 (nachdem 절에는 주절보다 더 이른 시제가 사용된다.)

Nachdem wir den Wagen hinter der Pension geparkt hatten, haben wir unser Gepäck in unser Zimmer gebracht. (nachdem 과거완료, 현재완료)

- (시간) ... 때에

Als wir kurz darauf zum Parkplatz zurückkamen, war Bello verschwunden.

- (양보) ...지만

Obwohl wir immer wieder ganz laut „Bello! Bello!“ gerufen haben, kam Bello nicht.

## A5. Ergänzen Sie *als, nachdem, während und obwohl.*

Montagmorgen. ________ der Wecker schon zweimal geklingelt hatte, hatte Toni keine Lust, aufzustehen. Erst ________ der Wecker zum dritten Mal klingelte, stand Toni auf und wusch sich. ________ er sich angezogen hatte, machte er Frühstück. ________ er frühstückte, las er die Zeitung. ________ er gefrühstückt hatte, packte er schnell einen kleinen Koffer. Er bestellte ein Taxi und fuhr zum Hauptbahnhof. ________ er am Bahnhof ankam, kaufte er eine Fahrkarte nach Frankfurt-Flughafen. Im Zug schlief er ein. ________ er schlief, träumte er von seinem Urlaub, von Sonne und blauem Meer. ________ er am Flughafen ankam, ging er zum Schalter. Aber ________ er seinen Pass zeigen wollte, konnte er ihn nicht finden. ________ er in allen Taschen suchte, war der Pass nicht zu finden.

- **bestellen** 주문하다
  ein Taxi bestellen 택시를 부르다
- **der Hauptbahnhof (Hbf.)** 중앙역
- **der Schalter** 창구
- **war der Pass nicht zu finden.** 여권을 발견할 수 없었다.
  'sein 동사 ... zu 부정사' 구문은 '수동의 의무·가능'을 나타낸다.
  **konnte der Pass nicht gefunden werden.**

## 추측(Vermutung)

- 현재 사실과 관련된 추측(화법조동사 ... 부정사)

• Bello가 어디에 있을까?

Wo kann Bello sein?

아마도 자동차 아래에 있을 거야.

Er ist vielleicht unter dem Auto.

- 과거 사실과 관련된 추측(화법조동사 ... 부정사 완료형)

• Peter가 어디에 있을까?

Wo kann Peter sein?

시내에 갔을 수 있어.

Er kann in die Stadt gegangen/gefahren sein.

슈퍼마켓에 갔을 거야.

Er wird zum Supermarkt gegangen sein.

## A6. Peter kann seinen Pass nicht finden. Was wird wohl passiert sein?

1. den Pass zu Hause vergessen

→ Er ______________________

2. den Pass im Zug verlieren

→ ______________________

3. den Pass in den Koffer packen

→ ______________________

4. der Taxifahrer - den Pass stehlen

→ ______________________

• verlieren <verlor, verloren> 잃어버리다

## 이야기 전개를 구성하기 위한 질문법

- 이야기의 요점을 중심으로 듣는 사람이 제기할 수 있는 질문을 생각한다.
- 질문에 대한 답변을 작성하고 이를 연결한다.

**모델 텍스트를 다음과 같이 질문과 답변 방식으로 제시할 수 있다.**

| 이야기 전개를 위한 질문 | 답변 |
|---|---|
| *Was gibt es Neues/Interessantes?* | Endlich habe ich die Führerscheinprüfung bestanden! |
| *Was hast du gemacht?* | Am Wochenende bin ich ans Westmeer gefahren. |
| *Bist du allein gefahren?* | Ich bin mit meiner Freundin Songju gefahren und habe Bello mitgenommen. |
| *Wie lange hat die Fahrt gedauert?* | Die Fahrt hat anderthalb Stunden gedauert. |
| *Wo seid ihr angekommen?* | Wir sind an unserer Pension, in der wir ein Zimmer reserviert hatten, angekommen. |
| *Was habt ihr zuerst gemacht?* | Nachdem wir den Wagen hinter der Pension geparkt hatten, haben wir unser Gepäck in unser Zimmer gebracht. |
| *Was hat Bello gemacht?* | Er ist auf dem Parkplatz herumgelaufen und hat auf unser Auto aufgepasst. |

## A7. Wie lauten die Fragen und Antworten?

| Frage | Antwort |
|---|---|
| | Nein, als wir kurz darauf zum Parkplatz zurückkamen, war Bello verschwunden. |
| Was hat Songju gemeint, als du fragtest, wo Bello ist? | |
| | Nein, unter dem Auto war Bello nicht. |
| | Songju sagte: „Mach dir keine Sorgen. Wir finden ihn sicher. Er wird schon an den Strand gelaufen sein. Du weißt doch, wie neugierig er ist.“ Damit wollte sie mich beruhigen. |
| Was habt ihr dann gemacht? | |
| | Nein. Obwohl wir immer wieder ganz laut „Bello! Bello!“ gerufen haben, kam Bello nicht. |
| Wie hast du dich gefühlt? | |
| | Doch. Songju zeigte auf einen Hotdog-Stand vor der Pension. Dort saßen zwei Hunde nebeneinander und schauten auf die Hotdogs! |
| Was hatte Bello inzwischen gemacht? | |
| War Bello okay? | ______________ Ich kaufte zwei Hotdogs: einen für Bello und einen für seinen neuen Freund. |
| Am Ende war doch alles in Ordnung, oder? | Ja, ______________ |

## Text zum Ergänzen

______ letzten Sommer habe ich mit meinem Freund eine sechswöchige Europareise ________①. In Deutschland ________ wir ____ ein Auto ________②. Wir sind zuerst nach Berlin gefahren, ____ wir ____ ____ ________③ sind. _____ ____ wir über Frankfurt und Paris bis nach Madrid ______④ Am besten ⑤ unseren Aufenthalt in Paris, ____ ____ _____ ____⑥ etwas Besonderes erlebt.

____ _______ _______⑦ Fahrt von Aachen nach Paris sind wir in der Pension angekommen, ____ ____ übers Internet ____ ________ ________ ____⑧. Wir _______⑨ uns aus zwei Gründen für die „Pension Louis“ entschieden: Erstens, weil sie in der Nähe des Eiffelturms lag, und zweitens, weil man vor dem Haus parken konnte. In der Anzeige hatte nämlich gestanden: „Parken vor dem Haus möglich“.

Das Zimmer war sauber und die Betten waren bequem. Leider gab es am ersten Morgen eine Überraschung: ___ wir ___ dem Frühstück ___ Versailles ______ ______⑩, war nämlich unser Wagen verschwunden! „Wo ___ er denn nur ___⑪? Hat ___ etwa _____⑫ gestohlen?“, ____ ______ _______ _______⑬. Da kam die Besitzerin aus dem Haus und sagte: „Es tut mir wirklich leid, aber Ihren Wagen hat die Polizei abgeschleppt.“ „Was? Wieso denn das?“, wollte ich wissen. Die Besitzerin erklärte:

„Normalerweise ist Parken vor dem Hotel erlaubt. Aber ____ ________ __________ ⑭ ist Parken für eine Woche wegen Bauarbeiten verboten. Ich habe das Hinweisschild erst heute früh gesehen. Es tut mir sehr leid.“

Das war natürlich sehr ärgerlich, ______ ______ Bußgeld zahlen __________ ⑮ und es ______ ______ __________ dauerte, ______ ⑯ wir unser Auto zurückbekamen. Die Besitzerin hat _____ ________ ⑰ des Bußgeldes gezahlt. Ansonsten _____ _____ Paris sehr ______ __________ ⑱.

## Tipps

① 지난여름에 6주간의 유럽여행을 했다.
② 자동차를 빌렸다.
③ 4일 동안 머물렀던
④ 그러고 나서 마드리드로 (차를 몰고) 갔다.
⑤ 기억한다.
⑥ 그곳에서 특별한 경험을 했기 때문이다.
⑦ 4시간 반 동안 차를 타고 간 후에
⑧ 내가 인터넷을 통해서 방을 하나 예약했던
⑨ (여행오기 전에) 결정했었다.
⑩ 아침식사 후에 베르사유로 가려고 했을 때
⑪ (추측) 어디 있을까?
⑫ 누가 자동차를 훔쳐갔을까?
⑬ 내 친구가 깜짝 놀라서 소리쳤다.
⑭ 오늘 아침부터
⑮ 벌금을 물어야 했기 때문에
⑯ ...까지 몇 시간 걸렸기 때문에
⑰ 3분의 2
⑱ ...이 우리 마음에 (아주) 잘 들었다.

# Wörter und Ausdrücke

| | |
|---|---|
| • **sechswöchig-** | 6주간의 |
| • **sich ein Auto leihen** | 자동차를 빌리다 |
| • **über ... bis nach ...** | ...를 거쳐서 ...까지 |
| • **etwas Besonderes erleben** | 특별한 것을 경험하다/특별한 경험을 하다 |
| • **übers Internet** | 인터넷을 통해서 |
| • **aus zwei Gründen** | 두 가지 이유에서 |
| • **sich für et. entscheiden** | 무엇으로 (하기로) 결정하다 |
| • **erstens**<br>• **zweitens** | 첫째로<br>둘째로 (서수 + -ens: ...번째로) |
| • **stehen <stand, gestanden>**<br>et. steht in der Anzeige | (서) 있다<br>무엇이 광고에 (실려)있다 |
| • **sauber** | 깨끗한 |
| • **der Besitzer, die Besitzerin** | 주인 |
| • **abschleppen <schleppte... ab, hat ... abgeschleppt>** | 견인하다 |
| • **wissen wollen** | 알려고 하다, 여기서는 '묻다'는 뜻 |
| • **erlaubt sein** | 허락되다 |
| • **wegen Bauarbeiten**<br>die Bauarbeit | 공사 때문에<br>건설 공사 |
| • **das Hinweisschild** | 안내표지판 |
| • **das Bußgeld** | 벌금 |
| • **zurückbekommen** | 돌려받다 |

## Text zum Übersetzen

지난 주말에 Meyer 씨 부부는 딸 Susi와 (자기들의) 개 Bello를 데리고 산에 갔다. 자동차로 9시간을 타고 간 후에 그들은 호텔에 도착했다. Meyer 씨 부부와 Susi가 방으로 짐을 옮기는 동안에 Bello는 길에서 이리저리 돌아다녔다.

그 가족은 가방의 짐을 풀었다. 그때 Susi가 갑자기 Bello가 없다는 것을 알았다. “도대체 Bello는 어디 있지요?”하고 Susi가 물었다. “아마도 우리 자동차를 지키고 있을 거야”하고 (아버지) Meyer 씨가 대답했다. 그러나 호텔 앞에는 자동차만 서 있었다. Bello는 없었다! “도대체 어디에 있을까?”하고 Susi가 소리쳤다. “걱정하지 마라”하고 Meyer 부인이 말했다. “시내로 갔을 거야” 그래서 그들은 Bello를 찾기 위해서 시내로 갔다.  그러나 그들이 몇 번이고 “Bello! Bello!”하고 소리쳐 불렀으나, Bello는 오지 않았다. 그때 Meyer 씨가 다음과 같이 제안하였다. “우리 저기 있는 경찰관에게 한번 물어보자. 어쩌면 그 사람이 Bello를 보았을 거야.” “조그만 개를 찾고 계십니까?”하고 그 경찰관이 물었다. “저기 뒤에 있는 것입니까?” 정말로! 거기에 소시지 가판대 앞에 서서 맛있는 소시지를 바라보고 있었다. “배가 아마도 매우 고팠구나, Bello야”하고 Susi가 말하고는 Bello에게 소시지를 하나 주었다. “여기 큰 소시지 하나 먹어.”

## Aufgepasst!

1. '... 데리고'는 '...과 함께'로 대체될 수 있으며, 전치사 mit을 통해서 표현할 수 있다.

2. 산의 경관을 즐기기 위해서 '산에 가다'는 것은 'in die Berge gehen/fahren'으로 표현할 수 있다.

3. 자동차로 9시간을 타고 간 후에 | nach neun Stunden Fahrt im Auto

4. '짐'은 'das Gepäck'이라고 하며, 항상 단수로 사용된다. 짐의 개수를 세고자 할 때는 'das Gepäckstück'을 사용하며, 복수형은 'die Gepäckstücke'이다.

5. 가방의 짐을 풀다 die Koffer auspacken. 3명이 여행을 왔으므로 가방이 여러 개일 수 있어서 복수를 사용하는데, der Koffer는 단수와 복수형태가 같다.

6. 무엇을 지키다 | auf et. aufpassen

7. 도무지 알 수 없다는 뜻으로 '도대체 ...이 어디에 있을까?'는 'Wo kann ... denn nur sein?'으로 표현할 수 있다.

8. '의견을 말하다'는 의미로는 'meinen'을 사용할 수 있다.

9. 이미 행해진 사실에 대한 추측을 말할 때는 'werden + 부정사 완료형'을 사용한다.

10. 어떤 사건의 진행 과정에서 결과적 사실을 이끄는 '그래서'는 'also'로 표현할 수 있다.

11. '보이지 않는 사람/사물이 어디에 있는지 찾아보다'는 'suchen'이라고 하고, 그러한 노력 끝에 '찾았다'라고 말할 때는 'finden'을 사용한다.

12. 몇 번이고 (반복해서) | immer wieder

13. ...에게 한 번 물어보다 | jn. mal fragen

14. '저기 뒤에 있는 것'은 개를 가리키는 것이므로 'der (Hund) da hinten'으로 옮길 수 있다.

15. 정말로! | Tatsächlich!

16. 소시지 가판대 | die Würstchenbude

17. 무엇을 바라보다 | auf et. schauen

18. 배가 매우 고프다 | großen Hunger haben

19. '자 여기 큰 소시지 하나 먹어'라는 제공의 의미는 'Hier hast du ein großes Würstchen.'으로 번역할 수 있다.

## Text zum Korrigieren

Hurra! Ich habe die Führerscheinprüfung ~~bestehen!~~ bestanden Und ich habe im ersten Mal alleine eine langere Fahrt gemacht. Das heißt, ich habe nicht ganz alleine gefahren, weil Fiffi, meine Hündchen, war dabei. Meine Mutter hat mir ihr altes Audi ausleiht und sind wir in den Walchensee gefahren. Nach fast dreien Stunden Fahrt sind wir in die Pension, in der ich ein Zimmer reservierte, angekommen. Die Pension liegt am See nah. Der Wagen habe ich vor die Pension geparkt. Als ich mein Gepäck aufs Zimmer gebracht habe, ist Fiffi in dem Garten der Pension herumgelaufen.

Als doch ich kurz darauf in den Garten ging, war Fiffi weg. „Wo ist denn meine Fiffi?", rief ich erschreckt. „Wo kann sie denn nur sein? Hoffentlich ist nichts ihr passiert!", ich dachte. Ich habe laut „Fiffi! Wo bist du?" gerufen, aber sie kam nicht. Ich bin fast gestorben aus Angst. Meine arme Fiffi!

Da hörte ich in der Straße gleich neben der Pension einen Hund zu bellen. Ich lief hin und was sah ich da? Meine Fiffi! Sie saß vor einem Hotdog-Stand. Gott sei Dank hatte ich sie gefunden! Sie hatte wohl Hunger. Ich kaufte zwei Hotdogs: ein für Fiffi und ein für mich. Denn ich hatte auch Hunger.

### Wörter und Ausdrücke

- jn./et. <부정사> hören, sehen — 누가/무엇이 ...하는 소리를 듣다/...하는 것을 보다

## Ihr Text

**Erzählen Sie von Ihrem Urlaub.**

Lektion

# 10

## Einen Vorgang beschreiben: Kochrezept

## Modelltext

# Ein Bulgogi-Rezept (für 2-3 Personen)

| | Zutaten |
|---|---|
| Sie brauchen: | 500g Rindfleisch |
| | 3 EL Zucker |
| | 2 EL klarer Reiswein |
| Für die Soße: | 4 EL Sojasoße |
| | eine Prise schwarzer Pfeffer |
| | 1½ EL gehackter Knoblauch |
| | 2 EL klein geschnittener Lauch |
| | 2 EL Sesamöl |
| | 1 EL Sesamkörner |

Das Fleisch wird in dünne Scheiben geschnitten und in Zucker und klaren Reiswein eingelegt. (Wenn Sie keinen klaren Reiswein haben, nehmen Sie Sherry oder auch Cola.) Lassen Sie das Fleisch eine halbe Stunde stehen und bereiten Sie die Soße zu. Gießen Sie die Soße über das Fleisch. Soße und Fleisch müssen gut mit den Händen gemischt werden. Lassen Sie das eingelegte Fleisch eine Stunde im Kühlschrank durchziehen. Das war's!

Das Fleisch wird bei mittlerer Hitze gebraten und mit Reis, Suppe und Kimchi serviert.

## Wörter und Ausdrücke

| | |
|---|---|
| • das Rezept <-(e)s, -e> | 요리법, 레시피 |
| • die Zutat <-, -en> | 재료 |
| • das Rindfleisch <-(e)s, 항상 단수> | 소고기 |
| • EL = der Esslöffel <-s, -> | 숟가락 |

| | |
|---|---|
| • **der Reiswein <-(e)s, -e>**<br>der Reis + der Wein, klarer Reiswein | 쌀로 빚은 술<br>쌀 + 와인, 청주 |
| • **die Sojasoße <-, -en>**<br>die Soja + die Soße | 간장<br>콩나물 콩(die Sojabohne) + 소스 |
| • **die Prise <-, -n>** | (두세 손가락으로 집을 수 있는 양) 자밤, 꼬집 |
| • **der Pfeffer <-s, 항상 단수>** | 후추 |
| • **gehackt → hacken <hackte, gehackt>** | 잘게 다진 → 잘게 다져 썰다 |
| • **der Knoblauch <-(e)s, 항상 단수>** | 마늘 |
| • **geschnitten → schneiden <schnitt, geschnitten>** | 썰다, 자르다 |
| • **der Lauch <-(e)s, 항상 단수>** | 파 |
| • **das Sesamöl <-(e)s, -e>** | 참기름 |
| • **das Sesamkorn <-(e)s, -körner>** | 참깨 |
| • **die Scheibe <-, -n>** | 얇게 썬 조각, 슬라이스 |
| • **schneiden <schnitt, geschnitten>** | 썰다, 자르다 |
| • **einlegen <legte ... ein, hat ... eingelegt>** | (양념이 배어들도록) 담가두다, 양념에 재다 |
| • **der Sherry** | <와인의 일종> 셰리 |
| • **et. stehen lassen** | 무엇을 그냥 두다 |
| • **zubereiten <bereitete ... zu, hat ... zubereitet>** | (음식을) 만들다, 차리다, 준비하다 |
| • **et. über et. gießen**<br>et. in et. gießen | 무엇을 무엇 위에 붓다<br>무엇을 무엇(속)에 붓다 |
| • **mischen** | 섞다 |
| • **der Kühlschrank <-(e)s, -schränke>** | 냉장고 |
| • **et. durchziehen lassen** | 무엇에 (양념 따위가) 스며들게/배게 하다 |
| • **Das war's!** | 이것이 전부다! |
| • **mittler-** | 중간의 |
| • **die Hitze <-, 항상 단수>** | 열 |
| • **braten <brät, briet, hat ... gebraten>** | (뜨거운 판에) 굽다 |
| • **servieren** | (음식을 상에) 내놓다 |

# Bausteine für den Textaufbau

## Mengenangaben (Abkürzungen)

- g = das Gramm
- Pfd. = das Pfund
- kg = das Kilogramm
- l = der Liter
- EL = der Esslöffel (스푼, 숟가락)
- TL = der Teelöffel (티스푼)
- eine Prise: eine Prise Salz/Pfeffer (소금/후추 한 자밤/꼬집)

## Kochvokabeln: wichtige Verben

- (음식을) 만들다: zubereiten, die Soße/den Salat/das Essen zubereiten
- 깨끗하게 손질하다: putzen, den Salat/die Soja(bohnen)sprossen(콩나물) putzen
- 껍질을 벗기다: schälen, die Kartoffeln schälen
- 자르다, 썰다: schneiden, das Fleisch klein schneiden/in dünne Scheiben/in Würfel(주사위 모양의 조각)/in Stücke schneiden; klein geschnittener Lauch (잘게 썬 파)
- 채썰다: in Streifen schneiden
- (잘게) 다지다: hacken, die Zwiebeln(양파)/den Knoblauch(마늘) hacken, gehackte Zwiebeln/gehackter Knoblauch
- (그릇 따위에 요리 재료를) 넣다: geben, Milch und Eier in eine Schüssel geben
- (양념 따위를) 치다/첨가하다: hinzugeben, Salz und Pfeffer hinzugeben
- 재다/절이다: einlegen, das Fleisch in die Soße einlegen, Chinakohl einlegen
- (양념 따위가) 스며들게 하다: stehen/durchziehen lassen, das Fleisch eine halbe Stunde stehen/durchziehen lassen
- 붓다: gießen, die Soße über das Fleisch gießen, Öl in die Pfanne gießen
- 섞다: mischen, die Soße mit dem Fleisch mischen
- 젓다: umrühren, Wasser und Mehl in eine Schüssel geben und gut umrühren
- 굽다: braten, das Fleisch (bei schwacher/mittlerer/starker Hitze) braten
- 끓이다: kochen, Wasser/Suppe/das Essen kochen
- 튀기다: frittieren
- (음식을 상에) 내놓다: servieren, das Fleisch mit Brot und Salat servieren

## A1. Ergänzen Sie.

Hobakjeon (gebratene Zucchini)

__________(재료): 1 Zucchini, 400g Mehl, __________ ________(소금 1 티스푼),

________ ________(물 ⅛리터), Öl (zum Braten)

Für die Soße: 2EL Sojasoße, ________ ________ ________(다진 양파 1 숟가락),

________ __________ ________(다진 마늘 1 티스푼), 1TL Peperonipulver(고춧가루), 1TL Sesamkörner

__________(썰다) Sie die Zucchini in dünne Scheiben. _____(섞다) Sie das Mehl mit dem Wasser. _______ Sie das Salz _____(넣다) und _____ Sie gut _____(젓다). Geben Sie dann die Zucchini-Scheiben hinzu. ________(붓다) Sie etwas Öl in die Pfanne und braten Sie die Zucchini-Scheiben bei _________ _______(약한 불). ________ Sie die Soße _____(만들다) und mischen Sie die Zutaten gut. Servieren Sie die Zucchini-Scheiben mit der Soße. Guten Appetit!

- die Zucchini 애호박
- der Kürbis <-, -se> 늙은호박, 단호박
- das Mehl <-s, 항상 단수> 밀가루
- das Peperonipulver <-s, -> 고춧가루, die Peperoni 고추 + das Pulver 가루
- das Sesamkorn <-s, -körner> 깨

## Passiv(수동태)

**werden + p.p.(과거분사)**

- 수동태: 동사의 행위나 작용이 주어에 영향을 미치는 동사 구문 형태를 수동태라고 한다. 능동태 문장의 동사를 'werden ... p.p.' 형태로 변형하면 수동태가 된다.

- Man öffnet die Tür. 문을 연다.
- Die Tür wird geöffnet. 문이 열린다.

- Ich räume mein Zimmer auf. 나는 내 방을 정리한다.
- Mein Zimmer wird aufgeräumt. 내 방이 정리된다.

독일어 수동태는 행위자를 표현하지 않을 때 사용된다. 요리법에 사용되는 독일어 수동태 주어는 우리말에서는 보통 목적어로 표현한다. 수동태 구문도 타동사처럼 번역된다.

- Das Fleisch wird in dünne Scheiben geschnitten. 고기를 얇게 썬다.
- Das Fleisch wird in Zucker und Reiswein eingelegt. 고기를 설탕과 술에 잰다.
- Das Fleisch wird bei mittlerer Hitze gebraten. 고기를 중간 불에 굽는다.
- Die Zutaten werden gemischt. 재료를 섞는다.

## Passiv Präteritum(수동태 과거)

**werden의 과거시제 ... p.p.**

- Das Fleisch wurde in dünne Scheiben geschnitten.
- Das Fleisch wurde in Zucker und Reiswein eingelegt.
- Das Fleisch wurde bei mittlerer Hitze gebraten.
- Die Zutaten wurden gemischt.

## Passiv mit *müssen*(화법조동사가 사용된 동사구문의 수동태)

**müssen ... p.p. werden**

- Der Salat muss noch zubereitet werden.
  샐러드를 만들어야 한다.
- Soße und Fleisch müssen gut mit den Händen gemischt werden.
  소스와 고기를 손으로 잘 섞어야 한다(버무리다).
- Der Salat musste zubereitet werden.
  샐러드를 만들어야 했다. 〈과거시제〉
- Soße und Fleisch mussten gut mit den Händen gemischt werden.
  소스와 고기를 손으로 잘 섞어야 했다. 〈과거시제〉

## A2. Setzen Sie die Sätze ins Passiv.

1. Man schneidet das Fleisch in dünne Scheiben.

→ Das Fleisch wird ______________________________

2. Man gießt die Soße über das Fleisch.

→ ______________________________

3. Man bereitet die Soße zu.

→ ______________________________

4. Man legt die Fleischscheiben in Zucker und Reiswein ein.

→ ______________________________

5. Man kann die Fleischscheiben auch in Sherry oder Cola einlegen.

→ ______________________________

6. Man muss die Soße und das Fleisch gut mit den Händen mischen.

→ ______________________________

## A3. Setzen Sie die Antworten in A2 ins Präteritum.

1. Das Fleisch wurde ______________________________

2. ______________________________

3. ______________________________

4. ______________________________

5. ______

6. ______

## A4. Bilden Sie Passivsätze.

Was muss ich heute noch alles machen?

1. Ich muss noch meine Kleider waschen.

→ ______

2. Ich muss noch die Fenster putzen.

→ ______

3. Ich muss noch die Wohnung aufräumen.

→ ______

4. Ich muss noch den Müll wegbringen.

→ ______

5. Ich muss noch eine Mail schreiben.

→ ______

• et. wegbringen 무엇을 치우다

## 사역동사

### lassen

#### > 누가/무엇이 ...게 하다

lassen ... jn./et. ... 〈부정사〉

- 고기를 반 시간 동안 (양념이 배도록) 그대로 두다(← 있게 하다)

  Lassen Sie das Fleisch eine halbe Stunde stehen.

- 양념에 잰 고기를 한 시간 동안 냉장고에 (양념이 배도록) 두다

  Lassen Sie das eingelegte Fleisch eine Stunde im Kühlschrank durchziehen.

- 나는 학생들에게 어휘를 외우게 한다.

  Ich lasse die Schüler die Vokabeln auswendig lernen.

  (die Schüler는 lasse의 목적어이고, lernen은 die Vokabeln를 목적어로 취하는 타동사임)

#### > 누가/무엇이 ...하게 허용하다/내버려두다

lassen ... jn./et. ... 〈부정사〉

- 그는 개가 자기 침대에서 자게 (허용)한다.

  Er lässt den Hund in seinem Bett schlafen.

  (jn./et.가 lassen의 목적어이고, 부정사의 의미상의 주어임. 부정사는 목적어를 요구하지 않는 자동사임)

- 그는 자기 아이들이 밤늦게 컴퓨터 게임을 하게 (허용)한다.

  Er lässt seine Kinder bis spät in die Nacht Computerspiele spielen.

  (jn./et.가 lassen의 목적어이고, 부정사의 의미상의 주어임. 부정사가 타동사이면 목적어가 제시됨)

### lassen과 함께 사용되는 부정사의 의미상의 주어는 'von ...'로 표현할 수 있다.

• 나는 동료에게 내 책을 번역하게 한다.

Ich lasse einen Kollegen mein Buch übersetzen.

(einen Kollgen은 lasse의 목적어이며, übersetzen의 의미상의 주어임)

Ich lasse mein Buch von einem Kollegen übersetzen.

(mein Buch은 부정사 übersetzen의 목적어이며, übersetzen의 의미상의 주어는 von einem Kollegen으로 표현됨)

• 나는 친구들이 나를 돕게 한다.

Ich lasse meine Freunde mir helfen.

(meine Freunde는 lasse의 목적어이며, 부정사 helfen의 의미상의 주어임. mir는 helfen의 3격 목적어)

Ich lasse mir von meinen Freunden helfen.

(mir는 부정사 helfen의 3격 목적어이며, helfen의 의미상의 주어는 von meinem Freunden으로 표현됨)

### > (누가/무엇이) ...하게 하다/맡기다/시키다

lassen + 타동사 부정어

• 나를 차를 수리하게 한다.

Ich lasse mein Auto reparieren.

(mein Auto는 부정사 reparieren의 목적어이고, lasse의 목적어이자 reparieren의 의미상의 주어는 생략됨)

• 나는 머리를 염색하게 한다.

Ich lasse mir die Haare färben.

(mir die Haare는 färben의 3·4격 목적어이고, lasse의 목적어이자 färben의 의미상의 주어는 생략됨)

## A5. Vervollständigen Sie die Sätze mit *lassen*.

Frau Beckers muss jeden Tag viel arbeiten. Aber am Muttertag lässt sie alles machen:

1. die Betten machen – die Kinder

   Sie ________ die Kinder die Betten ________.

   Sie ________ die Betten von den Kindern ____________.

2. die Fenster putzen – der Fensterputzer

   ______________________________________________

   ______________________________________________

3. das Wohnzimmer aufräumen – die Putzfrau

   ______________________________________________

   ______________________________________________

4. das Gemüse und das Fleisch einkaufen - ihr Mann

   ______________________________________________

   ______________________________________________

## 명사를 수식하는 과거분사(Partizip Präteritum)

'피동이나 완료'의 의미를 담은 관형사가 독일어 과거분사로 표현될 수 있다.

- **다진 양파:** die Zwiebeln, die man gehackt hat → die gehackten Zwiebeln
  다진 양파를 넣으세요.
  Geben Sie die gehackten Zwiebeln hinzu.
- **씻은 채소:** das Gemüse, das man gewaschen hat → das gewaschene Gemüse
  씻은 채소를 조각으로 써세요.
  Schneiden Sie das gewaschene Gemüse in Stücke.
- **미디엄으로 구운 고기:** das Fleisch, das man medium gebraten hat → das medium gebratene Fleisch
  미디엄으로 구운 고기가 내게 제일 맛있다.
  Das medium gebratene Fleisch schmeckt mir am besten.

## A6. Übersetzen Sie ins Deutsche. Verwenden Sie Passiv.

1. (양념에) 잰 고기를 굽는다.

→ ______________________________

2. 껍질을 벗긴 감자를 삶는다.

→ ______________________________

3. (깨끗하게) 씻은 채소를 썬다.

→ ______________________________

4. 구운 고기를 샐러드와 함께 상에 내놓는다.

→ ______________________________

5. 삶은 달걀 껍데기를 벗긴다.

→ ______________________________

## Text zum Ergänzen

**SPAM-Spaghetti - ________ ____ 4 ______①**

| | |
|---|---|
| Sie brauchen: | 500g Spaghetti |
| | 4 l Salzwasser |
| Für die Soße: | 5 EL Öl |
| | 1 Dose SPAM (340g) |
| | 1 große, _____ _____② |
| | ½ EL gehackter Knoblauch |
| | 1 Glas Tomatensoße |
| | 1-2 EL Peperonipaste |
| | Parmesankäse |

Die Spaghetti ________ ___ 4l ________ 8-10 Minuten ________③. _____ Sie das ____ _____④ eine Pfanne und ________ Sie es ________⑤ werden. ________ Sie den SPAM ____⑥ Würfel und braten Sie die SPAM-Würfel. _______ Sie die gehackte Zwiebel und den ________ ________ ______⑦. ________ Sie alles einige Minuten ____ _________ Hitze _______⑧. Dann ______ die Tomatensoße aus dem Glas _________⑨. _________ Sie zum Schluss 1-2 EL Peperonipaste _________ und ________ Sie alles ____ ____⑩. ________ ____ die ________ ____ Parmesankäse und Salat oder Kimchi.

## Tipps

① 4인분 재료

② 다진 양파

③ 스파게티를 소금물에 삶으시오.

④ 프라이팬에 식용유를 부으시오.

⑤ 식용유가 뜨거워지게 하시오(달구시오).

⑥ 조각으로 써시오.

⑦ 다진 마늘을 첨가하시오.

⑧ 약한 불에 구워지게 하시오.

⑨ 토마토소스를 첨가하시오.

⑩ 고추장을 첨가하고 잘 저으시오.

⑪ 스파게티를 ....과 함께 상에 내놓으시오.

## Wörter und Ausdrücke

| | |
|---|---|
| · die Spaghetti <-, 항상 복수> | 스파게티 |
| · das Salzwasser <-s, 항상 단수> | 소금물 |
| · der Knoblauch <-s, 항상 단수> | 마늘 |
| · die Peperonipaste <-, -n> | 고추장 |
| · der Parmesankäse <-s, -> | 이탈리아 Parma 지방에서 생산되는 치즈 |
| · die Pfanne <-, -n> | 프라이팬 |
| · der Würfel <-s, -> | 주사위 |
| · die Tomatensoße aus dem Glas | 병에 든 토마토소스 |

## Text zum Übersetzen

다음은 콩나물국 요리법입니다. 제시된 재료를 잘 보고 아래 우리말을 독일어로 옮겨 보시오.

**Sojasprossensuppe**(콩나물국)

| Zutaten: | 250 - 300g Sojasprossen |
|---|---|
| | ¾ l Wasser |
| | 1 EL Salz |
| | ½ EL gehackter Knoblauch |
| | 1 EL klein geschnittener Lauch |
| | 1 Prise Peperonipulver |

콩나물을 깨끗하게 다듬으시오. 콩나물은 여러 번 잘 씻어야 합니다. 냄비에 물 ¼리터를 붓고 콩나물을 넣으시오(← 첨가합니다). 콩나물을 중간 세기의 불에 약 5분간 끓이시오(← 끓게 합니다). 그다음 물 ½리터, 소금, 마늘 그리고 파를 넣으시오. 국을 또 한 번 5분간 끓이시오(← 끓게 합니다). 국에 고춧가루 한 꼬집 넣어서 드시오(← 상에 내놓으시오).

## Aufgepasst!

**1.** ...을 깨끗하게 다듬다 | ... putzen

**2.** '콩나물을 잘 씻습니다.'처럼 주어가 생략된 표현은 수동태를 사용할 수 있다.

**3.** 수량을 나타내는 말은 보통 명사 앞에 온다. '물 ¼l'는 '¼l Wasser'이다.

**4.** 냄비에 물을 넣다/붓다 | Wasser in einen Topf geben

**5.** 무엇을 (추가로) 넣다 | et. hinzugeben

**6.** 약한/중간/강한 불에 | bei schwacher/mittlerer/starker Hitze

**7.** 고춧가루 한 꼬집을 넣어서 | mit einer Prise Peperonipulver

**8.** '...해서 드시오'는 독일어로 '...해서 상에 내놓으시오/(드시도록) 드리시오'에 해당되는 표현 'Servieren Sie ... mit ...'를 사용할 수 있다.

## Text zum Korrigieren

Zutaten

**Eiersalat mit Obst - ~~Zutate~~ für 4 Personen**

| Sie brauchen: | Eier 6 hartgekochte |
|---|---|
| | 1 kleine Dose Ananas |
| | 2 Banane |
| | 2 geschälte Äpfel |
| | 6 EL Mayonnaise |
| | 4 EL Ananassaft |
| | 2 TL Senf |

Die Eier werden schälen und in Scheiben schneiden. Schneiden Sie dann die Ananas und die Äpfel Stücke. Schälen Sie die Banane und schneiden sie Sie in Scheiben. Dann wird Eier und Obst in einem Schüssel geben und mischen.

Die Mayonnaise wird man mit dem Ananassaft aus der Dose und mit dem Senf mischen. Gießen Sie diese Soße in den Salat. Ziehen Sie den Salat 15 Minuten und servieren Sie ihn an frischem Brot.

## Ihr Text

**Was essen Sie am liebsten? Wie wird das zubereitet? Schreiben Sie das Rezept auf.**

Lektion

# 11

## Von einem Unfall berichten

## Modelltext

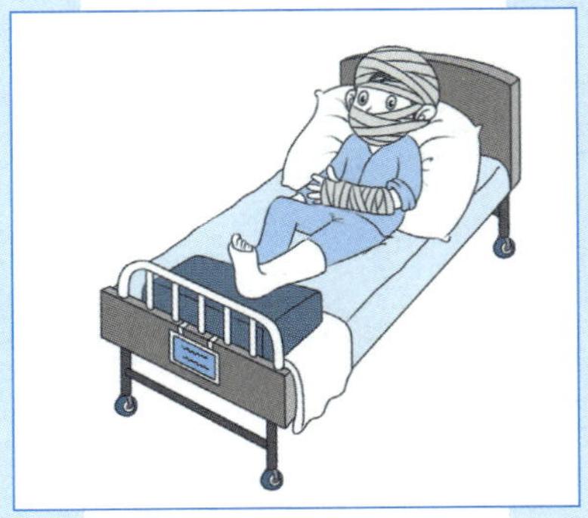

Der Schüler Frank Bohde erzählt: „Also, der Unfall ist gestern passiert. In der 6. Stunde habe ich Sport gehabt. Der Unterricht war um 13.00 Uhr zu Ende. Gott sei Dank! Denn Herr Bobka, unser Sportlehrer, hatte nämlich gar keine gute Laune. Ich habe mich schnell gewaschen und angezogen und bin zur Bushaltestelle gerannt. Der Bus nach Lahnstein fährt nämlich schon um 13.10 Uhr ab. Ich wohne in Lahnstein. Als ich einsteigen wollte, hat der Busfahrer die Türen zugemacht. Er hat mich wohl nicht gesehen. Mein rechtes Bein blieb in der Tür stecken, und dann ist der Bus losgefahren. Ich bin gefallen und wurde mehrere Meter über den Boden geschleift. Ich habe „Halt! Anhalten!“ geschrien und die Kinder im Bus haben auch geschrien. Da hat der Fahrer mich endlich gesehen und angehalten. Er hat die Tür aufgemacht. Mein rechtes Bein und mein rechter Arm taten schrecklich weh. Und ich hatte mich auch am Kopf verletzt. Jemand hat den Krankenwagen gerufen und ich wurde ins Krankenhaus gebracht. Mein rechter Fuß ist gebrochen und ich habe eine schwere Kopfverletzung. Ich muss wohl zwei Wochen im Krankenhaus bleiben.“

### Wörter und Ausdrücke

| | |
|---|---|
| • **rennen** | 달리다 |
| • **einsteigen <stieg ... ein, ist ... eingestiegen>**<br>in den Bus/in das Taxi einsteigen | (...에 올라) 타다<br>버스에 올라타다/택시에 타다 |
| • **zumachen <machte ... zu, hat ... zugemacht>** | (문 따위를) 닫다 |
| • **stecken bleiben <blieb ... stecken, ist ... stecken geblieben>**<br>hängen bleiben | (틈새에) 끼어 걸리다<br>(날카로운 것에) 걸려 매달려 있다 |

Der Busfahrer Ulrich Harder erzählt: „Ich bin schon seit 17 Jahren Busfahrer und hatte nie einen Unfall. Gestern wollte ich wie immer um 13.10 Uhr von der Bushaltestelle am Herder-Gymnasium losfahren. Der Bus war schon voll und ich habe die Türen geschlossen. Ich habe den Schüler einfach nicht gesehen, weil so viele Leute an der Bushaltestelle waren und ich auf den Verkehr achten musste. Ich bin losgefahren. Erst als alle „Halt!“ geschrien haben, habe ich ihn bemerkt. Doch da war der Unfall schon passiert. Es ist meine Schuld.“

| | |
|---|---|
| **· losfahren <fuhr ... los, ist ... losgefahren>** | 출발하다 (= abfahren) |
| **· fallen <fiel, ist ... gefallen>** | 떨어지다, 넘어지다 |
| **· mehrer-** | 여러 개의 |
| **· schleifen**<br>jn./et. über den Boden schleifen | (바닥에 마찰되도록) 질질 끌다<br>누구/무엇을 바닥에 질질 끌다 |
| **· Halt! <감탄사>** | 멈춰! |
| **· schreien <schrie, geschrien>** | 외치다, 소리치다 |
| **· schrecklich** | 매우, 끔찍하게 (= fürchterlich) |
| **· der Krankenwagen <-s, ->** | 구급차 |
| **· brechen <brach, gebrochen>** | 부러뜨리다 |
| **· die Kopfverletzung <-, -en>** | 머리 부상 |
| **· wie immer** | 평소처럼 |
| **· die Bushaltestelle <-, -n>** | 버스 정류장 |
| **· erst** | (...에야) 비로소 (↔ schon) |
| **· bemerken** | 감지하다 (= wahrnehmen), 알아채다 |
| **· die Schuld <-, 항상 단수>**<br>Er hat die Schuld an dem Unfall.<br>jm. die Schuld (an/für et.) geben | 잘못, 죄<br>그가 그 사고에 잘못이 있다.<br>누구에게 (무엇에 대한) 죄를 씌우다 |

## Zeitungsartikel

**Schüler bei Busunfall verletzt**

Letzten Mittwoch, am 18. Juni, wurde der Schüler Frank B. an der Bushaltestelle „Herder-Gymnasium" schwer verletzt. Frank. B. wollte in letzter Minute noch in den um 13.10 Uhr abfahrenden Bus einsteigen. Der Busfahrer Ulrich H. schloss die Türen, sodass das rechte Bein des Schülers in der Tür stecken blieb. Der Bus fuhr los und schleifte Frank B. mehrere Meter über den Boden. Der Busfahrer sagte, er habe den einsteigenden Schüler nicht gesehen, weil er auf den Verkehr geachtet habe. Der Unfall sei seine Schuld.

Frank B. wurde mit gebrochenem rechten Fuß und schweren Kopfverletzungen ins Krankenhaus gebracht.

## Wörter und Ausdrücke

- **sodass** <결과를 이끄는 접속사> (...해서) 그래서 ...
- **achten (auf)** (주목하여) 잘 살피다, 조심하다
- **gebrochen** 부러진

## Bausteine für den Textaufbau

### 보고문(신문기사) 작성 요령

- **객관적인 사실만을 정확히 기술한다.**
  1. 간접화법을 사용함.
  2. 개인적인 의견이나 느낌과 같은 불필요한 정보는 배제함.
- **아래 내용을 포함한다.**
  1. 무엇 (Was ist geschehen?)
  2. 누가 (Wer war beteiligt?) → 성은 약자로 표기함(Frank B., 한국어에서는 '김 모 씨'처럼 성이 아니라 이름을 모호하게 처리함).
  3. 언제 (Wann ist es geschehen?) → 요일, 날짜, 시간
  4. 어디에서 (Wo ist es geschehen?) → 정확한 위치
  5. 어떻게, 왜 (Wie und warum ist es geschehen?) → 사건의 경위를 상세히 진술함.
  6. 후속/현재 상황 (Welche Folgen gibt es?)
- **과거시제를 사용하여 작성한다.**

## A1. Antworten Sie auf die Fragen anhand des Modelltextes.

| Fragen | Antworten |
|---|---|
| Was (ist passiert)? | |
| Wer (war an dem Ereignis beteiligt)? | |
| Wann (ereignete sich der Vorfall)? | |
| Wo (fand das Ereignis statt)? | |
| Wie (hat sich der Vorfall genau abgespielt)? | |
| Warum (kam es dazu)? | |
| Welche Folgen (hatte das Ereignis)? | |

• **anhand des Modelltextes** 모델텍스트를 바탕으로

## 간접화법(indirekte Rede)

다른 사람의 말을 간접 인용할 때 사용하는 간접화법은 동사의 접속법 1식(Konjunktiv I)을 사용한다. 접속법 1식 형태는 동사 어간에 어미 '-e, -est, -e, -en, -et, -en' 등이 첨가된다. 접속법 1식 형태가 직설법 현재와 같아지면 보통 접속법 2식을 사용한다.

### • 간접화법을 나타내는 동사의 형태

| 인칭 | 직설법 현재 | 접속법 1식 | 간접화법 | 직설법 현재 | 접속법 1식 | 간접화법 |
|---|---|---|---|---|---|---|
| ich | komme | komme | käme | bin | sei | sei |
| du | kommst | kommest | käm(e)st | bist | sei(e)st | sei(e)st |
| er/sie/es | kommt | komme | komme | ist | sei | sei |
| wir | kommen | kommen | kämen | sind | seien | seien |
| ihr | kommt | kommet | käm(e)t | seid | seiet | seiet |
| sie | kommen | kommen | kämen | sind | seien | seien |

| 인칭 | 직설법 현재 | 접속법 1식 | 간접화법 | 직설법 현재 | 접속법 1식 | 간접화법 |
|---|---|---|---|---|---|---|
| ich | habe | habe | hätte | werde | werde | würde |
| du | hast | habest | hättest | wirst | werdest | würdest |
| er/sie/es | hat | habe | habe | wird | werde | werde |
| wir | haben | haben | hätten | werden | werden | würden |
| ihr | habt | habet | hättet | werdet | werdet | würdet |
| sie | haben | haben | hätten | werden | werden | würden |

### • 직접화법 → 간접화법

동사의 형태와 더불어 문맥에 따라 인칭, 시간, 장소 등을 나타내는 말도 변한다.

- Peter sagte: „Ich warte hier/im Café auf dich.“
- Peter sagte, er warte dort/im Café auf mich.

- Peter sagte: „Ich will dir auf jeden Fall helfen.“
- Peter sagte, er wolle mir auf jeden Fall helfen.

- Gestern sagte Peter: „Morgen komme ich zu dir.“
- Gestern sagte Peter, heute käme er zu mir.

- **인용하는 방법**

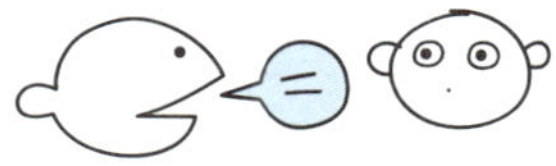

| Das wurde gesagt: | So erzählt man es: | So steht es in der Zeitung: |
|---|---|---|
| Der Busfahrer: „Ich habe den Schüler nicht bemerkt." | Der Busfahrer hat gesagt, dass er den Schüler nicht bemerkt hat/habe. | Der Busfahrer sagte, er habe den Schüler nicht bemerkt. |
| Eva: „Der Bus ist einfach losgefahren." | Eva hat gesagt, dass der Bus einfach losgefahren ist/sei. | Eva sagte, der Bus sei einfach losgefahren. |
| Susi und Uli: „Wir können nicht kommen." | Susi und Uli haben gesagt, dass sie nicht kommen können/könnten. | Susi und Uli sagten, sie könnten nicht kommen. |

## A2. 간접화법으로 고쳐 쓰시오.

Frank erzählt: „In der 6. Stunde habe ich Sportunterricht gehabt. Ich habe mich schnell gewaschen und bin zur Bushaltestelle gerannt. Der Bus nach Lahnstein fährt nämlich immer pünktlich um 13.10 Uhr ab. Ich bin um 13.10 Uhr an der Bushaltestelle angekommen. Der Busfahrer hat mich nicht gesehen und die Tür einfach zugemacht. Mein rechtes Bein ist in der Tür stecken geblieben. Der Bus ist losgefahren und hat mich mehrere Meter über den Boden geschleift. Der Busfahrer hat mich dann endlich bemerkt und angehalten. Jemand hat den Krankenwagen gerufen. Mein rechtes Bein ist gebrochen und ich habe eine schwere Kopfverletzung. Ich muss zwei Wochen im Krankenhaus bleiben."

## 명사를 수식하는 현재분사(Partizip Präsens)

**독일어 동사 부정형 + -d-**

- 독일어 현재분사를 명사 앞에 사용하여 진행 중인 행동이나 지속적인 상태를 나타낼 수 있다. 형용사처럼 어미변화한다.

• 달리는 버스

der Bus, der fährt → der fahrende Bus

• 승차하는/차에 올라타는 여학생

die Schülerin, die einsteigt → die einsteigende Schülerin

• 대화를 나누는 사람들

die Leute, die sich unterhalten → die sich unterhaltenden Leute

## 결과로 이어지는 말을 표현하는 '...아/어서(그래서)'

**... sodass(종종 so dass도 사용)**

- '무엇/누가 ...하여서, 그 결과로 ...'라는 의미를 나타낼 때, 독일어에서는 종속접속사 sodass를 사용한다. 즉, sodass는 앞에 오는 주절의 사건으로 인한 결과의 내용을 이끈다.

• 버스운전사가 문을 닫아서, 그 학생의 오른 다리가 문에 끼었다.

Der Busfahrer hat die Türen geschlossen, sodass das rechte Bein des Schülers in der Tür stecken blieb.

• 그 학생이 심하게 다쳐서(다치+어서), 즉시 병원으로 이송되어야 했다.

Der Schüler wurde schwer verletzt, sodass er sofort ins Krankenhaus gebracht werden musste.

## A3. Ergänzen Sie das Gedicht mit den Verben in den Klammern.

__________(singen) Vögel im Frühling,

__________(blühen) Blumen im Sommer,

süß __________(schmecken) Obst im Herbst,

__________(fallen) Schnee im Winter.

__________(spielen) Kinder am Meer,

__________(fliegen) Vögel am Himmel,

ein __________(tanzen) Paar im Wald,

verliebt __________(klopfen) Herzen -

Ist sie nicht schön,

unsere seit Millionen Jahren

nie __________(anhalten) Welt!

- klopfen (가슴이) 두근거리다
- anhalten 멈춰서다

## A4. Übersetzen Sie ins Deutsche.

1. 그는 매우 피곤해서 금방 잠이 들었다.

→

2. 비가 강하게 내려서 우리는 호텔에 머물러 있었다.

→

3. 그 남자는 자기가 독일에서 대학을 다녔다고 말했다.

→

4. 그녀는 아파서 학교에 갈 수 없다고 말한다.

→

5. 독일어를 배우는 학생들이 방학에 독일에 가고 싶어한다.

→

• 잠이 들다 **einschlafen**

## Text zum Ergänzen

Kind verletzt

____ ______________ ____ ____ ____①

spielte der ________② Thomas G. im Garten vor dem Haus der Familie G. in der Heinrich-Heinestr. 7. Thomas G. warf einen Ball auf die Straße. Der Junge lief ______ ___ ___ _________ ______ ____③ auf die Straße, um den Ball zu holen. Er wurde von ____ ____ ______ _________④ Wagen angefahren. Thomas G. wurde mit schweren Verletzungen ____ _____ ____ und ____ _____⑤ ins Krankenhaus gebracht.

Albert F., der Fahrer des Unfallwagens, sagte, er ____ das Kind wegen der _____ Autos nicht rechtzeitig ________⑥ und Thomas G. _____ _____ nach links und rechts ________⑦, bevor er _____ _____ Straße ________ _____⑧. Die Polizei prüft, ____ Albert G. Alkohol ________ _____⑨.

## Tipps

① 토요일 아침 10시에

② 5살 난

③ 길가에 주차된 자동차들 사이를 통해서

④ 왼쪽에서 오는 차

⑤ 왼쪽 팔과 머리에

⑥ 주차된 차 때문에 못 보았다고

⑦ 보지 않았다고

⑧ 도로로 뛰어나오기 전에

⑨ 술을 마시지 않았는지

## Wörter und Ausdrücke

| | |
|---|---|
| **einen Ball auf die Straße werfen** | 공을 길에 던지다 |
| **der Straßenrand** | 도로의 가장자리(도롯가), 길가 |
| **jn. anfahren**<br>von einem Wagen angefahren werden | 누구를 (차로) 치다<br>차에 치이다 |
| **der Unfallwagen** | 사고 자동차 |
| **rechtzeitig** | 제때에 |
| **bevor** | <종속접속사> ... 전에 |
| **prüfen** | 조사하다 |

## Text zum Übersetzen

월요일 저녁 6시 30분경에 4살 난 이창호와 7살 난 그의 누나 유미가 서초동 우송 아파트의 놀이터에서 놀고 있었다. 이유미 양이 놀이터 옆에 있는 주차장으로 공을 던졌다. 이창호가 공을 찾으러 주차장으로 달려갔다. 공이 주차된 차 아래에 놓여있었다. 아이가 공을 꺼내려 했을 때, 그 차가 갑자기 출발했다. 이 군은 머리에 가벼운 상처를 입고 병원으로 옮겨졌다. 자동차 운전자 강하나 씨는 사고가 자기 잘못이라고 말했다. 날이 어두웠었고, 뒤를 돌아보지 않았다고 하였다.

## Aufgepasst!

1. 월요일 저녁 6시 30분경: 독일어에서도 한국어에서와 마찬가지로 큰 시간부터 작은 시간의 순서로 제시된다. 저녁 6시 30분은 공식적으로 표현할 때는 18시 30분이라고 한다. 대략적인 시간을 나타내는 '경'은 'gegen'을 사용한다.

2. 4살 난: 4-jährig. jährig가 독자적인 낱말이므로 4다음에 '-'을 사용한다. die 90er Jahre (90년대)의 경우에는 –er가 독자적인 낱말이 아니므로 '-'을 사용하지 않는다.

3. 한국에서는 익명성을 위하여 성만 쓰고 이름은 밝히지 않는다(이모 군, 윤모 씨). 성만으로는 누구인지를 알기가 어렵기 때문이다. 반면에 독일에서는 이름은 밝히되, 성은 첫 글자만 제시한다. 이름은 수가 비교적 한정됐지만 성은 매우 다양하기 때문이다(Gerhard J.).

4. 놀이터 옆에 있는 주차장 | der neben dem Spielplatz liegende Parkplatz

5. 주차장으로 공을 던지다 | den Ball auf den Parkplatz werfen

6. 놓여있다 | liegen - lag - gelegen

7. 남자아이 | der Junge

8. 출발하다 | losfahren

9. 머리에 가벼운 상처를 입고 | mit leichten Kopfverletzungen/leicht am Kopf verletzt werden

10. '강하나'는 일반적으로 여성 이름이므로 운전자는 die Fahrerin이라고 해야 한다.

11. 날이 어둡다 Es ist dunkel. 독일어의 비인칭 주어 es를 사용하면, '날'을 달리 옮기지 않아도 된다.

12. 계속 이어지는 말의 경우, 독일어에서는 첫 문장에만 '말하다'라는 의미의 'sagen' 등이 나오고, 그 뒤에 나오는 문장에는 간접화법을 나타내는 접속법을 사용하면 된다.

## Text zum Korrigieren

다음 글을 사실을 객관적으로 보도하는 신문 기사 형식으로 수정하시오

**~~Schrecklicher~~ Unfall auf dem Weg zur Schule~~!~~**

Am Dienstagmorgen fuhr die nette Schülerin Christine Becker wie immer um 7.00 Uhr mit dem Fahrrad zur Schule. Das Fahrrad hatte sie am Sonntag zum 13. Geburtstag bekommen. Das Wetter war schön und Christine hatte gute Laune. Als sie von der Gerberstraße in die Brinkmannstraße einbiegen wollte, wurde sie von einem Auto angefahren. Es war ein tolles, rotes Auto.

Gerhard W., der bei einer Bank arbeitende Fahrer des Wagens, nahm sein Handy und rief sofort einen Krankenwagen. Christine Becker weinte, weil das Fahrrad kaputt war. Außerdem war ihr linkes Bein gebrochen und ihr Kopf war verletzt. Das Mädchen wurde ins neue Krankenhaus in der Ritterstraße gebracht.

Gerhard W. sagte: „Als ich in die Brinkmannstraße einbog, ist das Mädchen plötzlich nach links zur Straßenmitte gefahren. Ich konnte nichts machen, weil in dem Moment auf der linken Seite ein Bus gekommen ist. Ich hatte wirklich schreckliche Angst! Es war nicht meine Schuld!“

Christine Becker sagte: „Was Herr W. erzählt, stimmt nicht. So ist der Unfall nicht passiert. Ich bin immer nur am Straßenrand gefahren. Herr W. hat nicht aufgepasst und hat mich angefahren.“

## Ihr Text

**Schreiben Sie den „Text zum Korrigieren“ auf Seite 278 neu.**

Lektion

# 12

## Um einen Rat bitten und einen Rat geben

## Modelltext

Lieber Jonas,

heute brauche ich einen Rat von dir. Ich hatte dir doch schon mal von meinen deutschen Freunden Evi und Bendi aus München erzählt. Gestern habe ich die Einladung zu ihrer Hochzeit bekommen. Darüber habe ich mich sehr gefreut, denn ich war noch nie auf einer deutschen Hochzeit. Meine Frage ist nun: Was soll ich den beiden schenken? Worüber würden sie sich wohl am meisten freuen? Könnte ich dem Brautpaar vielleicht einfach Geld schenken? In Korea sind Geldgeschenke zu einer Hochzeit nämlich üblich. Ein Geldgeschenk wäre auch am praktischsten, denn dann könnten sich die beiden das besorgen, was sie wirklich brauchen. Es wäre ehrlich gesagt auch am bequemsten für mich, denn dann bräuchte ich nicht zu überlegen, was ihnen wohl gefallen würde. Ich bräuchte nur zu überlegen, welche Summe angemessen wäre.
Aber ich weiß nicht, was in Deutschland üblich ist. Vielleicht wäre es besser, ein „richtiges Geschenk“ für die beiden zu besorgen, denn das würde ihnen zeigen: „Unser koreanischer Freund hat sich Gedanken darüber gemacht, was uns gefallen könnte.“ Aber was wäre, wenn ihnen mein Geschenk nicht gefällt? Ich habe auch überlegt, ob ich ihnen hölzerne „Brautenten“ aus Korea besorgen sollte. Die Enten stehen für eine glückliche Ehe. Könnte ihnen das gefallen?

Ich wäre dir wirklich dankbar, wenn du mir helfen könntest.

Viele Grüße
Shinung

# Wörter und Ausdrücke

| | |
|---|---|
| **der Rat <-(e)s, 항상 단수>** | 조언 |
| **auf einer Hochzeit sein** | 결혼식에 참석하다 |
| **das Brautpaar <-(e)s, -e>** | (결혼하는) 신랑신부 |
| **am meisten <viel – mehr – am meisten>** | 가장 많이 |
| **üblich** | 흔한, 보통의, 일반적인 |
| **sich et. besorgen**<br>jm. et. besorgen/et. für jn. besorgen | (자신을 위해서) 무엇을 구입하다, 마련하다<br>(누구에게) 무엇을 구해주다, 조달하다 |
| **ehrlich gesagt** | 솔직히 말해서 |
| **brauchen ... nicht ... zu ...** | ...할 필요가 없다 |
| **die Summe <-, -n>** | 액수, 금액 |
| **angemessen** | 적합한 |
| **sich Gedanken über et. machen** | 무엇에 관하여 (어떻게 할지를) 생각하다 |
| **hölzern (das Holz 나무)** | 나무의, 나무로 된/만든 |
| **die Brautente <-, -n>**<br>die Ente | 신랑신부(를 상징하는) 오리<br>오리 |
| **für et. stehen** | 무엇을 나타내다/상징하다 |

## Bausteine für den Textaufbau

### 누구에게 ...에 관하여 이야기하다

**jm. von ... erzählen**

• 내가 지금 너에게 내 과거에 관하여 이야기하였다.
Ich habe dir jetzt von meiner Vergangenheit erzählt.

• 너의 과거에 관해서도 내게 이야기 좀 해주렴.
Erzähl mir bitte auch von deiner Vergangenheit.

### ...에의 초대 | die Einladung zu/in ...
### 누구를 ...에 초대하다 | jn. zu... einladen
### ...에 초대받다 | zu ... eingeladen sein

> 생일/커피/식사 초대
die Einladung zum Geburtstag/Kaffee/Essen

> 결혼식/회의에 초대
die Einladung zu einer Hochzeit/Konferenz

• 그가 나를 자기 결혼식에 초대했다.
Er hat mich zu seiner Hochzeit eingeladen.

• 나는 빈에서 열리는 MFD 회의에 초대받았다.
Ich bin zu der MFD-Konferenz in Wien eingeladen.

> 영화/연극 초대
die Einladung ins Kino/Theater ... (ins + 중성 명사 4격)

• 그가 나를 영화에 초대하려 했지만, 나는 그 초대에 응하지 않았다.
Er wollte mich ins Kino einladen, aber ich habe die Einladung nicht angenommen.

> 그의 집으로의 초대/자기가 있는 한국으로의 초대

die Einladung zu ihm nach Hause/Korea

• 그는 나를 자기 집으로 초대했다.

Er hat mich zu sich nach Hause eingeladen.

• 연방정부는 나를 독일로 초대했다.

Die Bundesregierung hat mich nach Deutschland eingeladen.

## ...에 갔다/왔다

**auf ... sein**

• 파티/축제/회의에 갔다/왔다

auf der Party/der Feier/der Versammlung sein

• 결혼식/장례식에 갔다/왔다

auf der Hochzeit/der Beerdigung sein

A: Warst du auf der Eröffnungsfeier?

B: Nein, ich hatte keine Zeit. Und du?

A: Ich war gar nicht eingeladen.

A: Warst du auf der Hochzeit von Thomas und Monika?

B: Ja, ich war auf der Hochzeit.

A: Wirklich? Ich habe dich dort aber nicht gesehen.

• die Eröffnungsfeier 개막식

## A1. Ergänzen Sie die passenden Präpositionen.

1. Heute hat sie mich ______ einer Tasse Kaffee eingeladen.

2. Er hatte mich zwar ______ seiner Hochzeit eingeladen, aber ich war nicht ______ seiner Hochzeit, weil ich ______ einer Konferenz sein musste.

3. Er hat mir viel ______ Ihnen erzählt. Ich möchte Sie gerne einmal ______ mir ______ Hause einladen.

4. Wenn du mich ______ Kino einlädst, lade ich dich ______ dem Film ______ Essen ein.

## 형용사·부사의 최상급

• 형용사의 비교·최상급

| 원급 | 비교급 | 최상급 |
|---|---|---|
| bequem | bequemer | am bequemsten |
| hoch | höher (!) | am höchsten |
| praktisch | praktischer | am praktischsten |
| schön | schöner | am schönsten |
| teuer | teurer (!) | am teuersten |

• 부사의 비교·최상급

| 원급 | 비교급 | 최상급 |
|---|---|---|
| oft | öfter | am öftesten/häufigsten (!) |
| wohl | wohler | am wohlsten |
| gern | lieber (!) | am liebsten (!) |
| sehr/viel | mehr (!) | am meisten (!) |

• 돈 선물이 가장 실용적일 것이다.

Ein Geldgeschenk wäre am praktischsten.

• 돈 선물이 솔직히 말해서 내게 가장 편하기도 할 것이다.

Ein Geldgeschenk wäre ehrlich gesagt auch am bequemsten für mich.

A: Das Semester ist vorbei. Was möchten Sie jetzt am liebsten machen?

B: Am liebsten möchte ich meine Freunde treffen und feiern.

## A2. Ergänzen Sie die passende Superativform.

1. Ich fühle mich bei meinen Verwandten immer wohl. Aber ______ __________ fühle ich mich bei meiner Tante in Busan.

2. Ich lese gern Romane. ______ __________ lese ich Krimis.

3. Meine Freunde singen alle gut. ______ __________ singt Pia.

4. Die Deutschlerner machen oft Grammatikfehler. ______ __________ machen Sie Artikelfehler.

## A3. Übersetzen Sie ins Deutsche.

1. 나는 아직 독일 결혼식에 가본 적이 없다.

→ ____________________

2. 그가 내게 자기 독일 유학 시절에 관해서 이야기한 적이 없다.

→ ____________________

3. 내가 그녀를 여러 번 식사에 초대했으나, 그녀는 내 초대를 항상 거절했다.

→ ____________________

4. 한국에서는 결혼식에 무엇을 가장 자주 선물합니까?

→ ____________________

- die Studienzeit in Deutschland 독일 유학시절
- mehrmals 여러 번

## ...한 것/어떤 것/모든 것

**das/etwas/alles, was ...**

선행사 das, etwas, alles, nichts, vieles 등을 수식하는 관계대명사

- 그 두 사람은 자신들이 정말로 필요한 것을 구입할 수 있을 것이다.

  Die beiden könnten sich das besorgen, was sie wirklich brauchen.

- 나는 그녀에게 그녀가 정말로 필요한 것을 선물하고 싶다.

  Ich möchte ihr etwas schenken, was sie wirklich braucht.

- 그는 내게 그가 그녀로부터 들었던 것을 모두 이야기했다.

  Er hat mir alles erzählt, was er von ihr gehört hatte.

- 나는 내가 급하게 필요하지 않은 것은 사지 않는다.

  Ich kaufe nichts, was ich nicht dringend brauche.

## 의문사 was 종속절

동사나 전치사의 목적어 역할을 한다.

- 나는 무엇이 독일에서 일반적인지를 모른다.

  Ich weiß nicht, was in Deutschland üblich ist. (목적절)

- 나는 그들의 마음에 드는 것이 무엇인지를 생각할 필요가 없을 것이다.

  Ich bräuchte nicht zu überlegen, was ihnen wohl gefallen würde. (목적절)

- 우리 한국 친구가 무엇이 우리 마음에 들지에 관해서 생각을 했다.

  Unser koreanischer Freund hat sich Gedanken (darüber) gemacht, was uns gefallen könnte.

  (전치사 über의 목적절)

> welch-는 뒤에 오는 명사와 함께 종속절을 이끈다.

- 나는 어떤 금액이 적당할지만 생각하면 된다.

  Ich bräuchte nur zu überlegen, welche Summe angemessen wäre. (목적절)

## 명사·대명사구의 어순

- 일반명사의 경우 보통 1–3–4격의 순서로 나온다.

• 설날에는 부모가 자녀들에게 돈을 선물한다.
An Neujahr schenken die Eltern ihren Kindern Geld.
(1격 명사 - 3격 명사 - 4격 명사)

- 인칭대명사는 일반명사보다 앞에 온다.

• An Neujahr schenken es die Eltern ihren Kindern.
(4격 인칭대명사 - 1격 명사 - 3격 명사)

• Aber was wäre, wenn ihnen mein Geschenk nicht gefällt?
(3격 인칭대명사 - 1격 명사)

- 인칭대명사는 1격–4격–3격 순서로 온다.

• Ich habe gehört, dass er es ihr gesagt hat.
(1격 인칭대명사 – 4격 인칭대명사 – 3격 인칭대명사)

- 인칭대명사와 재귀대명사는 지시대명사보다 앞에 나온다.

• Dann könnten sie sich das besorgen, was sie wirklich brauchen.
(1격 인칭대명사 – 3격 재귀대명사 - 4격 지시대명사)

• Dann könnten sich die beiden das besorgen, was sie wirklich brauchen.
(3격 재귀대명사 - 1격 불특정대명사 - 4격 지시대명사)

## A4. Vervollständigen Sie die Sätze mit den angegebenen Wörtern.

1. Ich hoffe, dass (das Geschenk, gefallen, dir).

→ ______________________________

2. Dann können (die Kinder, besorgen, sich, das, was sie brauchen).

→ ______________________________

3. Gestern haben (meine Freunde, schenken, mir, es)

→ ______________________________

4. Ich weiß nicht, ob (mein Freund, können, erklären, mir, es)

→ ______________________________

## 접속법 2식(Konjunktiv II)

독일어 접속법 2식은 비현실 가정·조건·희망, 공손하거나 완곡한 어조 등을 나타낼 때 사용한다. 접속법 2식의 동사 형태는 직설법 과거형에서 변형된다(6과 참조).

| 인칭 | 직설법 과거 | 접속법 2식 | 직설법 과거 | 접속법 2식 | 직설법 과거 | 접속법 2식 |
|---|---|---|---|---|---|---|
| ich | sagte | sagte | kam | käme | war | wäre |
| du | sagtest | sagtest | kamst | käm(e)st | warst | wär(e)st |
| er/sie/es | sagte | sagte | kam | käme | war | wäre |
| wir | sagten | sagten | kamen | kämen | waren | wären |
| ihr | sagtet | sagtet | kamt | käm(e)t | wart | wär(e)t |
| sie | sagten | sagten | kamen | kämen | waren | wären |

| 인칭 | 직설법 과거 | 접속법 2식 | 직설법 과거 | 접속법 2식 | 직설법 과거 | 접속법 2식 |
|---|---|---|---|---|---|---|
| ich | hatte | hätte | wurde | würde | konnte | könnte |
| du | hattest | hättest | wurdest | würdest | konntest | könntest |
| er/sie/es | hatte | hätte | wurde | würde | konnte | könnte |
| wir | hatten | hätten | wurden | würden | konnten | könnten |
| ihr | hattet | hättet | wurdet | würdet | konntet | könntet |
| sie | hatten | hätten | wurden | würden | konnten | könnten |

## 비현실 가정

### • 만약 ...라면, ... 텐데

**wenn ... <접속법 2식>, würde(n) ...**

• 돈이 있다면, 여행할 텐데.

Wenn ich Geld hätte, würde ich eine Reise machen.

(Ich habe kein Geld. Deshalb werde ich keine Reise machen. Ohne Geld kann ich keine Reise machen.)

• 내가 새라서 두 날개가 있다면, 네게 날아갈 텐데.

Wenn ich ein Vöglein wäre und zwei Flügel hätte, würde ich zu dir fliegen.

(Ich bin kein Vöglein und habe keine Flügel. Deshalb kann ich zu dir nicht fliegen. Ohne Flügel kann ich nicht fliegen.)

### • ...하는 것이 더 좋겠다

**es wäre besser, ... zu + 부정사**

• 6시에 벌써 출발하는 것이 더 좋겠다.

Es wäre besser, schon um sechs Uhr loszufahren.

• 어쩌면 그 두 사람을 위해서 "제대로 된 선물"을 마련하는 것이 더 좋겠다.

Vielleicht wäre es besser, ein „richtiges Geschenk“ für die beiden zu besorgen.

> 행위자를 명시할 때는 wenn 종속절(접속법)을 사용한다.

Es wäre besser, wenn wir schon um sechs Uhr losfahren würden.

## 완곡한·공손한 표현

- ...하면 감사하겠습니다

**ich wäre dir/Ihnen dankbar, wenn ...<접속법2식>**

- 나를 도와줄 수 있다면 정말로 고맙겠어.

Ich wäre dir wirklich dankbar, wenn du mir helfen könntest.

- ... 해주실 수 있겠습니까?

**Könnten Sie/Könntest du ...**

- 제게 물 한 잔만 가져다주실 수 있겠습니까?

Könnten Sie mir bitte ein Glas Wasser bringen?

- 잠깐만 도와줄 수 있을까?

Könntest du mir bitte einen Moment helfen?

## 조심스러운 추측

- (그렇다면) ...어/아야 할 것이다(추측)

**müssen 의 접속법 2식**

- 학생들은 텍스트를 직접 써야 할 것이다.

Die Schüler müssten die Texte selbst schreiben.

- 그 프로그램은 학생들에 의해서 준비되어야 할 것이다.

Das Programm müsste von den Schülern vorbereitet werden.

- (그렇다면) ...ㄹ/을 수 있을 것이다(추측)

**können 의 접속법 2식**

- 학생 라디오 방송에는 모든 학급이 함께 할 수 있을 것이다.

Beim Schülerradio könnten alle Klassen mitmachen.

## A5. Ergänzen Sie den Text.

________ ich mehr lernen ________, hätte ich bessere Noten. Wenn ich bessereNoten ________, ________ meine Eltern zufriedener. Wenn meine Eltern zufriedener ________, ________ (müssen) ich nicht jeden Tag Nachhilfe bekommen. Dann ________ ich auch mehr Freizeit. Wenn meine Eltern zufriedener wären, ________ sie mir auch mehr Taschengeld geben. Wenn ich mehr Taschengeld und mehr Freizeit ________, ________ (können) ich jeden Tag ins Internet-Café gehen. Wenn ich jeden Tag ins Internet-Café gehen ________, hätte ich keine Zeit für die Hausaufgaben. Wenn ich keine Zeit für die Hausaufgaben ________, ________ ich wieder schlechtere Noten bekommen. Was soll ich nur tun?

## Text zum Ergänzen

Lieber Stefan,

wie geht es dir? Ich hoffe, ______ dir und Anne ist alles ______① Ordnung und euer Start-up läuft gut. Das Semester geht ______② Ende, ich habe schon alle Klausuren ______③ mir. Es ______ schön, ______ ich in allen Fächern eine gute Note bekommen ______④. Ich habe auch ein ganz gutes Gefühl, ______ ich habe mich diesmal sehr fleißig ______⑤ die Prüfungen vorbereitet. Und die Vorbereitung ______ mir sogar viel Spaß gemacht, ______ ______ ______ deutsche Kommilitonin dabei ______⑥ hat. Sie hat mir auch ihre eigenen Seminarnotizen ausgeliehen, ______ eine große Hilfe ______⑦ mich waren. ______ ihre Notizen ______ ich sicher viele Probleme ______⑧ den Klausuren gehabt. Ich ______ ______ gerne ______⑨ ihr dafür bedanken, weiß aber nicht genau, wie. Deshalb ______ ich dir ______⑩ einen Rat dankbar. Ich habe auch schon überlegt, ______ sie ______ wohl freuen ______⑪. ______ ich sie vielleicht einmal ______⑫ Kaffee und Kuchen einladen? Oder ______ es besser, ______ ______ einem Strauß Blumen ______⑬ bedanken? Aber ich habe keine Ahnung, ______ Blumen ______ ______⑭ könnten.

Ich ______ ______ wirklich ______, ______ ______ mir einen Tipp

__________ __________⑮.

Herzliche Grüße

Taeho

## Tipps

① ...에게 모든 일이 정상이기를 (무탈하기를)

② 끝나가다

③ 처리하여 끝냈다

④ 좋은 성적을 받으면 좋겠다

⑤ 잘 준비했기 때문이다

⑥ 그렇게(준비) 하는 데 한 독일 여자 동료가 나를 도와줬기 때문에 준비가 재미있었다

⑦ 그것은 내게 큰 도움이었다

⑧ 그녀의 필기 노트가 없었다면 어려움이 많았을 것이다

⑨ 그녀에게 감사를 표현하고 싶다

⑩ 조언을 준다면 고맙겠다

⑪ 그녀가 무엇을 기뻐할지를

⑫ 커피와 케이크에 초대해야 할까?

⑬ 꽃다발로 감사를 표현하는 것이 더 좋을까?

⑭ 어떤 꽃이 그녀의 마음이 들(수 있을)지

⑮ 네가 팁을 준다면 고맙겠다

## Wörter und Ausdrücke

| | |
|---|---|
| • Alles ist in Ordnung. (구어: Alles ist okay.) | 다 문제없이 잘 (되고) 있다. |
| • das Start-up | 창업, 새로 시작한 사업 |
| • et. läuft gut | 무엇이 잘 (진행)되고 있다 |
| • et. geht zu Ende | 무엇이 끝나다 |
| • et. hinter sich haben | 무엇을 (처리하여) 끝내다 |
| • diesmal | 이번에 |
| • die Seminarnotiz (das Seminar + die Notiz) | 세미나 필기 |
| • die Notiz | 메모 |
| * jn. zu Kaffee und Kuchen einladen | 누구를 커피와 케이크에 초대하다 |

## Text zum Übersetzen

신웅에게

나는 네 문제를 매우 잘 이해할 수 있어. 왜냐하면, 돈 선물에 관한 한 독일에서도 의견이 분분하기 때문이야. 어떤 사람은 선물 받은 사람이 정말로 필요한 것을 살 수 있으므로 돈 선물이 편리하다고 말해. 그래서 돈 선물을 하면 잘못할 일이 없다는 것이야. 예를 들면, 아직 김나지움에 다니는 내 동생 Max는 오래전부터 아이패드를 원했어. 그것은 꽤 비싸잖아. 그가 그것을 위해서 용돈을 전부 절약해야 한다면, 거의 일 년 내내 한 푼도 쓰지 않고 모아야 할 거야. 그래서 그는 자기 생일에 친척과 친구들로부터 돈을 선물 받고 싶어해. 내게는 심지어 벌써 자기에게 얼마를 "선물"할 거냐고 물었어.
내 생각에는 돈 선물이 비록 합리적이기는 해, 돈으로 정말로 가지고 싶은 것을 구할 수 있으므로. 그러나 다른 한편으로는 그것은 따분하고 각별하지는(개인적이지는) 않아. 진짜 선물이라면 깜짝 놀라게 하는 것이 되어야 하겠지. 선물 받는 사람(즉 네 친구)에게 네가 애를 썼고, "무엇이 Evi와 Bendi에게 가장 마음에 들까? 어떤 것에 가장 기뻐할까?"하고 생각했다는 것도 보여주어야 하겠지. 내 생각에는 한 쌍의 원앙새 인형이 돈보다 더 좋은 선물일 거야. 왜냐하면, 그것(오리들)이 결혼생활의 행복을 상징하기 때문이야. 삶에서 행복보다 더 중요한 것이 있을까? 돈으로 행복을 살 수 있을까?

잘 지내.

Jonas

## Aufgepasst!

1. ...에 관한 한 | was ... betrifft
2. 의견이 분분하다 | die Meinungen gehen auseinander
3. 어떤 사람들은 | manche Leute
4. 선물 받은 사람 der/die Beschenkte; jn. beschenken 누구에게 선물하다
5. '...라고 말한다/말해' 등처럼 다른 사람의 말을 옮길 때는 간접화법(접속법 1식)을 사용할 수 있다.
6. ...하면 잘못할 일이 없다 | mit et. nichts falsch machen können
7. 오래전부터 | schon lange
8. 용돈을 절약하다 | sein Taschengeld sparen
9. 일 년 내내 | ein Jahr lang
10. 한 푼도 쓰지 않고 모으다 | jeden Cent sparen/zur Seite legen
11. 생일에 무엇을 선물로 받고 싶어 하다 | sich zu seinem Geburtstag et. als Geschenk wünschen
12. 내게는 심지어 벌써 물었다 | mich hat er sogar schon gefragt.
    '내게는'을 강조하려면 | mich를 문장 첫머리에 둘 수 있다.
13. 무엇을 구하다 | et. besorgen.
    자기가 정말로 가지고 싶은 것을 구하다 | besorgen, was man wirklich haben will
14. 각별한(개인적인) | persönlich
15. 선물 받는 사람들에게 | den Beschenkten (복수 3격)
16. 애쓰다 | sich Mühe machen
17. (좋은 부부 금실을 상징하는) 한 쌍의 원앙새 인형 | die Brautenten
18. 돈보다 더 좋은 선물 | ein schöneres Geschenk als Geld

## Text zum Korrigieren

Lieber Taeho,

~~Vielen~~ vielen Dank für deine Mail. Bei uns ist alles in Ordnung. Unserer Start-up läuft besser, als wir haben gehofft. Ich habe nie gedacht, dass noch so viele Leute sich an Kinderbücher interessieren werden, weil meiste Kinder heutzutage nur noch mit dem Computer spielen.

Schön, dass du jetzt alle Klausuren hinter dich hast. Du sollst dir nun wirklich eine Lernpause gönnen und sich erholen. Wie ist es, wenn du für paar Tage nach Damme kommen wirst? Du könntest auch bei uns wohnen, da wir jetzt sogar ein Gästezimmer haben. Wenn du Lust hast, könntest du uns auch in unserem Buchladen helfen und z.B. den Kunden bedienen. Das ist doch auch eine gute Gelegenheit, dein Deutsch noch weiter verbessern. Was meinst du darüber?

Nun über deiner Frage: Ich habe einmal mit Anne davon gesprochen. Sie meinte, dass deine Kommilitonin sicherlich sich über einen Blumenstrauß freuen würde, weil meiste Frauen Blumen möchten. Auch eine Einladung zu Kaffee und Kuchen wäre okay und vielleicht die bequemste. Ich habe aber noch eine andere Idee; Wie wäre das, wenn du für deine Kommilitonin kochen wirst? Natürlich ein koreanisches Gericht wie z.B. Bulgogi. Das hast du doch auch mal schon für uns gekocht und es hat sehr lecker geschmeckt. Außerdem wäre es ein etwas Persönlicheres Danke schön. Sie würde sicherlich sich auch sehr darüber freuen. Ich habe den Eindruck nämlich, dass du die Kommilitonin nur mehr als „sehr nett" findest. Überleg dir es mal!

Viele Grüße

Stefan

## Wörter und Ausdrücke

| | |
|---|---|
| · sich et. gönnen<br>· sich eine Lernpause gönnen | 무엇을 누리다<br>학습 휴식을 누리다 |
| · die Kunden/die Gäste bedienen | 고객/손님을 접대하다 |
| · das Dankeschön | 감사 |
| · der Eindruck | 인상 |
| · sich et. überlegen | 무엇을 심사숙고하다 |

## Ihr Text

**Stellen Sie sich vor, dass Sie so gut Deutsch sprechen könnten wie ein Deutscher/eine Deutsche. Schreiben Sie, was Sie dann tun könnten.**

# 부록

# Schlüssel

## Lektion1

**A1** 1. meine Cousine 2. Bruder 3. Schwester, mein Neffe 4. Bruders, meine Nichte.

**A2** 1. Vor meinem Großvater sitzt mein Cousin, vor meiner Großmutter steht meine Cousine Evi. Rechts neben Oma steht meine große Cousine Gabi.
2. Vorne links bin ich.
3. Hinter mir, also hinten ganz links, steht mein Vater.
4. Hinten ganz rechts steht mein Onkel.
5. Hinter meinem Großvater, also hinten links, steht meine Mutter.
6. Hinter meiner Großmutter, also hinten rechts, steht meine Tante.

**A3** 1. Der Mann links neben mir ist mein Onkel.
2. Das Mädchen rechts neben mir ist meine Nichte.
3. Vorne ganz links sitze ich. 4. Hinter mir steht mein (älterer) Cousin.

**A4** 1. haben 2. sind 3. haben 4. sind 5. haben

**A5** Das ist ein Foto von meiner letzten Sprachreise nach Deutschland. Die Frau vorne in der Mitte mit den langen schwarzen Haaren bin ich. Die Frau direkt links neben mir mit der großen Sonnenbrille heißt Janette und kommt aus Frankreich. Ganz links sitzt Ilka aus Bosnien. Sie trägt immer einen großen Rucksack. Der Rucksack steht jetzt zwischen ihren Beinen. Die Frau rechts neben mir heißt Dana und kommt aus Russland. Sie sprach zwar sehr gut Deutsch, hat aber im Unterricht nie viel gesagt. Vielleicht hat sie sich gelangweilt. Die Frau ganz rechts auf dem Bild mit Kopftuch und Mütze kommt aus dem Iran und heißt Marian. Im Hintergrund sieht man unsere Kursleiterin und ihre Assistentin. Sie stehen hinter dem Gitter. Dahinter gibt es einen kleinen Fluss, grüne Wiesen und ein kleines Dorf. Das Dorf liegt vor einem Hügel mit einem Wald.

**A6** 1. Auf diesem Foto stehe ich ganz links.
2. Der Mann in der Mitte mit der Brille ist mein deutscher Freund.
3. Die Frau neben ihm mit dem Hut ist seine Freundin.
4. Im Hintergrund sieht man eine große Kirche.

**A7** 1. Das ist meine Cousine Hanna, die genau so alt ist wie ich, die gut in der Schule ist, die gerne Popmusik hört und Skateboard fährt und die ich sehr cool finde.
2. Ich habe einen Freund, der blaue Augen und schwarze Haare hat, der gerne Comics liest und Musik hört, der gerne ins Kino geht und viel Sport treibt und den ich seit dem Kindergarten kenne.
3. Das ist meine beste Freundin, die lange schwarze Haare hat, die gut tanzen kann, die gerne lacht, die mich gut versteht und die ich jeden Samstag treffe.

**A8** 1. Das ist ein Foto von meiner Deutschlandreise im letzten Sommer/ein Foto von meiner Deutschlandreise, die ich im letzten Sommer gemacht habe.
2. Im letzten Sommer habe ich meine Tochter besucht, die in Deutschland studiert.
3. Sie hat mir die Orte gezeigt, die sie oft besuchte.
4. Ich habe auch die Freunde kennengelernt, die sie oft trifft.

## Text zum Ergänzen

Das ist ein Foto von meiner Deutschlandreise, die ich im letzten Sommer gemacht habe. Ich war in Deutschland, um an einem Seminar teilzunehmen, aber auch um alte Freunde wiederzusehen. Nach dem einwöchigen Seminar habe ich zuerst meinen Lehrer in Hannover besucht. Danach bin ich nach Würzburg gefahren, um meine ehemalige Kommilitonin Dana zu treffen. Sie kommt eigentlich aus Kroatien, unterrichtet jetzt aber an der Universität Würzburg. An meinem letzten Abend in Würzburg hat sie ihre Freunde und mich zum Essen eingeladen. Die Frau in der Mitte mit der weißen Bluse und den weißen Ohrringen ist Dana. Die Frau links auf dem Bild, die eine große, dunkle Brille trägt, ist ihre Kollegin Maya, die mit Dana zusammen an einem Projekt arbeitet. Der Mann mit dem Bart ganz rechts auf dem Bild ist Danas Freund Jochen. Ich kenne ihn eigentlich schon lange, denn er hat früher ein paar Jahre in Korea Deutsch als Fremdsprache an einer Universität unterrichtet. Hinter uns an der Wand sieht man ein Bild vom Namdaemun-Tor in Seoul. Jochen hat Dana viel von

Korea erzählt. Deshalb ist sie sehr neugierig auf Land und Leute geworden. Daher habe ich ihr vorgeschlagen, mich im nächsten Frühling in Korea zu besuchen.

## Text zum Übersetzen

Das ist ein Foto von unserem Familienurlaub, den wir vor zehn Jahren in Norwegen verbracht haben. Meine Eltern, mein jüngerer Bruder Donghan und ich haben zum ersten Mal Camping-Urlaub gemacht. Im Hintergrund siehst du unseren Wohnwagen, mit dem wir drei Wochen durch Norwegen gefahren sind. Der Wohnwagen sieht auf dem Foto zwar groß aus, aber es gab nicht so viel Platz für vier Personen. Deshalb waren wir immer froh, wenn wir bei schönem Wetter draußen sitzen konnten.

Der Junge links auf dem Bild ist mein Bruder Donghan, der auf der Reise dauernd Comics gelesen hat. Die Frau rechts auf dem Bild ist meine Mutter. Sie hat mir bei meinen Mathematikhaushaufgaben geholfen, die ich direkt nach den Ferien abgeben musste. Ich erinnere mich noch gerne an die Norwegen-Reise, weil die Leute sehr freundlich waren und das Wetter fast immer sehr schön war. Außerdem war es dort viel länger hell als in Korea und der Sommer war nicht so heiß und schwül.

## Text zum Korrigieren

Das ist ein Kinderfoto von mir, das schon zwölf Jahre alt ist. Ich war damals also 13 Jahre alt. Das Mädchen links auf dem Bild, das eine Mütze trägt, bin ich. Neben mir steht mein jüngerer Bruder Sangwon, der zwei Jahre jünger als ich ist. Mein Bruder und ich haben uns kurz davor gestritten. Deshalb hat er nicht gelächelt. Er war wohl immer noch böse auf mich. Ich habe mit zwei Fingern oben hinter seinem Kopf das Victory-Zeichen gemacht, aber das hat ihn noch einmal geärgert. Er meinte nämlich, dass er auf dem Foto wie ein Hase aussieht.

Die Frau mit der Brille ist meine Mutter. Sie hat diese Reise nach Pompeji, das wir aus dem Film *Die letzten Tage von Pompeji* kannten, gebucht. Meinen Vater kann man nicht sehen, weil er dieses Foto gemacht hat.

Wir stehen mitten in den Ruinen. Hinter uns sieht man viele Touristen aus verschiedenen Ländern. An dem Tag war das Wetter leider nicht so gut. Der Himmel war bedeckt. Aber ich dachte, dass das trübe Wetter irgendwie gut zu der Stimmung in der zerstörten Stadt passte.

## Lektion 2

**A1** 1. Universitätsstadt 2. Provinzstadt 3. Hafenstadt 4. Industriestadt 5. Millionenstadt 6. Hauptstadt 7. Satellitenstadt 8. Kulturstadt 9. Messestadt

**A2** 1. Immanuel Kant ist einer der größten Philosophen.
2. Real Madrid ist eine der besten Fußballmannschaften der Welt.
3. Ich kenne Peter schon seit drei Jahren. Petra kenne ich sogar noch länger, und zwar schon über fünf Jahre.

**A3** 1. Venedig ist eine der schönsten Städte auf der Welt/der Welt.
2. Incheon ist die drittgrößte Stadt Koreas/in Korea.
3. In dieser Stadt leben über eine Million Einwohner./Diese Stadt hat über eine Million Einwohner.
4. Weimar liegt im Osten Deutschlands.
5. Seoul liegt in der Mitte der koreanischen Halbinsel.

**A4** Seoul ist eine große Stadt, in der über zehn Millionen Menschen leben. Der Han-Fluss, der mitten durch die Stadt fließt, macht Seoul besonders attraktiv. Auf dem Fluss gibt es Schiffe, mit denen man von Yeouido bis Jamsil fahren kann. Am Fluss gibt es viele Parks, in denen man spazieren gehen, Sport treiben und sich ausruhen kann. In Seoul gibt es auch viele Berge, in denen man gut wandern kann. In Seoul gibt es noch traditionelle Märkte, auf denen man gut einkaufen kann. Eine berühmte Sehenswürdigkeit in Seoul ist z.B. der Gyeongbokgung-Palast, der mitten in Seoul liegt. Der Palast, in dem früher der König wohnte, ist schon 600 Jahre alt.

**A5** 1. Seoul ist eine Stadt, in der Traditionelles und Modernes nebeneinander existieren.
2. Das ist das Fahrrad, mit dem ich zur Schule/zur Uni fahre.
3. In dieser Stadt gibt es viele Parks, in denen man gut spazieren gehen kann.
4. Ich möchte nicht in Großstädten wie Seoul oder Berlin leben.

**A6** 1. Besonderes 2. Altes, Neues, Traditionelles, Modernes 3. Leckeres 4. Schönes 5. Interessantes 6. Wichtiges

**A7** 1. Jeonju ist bekannt für seine gute Küche.
2. Busan ist international bekannt für sein Filmfestival.
3. Gyeongju ist berühmt für seine Königsgräber.
4. München ist weltweit bekannt für sein Oktoberfest.

**A8** 1. München 2. Ulsan

**A9** 1. Hamburg ist berühmt für seinen Hafen und den Fischmarkt.
2. München ist berühmt für sein Bier und sein Oktoberfest.
3. Deutschland ist berühmt für seine Autos wie Mercedes Benz und BMW.

**A10** 1. Die Nähe zum Flughafen macht Investionen in Incheon besonders attraktiv.
2. Seine harte Kritik hat mich wütend gemacht.
3. Sein Anruf hat mich sehr glücklich gemacht.

**A11** 1. Was macht Ihren Beruf attraktiv?
2. Sein Verhalten hat mich wütend gemacht.
3. Bier macht mich immer müde. 4. Was hat dich krank gemacht?

## TEXT zum Ergänzen

Heute möchte ich dir meine Heimatstadt vorstellen. Ich bin in München geboren und aufgewachsen. Ich bin also eine 'echte Münch(e)nerin'. München, das im Süden Deutschlands liegt, ist die Hauptstadt von Bayern.
München hat knapp 1,5 Millionen Einwohner und ist die drittgrößte Stadt Deutschlands.
München ist schon über 800 Jahre alt. Es ist eine Kulturstadt und eine Messestadt, in der jedes Jahr viele Messen und Ausstellungen stattfinden. Es ist berühmt für seine vielen Sehenswürdigkeiten wie die Residenz, den Marienplatz, das alte Rathaus und das Deutsche

Museum. Es ist aber auch berühmt für seine schönen Parks wie den Englischen Garten, in dem man sich gut erholen kann.
Wenn man ‚München' hört, denkt man natürlich auch an das gute Münchener Bier, an die Münchener Weißwurst und an das Hofbräuhaus. Das Hofbräuhaus ist auf der ganzen Welt bekannt. Weltberühmt ist auch das Oktoberfest, das jedes Jahr im September auf der Theresienwiese stattfindet. Das Oktoberfest, das man auch das größte Volksfest der Welt nennt, fand im Jahr 2019 schon zum 185sten Mal statt.
Ich lebe gern in München, weil es eine schöne alte Stadt ist, in der immer etwas Interessantes los ist. Das Leben in München ist nie langweilig, aber auch nicht zu stressig.

## Text zum Übersetzen

Heute möchte ich dir meine Heimatstadt vorstellen. Ich bin in Seoul geboren und aufgewachsen. Ich bin also eine 'echte Seoulerin'. Seoul ist die Hauptstadt Koreas und liegt im Nordwesten des Landes. Seoul hat über zehn Millionen Einwohner. Es ist die größte Stadt in Korea und eine der größten Städte auf der ganzen Welt.
Seoul ist eine Kulturstadt, die schon über 600 Jahre alt ist/eine Kulturstadt mit einer schon über 600 Jahre alten Geschichte. Es ist berühmt für seine vielen Sehenswürdigkeiten wie die Königspaläste und die traditionellen Märkte. Es ist auch bekannt für seine gute Küche und seine schöne Landschaft. Am Han-Fluss, der mitten durch Seoul fließt, kann man Sport treiben und sich gut erholen. In Seoul gibt es auch viele Berge, in denen man gut wandern kann.
Das Leben in Seoul ist manchmal stressig, weil so viele Menschen hier leben. Aber es ist nie langweilig, weil es in Seoul immer etwas Interessantes gibt/weil in Seoul immer etwas los ist.

## Text zum Korrigieren

Heute möchte ich dir einmal meine Heimatstadt vorstellen. Ich bin in Busan geboren. Busan liegt im Süden Koreas in der Provinz Gyeongsangnamdo. Es hat etwa 3,5 Millionen Einwohner und ist die zweitgrößte Stadt Koreas.
Busan ist eine Hafenstadt und liegt direkt am Meer. In Busan gibt es viel Interessantes zu sehen. Die Stadt ist berühmt für den ältesten Fischmarkt Koreas, den man auf Koreanisch ‚Jagalchi-Sijang' nennt. Sie ist auch bekannt für die Busaner Filmfestspiele, die einmal im Jahr stattfinden.
Wenn man ‚Busan' hört, denkt man natürlich auch an das Meer und Haeundae. Haeundae

ist ein Strand vor Busan. Es ist einer der schönsten und berühmtesten Strände in Korea. Im Sommer gibt es hier viele Touristen, die sich am Meer erholen wollen.

Das Leben in Busan ist angenehm. Es ist nicht so hektisch und stressig wie z.B. in Seoul, weil Busan weniger Einwohner hat. Außerdem liegt Busan am Meer. Man kann das ganze Jahr über am Strand spazieren gehen und im Sommer im Meer baden. Deshalb kann man sich immer gut erholen.

## Lektion 3

**A1** Ich heiße Shinung Kang. Ich bin in Buan geboren. Buan ist ein kleiner Ort im Süden Koreas. Als ich zwei Jahre alt war, zog meine Familie nach Gwangju um. Von 2007 bis 2013 besuchte ich die X-Grundschule in Gwangju. Die Grundschulzeit war schön, weil ich noch nicht so viel lernen musste. 2013 kam ich in die Y-Mittelschule, die ich drei Jahre lang besuchte. Die Mittelschulzeit war anstrengend, weil ich viel Nachhilfeunterricht bekam. Mit 16 Jahren kam ich auf die Z-Fremdsprachenoberschule in Gwangju. Die Oberschulzeit war interessant, weil ich viel Neues lernte. Seit 2019 studiere ich Informatik an der S-Universität in Seoul.

**A2** 2. Als er sechs Jahre alt war, wollte er nicht in die Schule gehen.
3. Als er 17 Jahre alt war, hatte er Angst vor der Uniaufnahmeprüfung.
4. Als er 20 Jahre alt war, musste er zum Militär gehen.
5. Als er 26 Jahre alt war, schloss er die Uni(versität) ab.
6. Als er 29 Jahre alt war, heiratete er.
7. Als er 31 Jahre alt war, bekam er einen Sohn.
8. Als er 40 Jahre alt war, ging er nach Amerika.
9. Als er 50 Jahre alt war, war er reich und berühmt.

**A3** 2. Mit sechs Jahren wollte er nicht in die Schule gehen.
3. Mit 17 Jahren hatte er Angst vor der Uniaufnahmeprüfung.
4. Mit 20 Jahren musste er zum Militär.
5. Mit 26 Jahren schloss er die Universität ab.

6. Mit 29 Jahren heiratete er.
7. Mit 31 Jahren bekam er einen Sohn.
8. Mit 40 Jahren ging er nach Amerika.
9. Mit 50 Jahren war er reich und berühmt.

**A4** 1. hatte 2. Studium abgeschlossen hatte 3. dem Abschluss der Oberschule

**A5** 1. Mein Freund kommt nach Korea, um mich zu besuchen.
2. Heute Nachmittag fahre ich zum Flughafen, um ihn abzuholen.
3. Damit er nicht zu spät kommt (= Um nicht zu spät zu komnen), fährt er schon direkt nach dem Mittagessen los.
4. Ich gebe ihm eine U-Bahnkarte, damit er bequem mit der U-Bahn fahren kann.

**A6** Goethe erzählt:

Ich bin am 28. August 1749 in Frankfurt am Main geboren. Mein Vater unterrichtete meine Schwester Cornelia und mich zu Hause. Wir mussten Schreiben, Rechnen, Geschichte, Geographie und fünf Sprachen lernen. Ich fand Lateinisch und Griechisch besonders interessant, aber Cornelia liebte Französisch und Englisch. Ich bekam auch Unterricht im Tanzen und Reiten. Meine Schwester und ich gingen oft ins französische Theater.

Mit 16 Jahren kam ich auf die Universität. Ab 1765 studierte ich Jura in Leipzig, aber das Studium machte mir keinen Spaß. Ich besuchte lieber die Vorlesungen in Literatur und Kunst. Leider wurde ich schwer krank und musste nach Frankfurt zurückkehren.

1770 ging ich dann nach Straßburg, um mein Jurastudium fortzusetzen. Während des Studiums machte ich oft kleine Ausflüge mit meinem Freund. Bei einem Ausflug in das Dorf Sessenheim begegnete ich Friederike Brion. Sie war schlank, hatte blaue Augen und eine hübsche Nase. Wir gingen oft zusammen spazieren und besuchten Friederikes Freunde. Ich war sehr glücklich und schrieb viele Lieder und Gedichte wie z.B. das „Heideröslein". Aber schon bald musste ich wieder nach Frankfurt zurück. Am 7. August 1771 sah ich Friederike zum letzten Mal. Der Abschied war sehr traurig.

**A7** 1. Nach dem Abschluss der Grundschule zogen wir nach Deutschland./Nachdem ich die

Grundschule abgeschlossen hatte, zogen wir nach Deutschland.

2. Als ich 15 Jahre alt war, kehrten wir nach Korea zurück.
3. Ich ging nach Deutschland, um an der Universität Aachen Physik zu studieren.
4. Nach dem Studium/Nach dem Abschluss der Universität arbeitete ich bei einer Firma in Frankfurt.
5. Seit zwei Jahren wohne ich wieder in Seoul.
6. Vor einem Jahr habe ich geheiratet./Seit einem Jahren bin ich verheiratet.
7. Vor einem Monat bekam ich einen Sohn./Vor einem Monat habe ich einen Sohn bekommen.

## TEXT zum Ergänzen

Ich heiße Yongman Kim. Ich bin 1999 in Iksan geboren. Iksan ist eine Kleinstadt im Südwesten Koreas. Als ich fünf (Jahre alt) war, zog meine Familie nach Daegu. Nach dem Abschluss des Kindergartens kam ich 2006 in die B-Grundschule in Daegu, die ich sechs Jahre lang besuchte. Die Grundschulzeit war schön, weil ich noch nicht so viel lernen musste. Ich konnte jeden Tag Fußball spielen und meine Freunde treffen. Nach dem Abschluss der Grundschule besuchte ich ein Jahr lang die D-Mittelschule in Daegu. Das war eine Jungenschule. Anfang 2013 ging meine ganze Familie dann für zwei Jahre in die USA. Mein Vater arbeitete dort als Arzt in einem Krankenhaus. Daher besuchte ich in Pittsburgh die Mittelschule. Das war nicht so schwer, weil Englisch schon immer mein Lieblingsfach war. Als wir 2015 nach Korea zurückkamen, zog meine Familie nach Seoul. Von 2015 bis 2018 besuchte ich die G-Fremdsprachenoberschule in Seoul. In Englisch hatte ich natürlich keine Probleme, aber in den anderen Fächern hatte ich am Anfang große Schwierigkeiten. Außerdem hatte ich während der Oberschulzeit kaum Freizeit. Ich musste von morgens bis abends lernen. Nachdem ich die Universitätsaufnahmeprüfung bestanden hatte, ging ich 2018 an die K-Universiät in Seoul, um Informatik zu studieren. Nach vier Semestern musste ich meinen Militärdienst leisten, der in Korea fast zwei Jahre dauert. Jetzt bin ich bald mit dem Studium fertig.

## Text zum Übersetzen

Ich heiße Yumi Kang. Ich bin 1997 in Daejeon geboren. Daejeon ist eine Industriestadt mit 1,54 Millionen Einwohnern. Mit vier (Jahren) kam ich in den Kindergarten. Die Kindergartenzeit war etwas langweilig. Danach kam ich in die W-Grundschule in Seoul, die ich von 2004 bis 2010 besuchte. Die Grundschulzeit war schön, weil ich viele Freundinnen hatte. Nach dem Abschluss der Grundschule besuchte ich drei Jahre die K-Mittelschule in Daegu. Die Mittelschulzeit war anstrengend. Nach der Mittelschule/Nach dem Abschluss der Mittelschule kam ich in die C-Mädchenoberschule in Daegu. Die Oberschulzeit war sehr stressig. Ich habe immer nur gelernt, um die Universitätsaufnahmeprüfung zu bestehen. Jetzt studiere ich an der E-Frauenuniversität in Seoul Germanistik. Ich möchte Deutschlehrerin werden.

### Text zum Korrigieren

Ich heiße Dongho Park. Ich bin 1999 in Ulsan geboren. Ulsan ist eine Industriestadt mit über einer Million Einwohnern. Als ich ein Jahr alt war, zog meine Familie in die Hauptstadt Seoul. Nach dem Besuch des Kindergartens kam ich 2004 in die B-Grundschule in Seoul, die ich sechs Jahre lang besuchte. Die Grundschulzeit war sehr schön. Ich hatte noch genügend Zeit, um zu spielen. Nachdem ich die Grundschule abgeschlossen hatte, besuchte ich zwei Jahre lang die D-Mittelschule in Seoul. Mitte 2002 ging meine Familie dann für vier Jahre nach Deutschland. Mein Vater arbeitete dort für eine große koreanische Firma. Wir lebten in Bremerhaven. Das ist eine Hafenstadt im Norden Deutschlands. Ich hatte schon in Korea etwas Deutsch gelernt. Aber um aufs Gymnasium zu gehen, musste ich wirklich fleißig lernen. Am Anfang/Anfangs fand ich die Schule sehr schwer, aber nach einem Jahr wurde es besser. Leider mussten wir ein Jahr vor meinem Abitur wieder nach Korea zurückkehren. Der Wechsel auf die koreanische Oberschule war sehr schwer für mich. Aber 2018 habe ich die Uniaufnahmeprüfung bestanden und studiere jetzt Mathematik.

## Lektion 4

**A1** 1. gehen, auf 2. um, zu, bestehen 3. in, durchfalle 4. bestanden, mit, beginnen 5. für, interessiert

**A2** wer, woher, was, wie, wo, wie, wann, ob, dass

**A3** 1. wie 2. wo 3. dass 4. wie 5. dass 6. wie 7. wann 8. warum 9. warum

**A4** Im nächsten Frühling werde ich Abitur machen. Die meisten meiner Klassenkameraden werden nach dem Abitur sofort studieren oder eine Ausbildung machen. Meine Freundin und ich werden aber erst ein Jahr lang reisen. Wir planen, zuerst nach Indien zu gehen. Danach werden wir China, Korea und Japan besuchen. Die Reise wird sicherlich anstrengend, weil wir mit dem Rucksack unterwegs sein werden. Wir haben auch nicht so viel Geld. Deshalb werden wir versuchen, zu jobben. Das wird nicht einfach sein. Wenn wir wieder in Deutschland sind, werde ich mit dem Studium anfangen. Meine Freundin überlegt, eine Ausbildung zur Dolmetscherin zu machen.

**A5** Mein Name ist Sangwon Park und ich studiere Informatik an einer Universität in Seoul. Schon als Jugendlicher habe ich mich für Computer interessiert und eigene Programme geschrieben. Mathematik und Physik waren meine Lieblingsfächer. Nach dem Abschluss der Oberschule habe ich gleich mit dem Informatik-Studium angefangen. Mein Studium wird aber lange dauern, weil ich in den Ferien immer jobben muss, um Geld zu verdienen. Außerdem war ich sechs Monate in den USA und habe dort ein Praktikum gemacht. Nach dem Studienabschluss will ich mich um ein Stipendium bewerben, weil ich noch promovieren möchte. Wenn ich kein Stipendium bekomme, werde ich mir eine Stelle als Informatiker suchen.

**A6**
1. Ich hoffe, dass ich die Prüfung bestehe.
2. Nächstes Jahr werde ich noch fleißiger Sport treiben/machen.
3. Ich versuche, (noch) weniger Kaffee zu trinken.
4. Ich habe als Oberschüler(in) mit dem Deutschlernen angefangen/begonnen. /Ich habe ... angefangen/begonnen, Deutsch zu lernen.
5. Ich plane, nach der Oberschule Physik zu studieren.
6. Ich werde mein Bestes geben/tun, um gute Noten zu bekommen.

## Text zum Ergänzen

Ich heiße Yunho Shin und bin 18 Jahre alt. Ich gehe in die dritte Klasse der S-Fremdsprachenoberschule in Daegu. Bald werde ich die Universitätsaufnahmeprüfung machen. Ich hoffe, dass ich genug Punkte bekomme, um auf eine gute Universität gehen zu können. Für eine gute Universität brauche ich wirklich eine hohe Punktzahl. Ich werde auf

jeden Fall mein Bestes geben!
Mein Traum ist, Germanistik zu studieren. Deutsch ist nämlich mein Lieblingsfach. Als Kind habe ich vier Jahre lang in Heidelberg gelebt. Ich bin dort in die Grundschule und die erste Klasse des Gymnasiums gegangen. Nach meiner Rückkehr nach Korea habe ich weiter fleißig Deutsch gelernt.
Wenn alles gut geht, werde ich also im März mit dem Studium anfangen/beginnen. Ich hoffe, dass ich in den Semesterferien einmal einen Sprachkurs in Deutschland machen/besuchen kann, um mein Deutsch zu verbessern. Nach dem Abschluss des Germanistik-Studiums möchte ich noch weiter studieren. Ich werde versuchen (mich bemühen), ein Stipendium für Deutschland zu bekommen, um dort zu promovieren. Vielleicht werde ich aber auch eine Ausbildung zum Dolmetscher und Übersetzer für Deutsch machen. Diese Ausbildung dauert nicht so lange wie eine Promotion. Nach dem Abschluss kann ich mich dann auch bei einer deutschen Firma bewerben.
Das sind meine Pläne für die Zukunft. Ich weiß, dass es Träume sind, aber ich hoffe, dass meine Träume wahr werden.

## Text zum Übersetzen

Ich heiße/Mein Name ist Juyong Kim und bin 24 Jahre alt. Ich studiere Informatik an der D-Universität in Seoul. Nach dem zweiten Studienjahr habe ich meinen Wehrdienst abgeleistet und bin jetzt im vierten Studienjahr. Wenn ich die Abschlussprüfung im November bestehe, werde ich im Februar nächsten Jahres das Studium abschließen. Ich bin ganz sicher, dass ich die Prüfung bestehe/bestehen werde! Auf jeden Fall werde ich mein Bestes tun/geben, um eine gute Note zu bekommen! Ich brauche nämlich eine gute Abschlussnote, um eine Stelle bei/in einer großen Firma zu bekommen.
Mein größter Wunsch ist, im Ausland weiter Informatik zu studieren, da ich mich sehr für Computer und fürs Internet interessiere. Mathematik und Physik waren auch schon immer meine Lieblingsfächer. Aber im Moment habe ich noch nicht genügend/genug Geld, um im Ausland zu studieren. Daher werde ich zunächst einige Jahre in/bei einer Firma arbeiten, um Geld zu verdienen. Dafür habe ich mich schon um eine Stelle als Informatiker beworben. Im Moment warte ich noch auf die Antwort. Ich hoffe, dass ich die Stelle bekomme und schnell Geld verdienen kann. Wenn ich genügend/genug Geld gespart habe, werde ich zum Studieren ins Ausland gehen. Am liebsten möchte ich in den USA studieren und promovieren./Mein größter Wunsch ist, in den USA zu studieren und zu promovieren. Ich hoffe, dass meine

Träume wahr werden!

## Text zum Korrigieren

Ich heiße Hana Lee, bin 17 Jahre alt und besuche die T-Oberschule in Seoul. Ich bin jetzt in der dritten Klasse. Im Dezember werde ich die Universitätsaufnahmeprüfung machen. Ich bin nicht sicher, ob ich die Prüfung bestehe, weil meine Noten nicht so gut sind. Aber ich hoffe, dass alles gut geht. Wenn ich zu wenig Punkte bekomme, werde ich noch ein Jahr fleißig lernen, um im nächsten Jahr mehr Punkte zu bekommen.

Ich möchte nämlich gerne Journalistik studieren. Ich schreibe sehr gerne. Mit zwölf Jahren habe ich angefangen, kleine Geschichten zu schreiben. Mein Lieblingsfach ist Koreanisch. Ich interessiere mich auch für Politik, Kultur und Gesellschaft.

Wenn alles gut geht, werde ich also ab März Journalistik studieren. In den Semesterferien werde ich mein Englisch verbessern, denn Englisch ist im Berufsleben sehr wichtig. Ich hoffe, dass ich einmal einen Sprachkurs in den USA machen kann. Während des Studiums werde ich versuchen, ein Praktikum bei einer Zeitung zu machen. Nach dem Studium werde ich mich bei einer Zeitung, beim Radio oder beim Fernsehen als Journalistin bewerben. Ich weiß, dass es nicht einfach ist, eine Stelle zu bekommen, aber ich hoffe, dass ich Erfolg haben werde.

# Lektion 5

**A1**
1. Wie ist Ihr Name?
2. Wie lautet Ihr Geburtsdatum? (Wann sind Sie geboren?)
3. Wie heißt Ihr Geburtsort? (Wo sind Sie geboren?)
4. Welche Staatsangehörigkeit haben/besitzen Sie?
5. Wie ist Ihr Familienstand?
6. Welche beruflichen Erfahrungen haben Sie?
7. Welche besonderen Kenntnisse haben Sie?

**A2**

**LEBENSLAUF**

**Persönliche Daten/Angaben zur Person**

| | |
|---|---|
| Name: | Haeyong Song |
| Geburtsdatum: | 07. 09. 1994 |
| Geburtsort: | Anyang, Südkorea |
| Staatsangehörigkeit: | koreanisch |
| Familienstand: | verheiratet, ein Kind |
| Adresse: | Na-1307, Samick Apt.<br>Dangsan-dong 725, Yeongdeungpo-gu<br>Seoul, Korea |
| Telefon: | +82-2-485-6885, Handy +82-10-4365-2435 |

**Schulbildung**

| | |
|---|---|
| 03. 2001 - 02. 2007 | Hanam-Grundschule in Anyang |
| 03. 2007 - 02. 2010 | Boram-Mittelschule in Seoul |
| 03. 2010 - 02. 2013 | Hongik-Jungenoberschule in Seoul |

**Hochschulausbildung**

| | |
|---|---|
| 03. 2013 - 02. 2019 | Studium der Germanistik an der *K-Universität* in Seoul, Nebenfach: Informatik<br>(02. 2015 - 02. 2017: Militärdienst) |
| 02. 2019 | Abschluss: B.A. |
| 03. 2019 - 02. 2021 | Studium der Regionalwissenschaft EU<br>an der Graduate School der K-Universität |
| 02. 2021 | Abschluss: M.A. |

**Berufliche Erfahrungen**

| | |
|---|---|
| seit 2019: | Dolmetschen und Übersetzen für verschiedene koreanische und deutsche Unternehmen |

**Besondere Kenntnisse**

| | |
|---|---|
| Sprachkenntnisse | Koreanisch : Muttersprache<br>Deutsch: sehr gut |

| | |
|---|---|
| | Englisch: gut |
| EDV | Textverarbeitung (Word, Hangul), Excel, PowerPoint |
| Interessen, Hobbys | Computer, Filme |

(지원자가 거주하는 곳의 지명) (작성 일자), (작성자 서명)

**A3** 1. 2009-2013 Journalistik an der Y-Universität in Seoul

2. 05. 06. 2020 - 14. 08. 2020 Praktikum bei der X-Tageszeitung in Seoul
3. Englisch: fließend; Chinesisch: Grundkenntnisse; sehr gute Kenntnisse im Bereich Windows
4. Juli 2020 Teilnahme am Kurs 'Wirtschaftsdeutsch' der Universität Düsseldorf
5. seit 2015 freie Mitarbeit bei KBS World Radio
6. Interessen, Hobbys Kunst, Schwimmen

**A4** 1. Mein Name ist Yura Shin. Ich bin am 18.

3. 1991 in Mokpo, Republik Korea, geboren und besitze die koreanische Staatsangehörigkeit. Ich wohne in Seoul. Meine E-Mail-Adresse lautet yurashin318@gmail.com. Meine Handynummer ist +82-10-6231-7524.
2. Zu meiner schulischen und akademischen Ausbildung: Von März 2003 bis Februar 2006 besuchte ich die G-Grundschule in Mokpo und anschließend/danach die M-Mittelschule in Mokpo. Von März 2009 bis Februar 2012 war ich auf der J-Fremdsprachenoberschule in Naju, wo ich Englisch als Hauptfach hatte. In dieser Fremdsprachenoberschule lernte ich auch Chinesisch und Französisch. Nach der Oberschule studierte ich von März 2012 bis August 2017 an der Hankuk University Deutsch als Hauptfach und Kognitive Linguistik als Nebenfach. Zusätzlich/Außerdem machte ich eine Ausbildung, um die Deutschlehrerqualifikation zu erwerben. Nach meinem B.A.-Abschluss setzte ich mein Studium fort. Im Februar 2020 schloss ich mein Magisterstudium im Fach Deutsche Sprachwissenschaft ab.
3. Von Oktober 2016 bis November 2019 machte ich eine Deutschlehrerausbildung am Goethe-Institut Korea. Zur Ausbildung gehörten 16 Stunden Unterrichtspraxis, 75 Stunden Hospitation und 6 Fortbildungsseminare. Von Juli bis August 2018 nahm ich am DAAD-Weiterbildungsprogramm „Internationaler Sommerkurs für Germanistik“ an der Friedrich Schiller Universität Jena teil. Das Fortbildungsseminar umfasste

insgesamt 120 Stunden.

4. Von April bis Mai 2020 machte ich eine Unterrichtsvertretung für das Fach ‚Deutsch I' an der *S Oberschule* in Seoul. Die Vertretung umfasste 37 Unterrichtsstunden. Von Juni bis August 2019 unterrichtete ich 45 Stunden Deutsch-Konversation für Krankenschwestern am *S Health College* in Seoul.
   Im August 2017 unterstützte ich die Durchführung des Deutsch-Camps für Studenten *KiSDaF* (Koreanisches interuniversitäres Seminar für Deutsch als Fremdsprache) in Yongin.
   Von April bis Mai 2017 machte ich ein Lehrpraktikum an der H-Oberschule in Yongin.
   Von November 2014 bis Juli 2015 half ich als Hilfskraft an der *Academy of Korean Studies* in Seongnam bei der Bearbeitung deutschsprachiger Materialien über Korea.
   Von März 2013 bis Februar 2014 war ich Hilfskraft am *Institute of EU Studies* an der *Hankuk University*.
5. Zu meinen Sprachkenntnissen: Meine Muttersprache ist Koreanisch. Mein Deutsch ist fließend. Ich besitze/habe das Goethe-Zertifikat C1. Ich spreche auch fließend Englisch (TOEFL C1). Zudem habe/besitze ich Grundkenntnisse in Chinesisch und Französisch.

## TEXT zum Ergänzen

LEBENSLAUF

PERSÖNLICHE DATEN

| | |
|---|---|
| Name: | Taeho Kim |
| Geburtsdatum: | 03. 09. 1980 |
| Geburtsort: | Cheongju, Republik Korea |
| Staatsangehörigkeit: | koreanisch |
| Familienstand: | verheiratet, ein Kind |
| Adresse: | Da-1205, Samsung A xpt. Cheongdam-dong 118, Gangnam-gu<br>Seoul, Korea |
| Telefon: | (02) 542-4701, 010-6242-5743 |

SCHULBILDUNG

| | |
|---|---|
| 03. 1987 - 02. 1993 | B-Grundschule in Seoul |
| 03. 1993 - 02. 1996 | Y-Mittelschule in Seoul |

| | |
|---|---|
| 03. 1996 - 02. 1999 | C-Fremdsprachenoberschule in Seoul |

HOCHSCHULAUSBILDUNG

| | |
|---|---|
| 03. 1999 - 02. 2005 | Studium der Germanistik an der K-Universität in Seoul;<br>Nebenfach: Wirtschaftswissenschaft |
| 02. 2001- 02. 2003 | Militärdienst |
| 02. 2005 | Abschluss: B.A., Note gut |

BERUFLICHE ERFAHRUNGEN

| | |
|---|---|
| seit 03. 2005: | bei Samsung Corning in Suwon |
| 05. 2009 - 08. 2009 | 3-monatige Weiterbildung bei Samsung Corning Berlin |

BESONDERE KENNTNISSE

| | |
|---|---|
| Sprachkenntnisse | Deutsch: fließend; Teilnahme am Sommerkurs<br>„Wirtschaftsdeutsch" der Universität Düsseldorf Englisch: gut |
| EDV | Umfangreiche Kenntnisse im Bereich DOS/<br>Windows, Hangul, Internet |
| Interessen, Hobbys | Deutsche Literatur, Computer, Golf |
| Seoul, 5. 7. 2011 | *Taeho Kim* |

## Text zum Übersetzen

LEBENSLAUF

PERSÖNLICHE DATEN

| | |
|---|---|
| Name: | Ami Yun |
| Geburtsdatum: | 30. 7. 1987 |
| Geburtsort: | Busan, Republik Korea |
| Staatsangehörigkeit: | koreanisch |
| Familienstand: | ledig |
| Adresse: | Oncheon-dong 397, Dongrae-gu, Busan |
| Telefon: | +82-51-554-9483; Handy: +82-10-6242-5743 |

SCHULBILDUNG

| | |
|---|---|
| 03. 1994 - 02. 2000 | A-Grundschule in Busan |
| 03. 2000 - 02. 2003 | B-Mittelschule in Busan |

| | |
|---|---|
| 03. 2003 - 02. 2006 | C-Mädchenoberschule in Busan |

HOCHSCHULAUSBILDUNG

| | |
|---|---|
| 03. 2006 - 02. 2010 | Design-Studium an der S-Frauenuniversität in Seoul;<br>Nebenfach: Französisch |
| 02. 2010 | Abschluss: B.A. |

BERUFLICHE ERFAHRUNGEN

| | |
|---|---|
| Sept./Okt. 2010 | 8-wöchiges Praktikum bei der Firma *La Mode* in<br>Marseille/Frankreich |
| seit 03 2011 - | Designerin bei der Firma Morado in Seoul |

BESONDERE KENNTNISSE

| | |
|---|---|
| Sprachkenntnisse | Französich: fließend; Teilnahme am Sprachkurs der Universität<br>Montpellier (Juli-August 2011)<br>Englisch: gut |
| EDV | Sehr gute Kenntnisse im Bereich DOS/Windows, Hangul,<br>Internet, MS Word, Excel |
| Interessen, Hobbys | Mode, Skifahren |

Seoul, 13. 10. 2011

Ami Yun

## Text zum Korrigieren

LEBENSLAUF

PERSÖNLICHE DATEN

| | |
|---|---|
| Name: | Jungu Lee |
| Geburtsdatum: | 07. 10. 1990 |
| Geburtsort: | Gwangju, Republik Korea |
| Staatsangehörigkeit: | koreanisch |
| Familienstand: | verheiratet, zwei Kinder |

....

SCHULBILDUNG

| | |
|---|---|
| 03. 1997 - 02. 2003 | J-Grundschule in Gwangju |

...

HOCHSCHULAUSBILDUNG

| | |
|---|---|
| 03. 2009 - 02. 2015 | Studium der Journalistik an der Y-Universität in Seoul, Nebenfach: Anglistik |

...

BERUFLICHE ERFAHRUNGEN

| | |
|---|---|
| 01.07 - 31. 12. 2016 | Praktikum bei der Boston Times in Boston/USA |
| seit 03. 2017 | Journalist bei der Tageszeitung X-Ilbo in Seoul |

BESONDERE KENNTNISSE

| | |
|---|---|
| Sprachkenntnisse | Englisch: fließend; Teilnahme am Kurs *Business Englisch* der Universität Stanford (Januar 2020) Japanisch: Grundkenntnisse |
| EDV | Sehr gute Kenntnisse im Bereich DOS/Windows, Internet, Hangul, MS Word, Excel, Power Point |

Interessen, Hobbys Philosophie, Kochen

Seoul, 13. 10. 2021

*Jungu Lee*

## Lektion 6

**A1** 1. habe, an, gelernt
2. studiert, an, in
3. in, in, abgeschlossen, nach, um, im, zu
4. In, gelesen, verbessern
5. Wie, zeigt, als

**A2** 1. Ich studiere seit drei Jahren an der S-Universität in Seoul Psychologie.
2. Mein älterer Bruder hat an der Universität Aachen in Deutschland im Bereich Maschinenbau promoviert.
3. Ich möchte nach Deutschland gehen, um mein Wissen über die deutsche Sprache und Kultur zu erweitern.

4. Wie die Statistik zeigt, ist die Zahl der Studenten in den letzten Jahren stark zurückgegangen/gesunken.

**A3** 1. von

2. aus, dass
3. über, erfahren, dass
4. über/durch (eine Bekannte)/von (einer Bekannten), erfahren/gehört, dass
5. das, des, hat 6. den, als, haben
7. gern, ob
8. Zu, Ihrer
9. Könnten/Können, bitte, ob
10. würden uns, würden/könnten
11. wäre Ihnen, würden/könnten

**A4** 1. Ich möchte Sie fragen, ob Sie meine Doktorarbeit betreuen könnten.

2. Das ist der Professor, der mich bei der Promotion betreut hat.
3. Haben Sie schon vom Abteilungsbüro erfahren, dass das Treffen nächste Woche stattfindet?
4. Im Anhang füge ich einige Fotos bei, die ich während der Reise gemacht habe.

**A5** 1. für Studenten in Korea nützliches und interessantes

2. von der Universität nicht so weit entferntes
3. für August dieses Jahres geplante Konferenz
4. mit dem Nobelpreis für Literatur ausgezeichnetes Buch

**A6** 1. Es wäre schön, wenn wir über das Thema diskutieren könnten.

2. Wir würden uns sehr freuen, wenn Sie uns bald wieder besuchen würden.
3. Ich würde mich freuen, wenn du mir helfen könntest.
4. Ich möchte mit dem für diese Angelegenheit zuständigen Mitarbeiter sprechen.
5. Er ist einer der in diesem Bereich weltweit berühmtesten Forscher.

## TEXT zum Ergänzen

Sehr geehrter Herr Prof. Dr. Müller,

mein Name ist Daejin Choi. Ich habe in Korea an der T-Universität Betriebswirtschaft studiert. Im Wintersemester 2019/20 habe ich mein Masterstudium mit einer Arbeit über Online-Marketing abgeschlossen. Mein Nebenfach war Germanistik. Ich habe als Jugendlicher vier Jahre in Frankfurt gelebt und dort das Goethe-Gymnasium besucht.

Nun möchte ich mein BWL-Studium vertiefen und in Deutschland promovieren. Wie Sie am Titel meiner Masterarbeit sehen können, interessiere ich mich besonders für die Optimierung der Logistik im Online-Marketing.

Von Professor Whanki Kim, der meine Magisterarbeit betreut hat, habe ich erfahren, dass Sie Spezialist für Logistikentwicklung im Bereich Online-Marketing sind. Daher möchte ich Sie fragen, ob Sie mich bei der Promotion mit einem Thema im Bereich Logistik im Online-Marketing betreuen könnten. Im Anhang finden Sie meinen Lebenslauf.

Ich würde mich sehr freuen, wenn Sie mich als Doktorand annehmen würden. Ich hoffe, dass ich meine wissenschaftliche Kompetenz bei Ihnen in Hamburg weiter entwickeln und mit einem für das Zeitalter der Künstlichen Intelligenz nützlichen Thema promovieren kann.

Mit freundlichen Grüßen
Daejin Choi

## Text zum Übersetzen

Sehr geehrte Damen und Herren,

mein Name ist Mina Park. Ich studiere zurzeit an der H-Universität in Seoul, Korea, Modedesign. Über die Internetseite Ihrer Akademie habe ich erfahren, dass Sie einen sechswöchigen Sommerkurs „Modedesign“ anbieten, für den ich mich sehr interessiere.

Ich habe zwar schon in der Schule Deutsch gelernt und auch Deutschkurse am Goethe Institut besucht, aber meine Deutschkenntnisse sind noch nicht so gut (nur A2). Daher möchte ich gern wissen, ob mein Deutsch für die Teilnahme an dem Sommerkurs ausreicht. Gibt es vielleicht zwischendurch auch Erklärungen auf Englisch?

Ich habe noch einige weitere Fragen. Leider muss ich wegen des Semesterbeginns in Korea schon eine Woche vor Kursende zurückfliegen. 1) Ist trotzdem eine Teilnahme an dem Kurs möglich? 2) Wenn ja, könnte ich dann auch ein Zertifikat für den Kurs bekommen? 3) Müsste ich die volle Kursgebühr für sechs Wochen bezahlen?

Ich würde mich freuen, wenn Sie auf meine Fragen antworten könnten.

Mit freundlichen Grüßen
Mina Park

### TEXT zum Korrigieren

Sehr geehrte Frau Park,
vielen Dank für Ihr Interesse an unserem Kurs. Da wir den Sommerkurs „Modedesign“ bereits seit fünf Jahren anbieten, ist er unter Modedesign-Studenten schon bekannt und beliebt. Die Unterrichtssprache ist zwar Deutsch, aber wichtige Inhalte erklären die Kursleiter auch auf Englisch, weil viele Studenten aus dem Ausland kommen. Ich glaube aber, dass Ihr Deutsch ausreicht, um die Erklärungen verstehen zu können.
Zu Ihren weiteren Fragen: Ja, Sie können früher zurückfliegen. Wir können Ihnen ein Zertifikat für fünf Wochen ausstellen. Leider gibt es keine Gebührenermäßigung. Wir würden uns sehr freuen, wenn Sie trotzdem an unserem Sommerkurs teilnehmen würden. Ich bin sicher, dass es sich lohnt, daran teilzunehmen.

Für weitere Fragen stehe ich Ihnen jederzeit gerne zur Verfügung.

Mit freundlichen Grüßen
Anja Münterfering

## Lektion 7

**A1**
1. Vor zwei Wochen habe ich eine Anzeige für Sprachreisen in der Zeitung gelesen/gesehen. Da ich im nächsten Jahr Sprachferien in den USA machen möchte, habe ich Informationsmaterial angefordert. Man hat mir die Unterlagen auch sofort geschickt/zugeschickt/gesendet/zugesendet.
2. Heute habe ich eine interessante Stellenanzeige in der Zeitung gelesen/gesehen. Eine große deutsche Firma sucht einen Informatiker. Ich habe sofort auf die Anzeige geantwortet und meine Unterlagen an die Firma geschickt/gesendet/gesandt.
3. Ich habe Ihr Inserat für Sprachreisen in der Zeitung gelesen. Ich bin 16 Jahre alt und

lerne seit anderthalb Jahren Deutsch. In den Ferien möchte ich einen Sprachkurs in Deutschland besuchen. Deshalb bitte ich Sie, mir Informationsmaterial über Mittelstufenkurse für Deutsch zuzusenden/zuzuschicken.

**A2** 1. sie würde ihn gerne anrufen, sie würde gerne mit ihm ins Kino gehen, sie würde gerne mit ihm tanzen, sie würde ihm gerne sagen, dass sie ihn mag. Aber sie hat auch keinen Mut.

2. Er hätte gerne längere Haare, er hätte gerne größere Augen, er hätte gerne kleinere Ohren, er hätte gerne eine kleinere Nase, er hätte gerne einen größeren Mund.

**A3** 1. Ich habe Ihre Anzeige in der Zeitung gelesen.

2. Ich interessiere mich für den Mittelstufenkurs für Deutsch.

3. Ich hätte gerne nähere Informationen zu dem von Ihnen angebotenen Sprachprogramm. 4. Ich bitte Sie um (die Zusendung von) Informationsmaterial./Ich bitte Sie, mir Informationsmaterial zu senden.

**A4** 1. ⓒ 2. ⓑ 3. ⓐ 4. ⓒ 5. ⓐ 6. ⓒ

(보내는 사람 이름)
(보내는 사람 주소)
Kontakte
Bahnhofstr. 7
60433 Frankfurt a.M.

(도시명) (den 날짜)

Sehr geehrte Damen und Herren,
ich habe Ihr Inserat in der Zeitung gelesen. Ich interessiere mich für Ihre Sprachkurse für Erwachsene. Ich würde gerne einen Englisch-Intensivkurs für Geschäftsleute machen. Bieten Sie auch Anfängerkurse für Japanisch an? Bitte senden Sie mir Informationsmaterial an die obige Adresse.
Vielen Dank im Voraus.
Mit freundlichen Grüßen
(보내는 사람 서명)

## Text zum Ergänzen

Seol Lee
114, Imun-ro
Dongdaemun-gu, Seoul
02419, Korea

Dr. Wilhelm Schäfer
1688-5, Shindong-ro
Daedeok-gu, Daejeon,
34324, Korea

Seoul, den 19. 1. 2020

Bewerbung
Ihre Anzeige vom 17. 1. 2020

Sehr geehrter Herr Dr. Schäfer,

ich interessiere mich für die Stelle als Projekt-Assistentin.

Ich bin 26 Jahre alt und ledig. Ende Februar 2020 werde ich mein Studium der Germanistik und Wirtschaftswissenschaften an der Hankuk Universität abschließen. Ich spreche und schreibe fließend Deutsch, da ich als Kind mehrere Jahre in Deutschland zur Schule gegangen bin. Meine Englisch- und EDV-Kenntnisse sind ebenfalls sehr gut.

Als Anlage sende ich Ihnen meinen Lebenslauf und Kopien meiner Zeugnisse.

Ich würde mich freuen, bald von Ihnen zu hören.

Mit freundlichen Grüßen
*Seol Lee*

Anlagen

## Text zum Übersetzen

Mainz, den 17. 2. 2020

Sehr geehrte Damen und Herren,

ich habe Ihre Anzeige in der Zeitung gelesen. Ich interessiere mich für Ihre Sprachferien für Schüler. Ich bin 17 Jahre alt und lerne seit einem Jahr Französisch. In den Sommerferien würde ich gerne drei Wochen Sprachferien in Frankreich machen. Ich hätte gerne mehr Informationen darüber und bitte Sie um Informationsmaterial.
Vielen Dank im Voraus.

Mit freundlichen Grüßen
Yumi Kang

## Text zum Korrigieren

Dr. Wilhelm Schäfer
1688-5, Shinildong-ro
Daedeok-gu, Daejeon,
34324, Korea

Youngsoo Kim
263 Guseong-ro
Dong-gu, Gwangju
61422, Korea
Gwangju, den 20. 1. 2020

Bewerbung
Ihre Anzeige vom 17. 1. 2020

Sehr geehrter Herr Dr. Schäfer,

ich interessiere mich für die Stelle als Projekt-Assistentin.

Ich bin 25 Jahre alt und ledig. Ende Februar 2020 werde ich mein Studium der Germanistik und Informatik an der Y-Universität abschließen.
Ich habe in Deutschland Abitur gemacht und spreche und schreibe fließend Deutsch. Meine Englisch- und EDV-Kenntnisse sind ebenfalls sehr gut.

Als Anlage sende ich Ihnen meinen Lebenslauf und Kopien meiner Zeugnisse.

Ich würde mich freuen, bald von Ihnen zu hören.

Mit freundlichen Grüßen

*Youngsoo Kim*

## Lektion 8

**A1** 1. ist, zu 2. ist, zu 3. ist, zu 4. ist, zu 5. sind, zu 6. ist, zu 7. sind, zu

**A2** 1. Als Leiter des Teams bin ich für das Projekt verantwortlich.
2. Ich bin auf der Suche nach einer neuen Stelle.
3. Der Weg zum Bahnhof ist leicht zu finden.
4. Der Park ist von unserer Wohnung aus mit dem Fahrrad leicht zu erreichen.

**A3** 1. Lass 2. Lassen, Sie 3. Lassen, Sie, mich 4. Lass, mich, dir

**A4** 1. Lassen Sie mich wissen, wie lange Sie bleiben wollen.
2. Lassen Sie mich wissen, wann ich in die Wohnung einziehen kann.
3. Lassen Sie mich Ihnen den Weg zu unserer Firma erklären./Lassen Sie mich Ihnen erklären, wie man zu unserer Firma kommt.
4. Lass mich dir zeigen, was ich aus Korea mitgebracht habe.

**A5**

vielen Dank für Ihre Mail.
Es freut mich, dass Sie sich für die Wohnung interessieren. Sie ist noch nicht vergeben. Wir können gerne einen Termin für die Besichtigung ausmachen. Unter der Woche bin ich in der Regel schon um 17.00 Uhr zu Hause. Am günstigsten wäre Mittwoch, der 24. März, so gegen 15.00 Uhr, da ich mittwochs nur halbtags arbeite. Ansonsten kann ich Ihnen noch Samstagvormittag, den 27. März, 10.00 Uhr vorschlagen.
Zu Ihren Fragen: In der Straße, in der ich wohne, gibt es einen großen Aldi-Supermarkt und fünf Gehminuten von der Wohnung entfernt einen 24-Stunden-Laden. Das nächste Schwimmbad ist leider etwas weit entfernt. Aber mit dem Fahrrad dauert es nur eine Viertelstunde.

Mit besten Grüßen
Greta Lewinski

PS: Ihr Deutsch ist aber schon sehr gut!

**A6**

1. Liebe Petra, b - g - e - c

   wie geht es dir? Wir haben lange nichts mehr voneinander gehört! Heute habe ich eine Überraschung für dich: Ich habe die Zulassung von der Universität Mannheim erhalten! Ist das nicht wunderbar? Ab Februar 2021 werde ich Digitales Marketing studieren.

   Ich habe zwar schon die Zusage für ein Zimmer im Studentenwohnheim bekommen, aber da kann ich erst ab dem ersten Februar einziehen. Ich möchte jedoch schon Mitte Dezember nach Deutschland fliegen, um vor dem Beginn des Studiums mein Deutsch noch weiter zu verbessern. Außerdem möchte die Weihnachtsstimmung in Deutschland erleben.

   Daher bin ich jetzt auf der Suche nach einem Zimmer, in dem ich bis Ende Januar wohnen kann. Kennst du vielleicht jemanden in Mannheim? Hast du vielleicht eine Idee, wie ich dort ein Zimmer für sechs Wochen finden kann?

   Viele Grüße aus einem sonnigen Seoul
   Yumi

2. Hallo Yumi, f - a - h - d

   das ist ja wirklich eine tolle Nachricht! Ich gratuliere dir ganz herzlich und freue mich für dich! Natürlich freue ich mich auch, dass wir uns nach zwei Jahren endlich einmal wiedersehen.

   Bis du ein Zimmer gefunden hast, kannst du gern bei mir wohnen. Ich habe zwar nicht viel Platz, aber für ein paar Tage wird es schon gehen. Dann können wir auch Weihnachten zusammen feiern! Und zwar gemeinsam mit meiner Familie. Da kannst du dann erleben, wie die Deutschen das Weihnachtsfest feiern.

   Zu deiner Frage: Leider kenne ich niemanden in Mannheim, aber ich habe eine Idee: Viele StudentInnen sind während der Ferien weg, d.h. im Studentenwohnheim stehen Zimmer leer. Wir können uns mal erkundigen, ob jemand dir sein Zimmer überlassen kann. Im Studentenwohnheim kannst du sicher auch schnell Kontakte knüpfen. Außerdem hast du Internet-Anschluss.

   Soweit für heute

   LG aus dem kalten Mannheim

## Text zum Ergänzen

Betreff: Anfrage auf Ihre Wohnungsanzeige

Sehr geehrter Herr Berger,
auf der Suche nach einer günstigen Unterkunft in Nürnberg bin ich auf Ihre Anzeige im Nürnberger Stadtanzeiger gestoßen. Ab 2. März 2020 werde ich ein dreimonatiges Praktikum bei Bosch in Nürnberg machen. Da die Wohnung, die ich gemietet habe, erst ab 15. März frei ist, suche ich nach einer günstigen Unterkunft. Daher möchte ich anfragen, ob ich das Zimmer für 14 Tage (ich komme am 1. März um 16.30 Uhr mit dem ICE in Nürnberg an) mieten kann. Über eine positive Antwort würde ich mich freuen.

Mit freundlichen Grüßen
Sangmin Park

## Text zum Übersetzen

Sehr geehrte Frau Lewinski,

ich habe Ihre Anzeige in den Westfälischen Nachrichten im Internet gesehen und möchte mich als Bewerber für die Wohnung vorstellen. Ich heiße Mingu Kang. Ich bin 26 Jahre alt und komme aus Korea. Derzeit studiere ich noch in Seoul Musik.
Im April 2021 werde ich als Austauschstudent meiner Universität für ein Semester nach Berlin gehen, um mein Studium zu vertiefen und mein Deutsch zu verbessern. Auf der Suche nach einer Einzimmerwohnung bin ich auf Ihre Anzeige gestoßen. Da ich in der Nähe der Universität wohnen möchte, interessiere ich mich für die Wohnung. Hoffentlich ist sie noch nicht vergeben.
Ich komme am 18. März in Berlin an und möchte so früh wie möglich einziehen, am besten schon am 19. März.
Über eine positive Antwort würde ich mich freuen.

Mit freundlichen Grüßen
Mingu Kang

PS: Eine Frage hätte ich noch: Gibt es in der Nähe der Wohnung einen größeren Supermarkt?

## Text zum Korrigieren

Betreff: Ihre Wohnungsanzeige im Internet

Sehr geehrter Herr Backes,
ich habe Ihr Inserat im Internet gesehen und möchte mich als Bewerber für die Einzimmerwohnung vorstellen. Ich heiße Minkyu Kim, bin 26 Jahre alt und komme aus Korea. Zurzeit studiere ich noch Informatik an der K-Universität in Seoul.
Ab dem Frühlingssemester 2020 werde ich als Stipendiat meiner Universität für zwei Semester an der Universität Saarbrücken studieren, um meine Kenntnisse in Informatik und meine Deutschkenntnisse zu vertiefen. Da ich in der Nähe der Universität wohnen möchte, interessiere ich mich für Ihre Wohnung. Ich hoffe, sie ist noch nicht vergeben.
Ich werde aber schon vor Semesterbeginn (ab dem 10. Januar) in Saarbrücken sein, denn ich habe bei der PLUSCARD GmbH einen Praktikumsplatz bekommen. Mein Praktikum beginnt schon am 1. Februar, deshalb möchte ich so früh wie möglich einziehen.
Über eine positive Antwort würde ich mich freuen.

Mit freundlichen Grüßen
Minkyu Kim

PS: Gibt es in der Nähe der Wohnung vielleicht einen größeren Supermarkt? Und einen Sportplatz?

# Lektion 9

**A1**
1. Kannst du mir deine Kamera ausleihen?
2. Ich muss in die Bibliothek gehen, um ein paar Bücher auszuleihen.
3. Wenn du das Buch lesen möchtest, kannst du es gern mitnehmen.
4. Was bringt man normalerweise als Geschenk mit, wenn man in Deutschland von jemandem nach Hause eingeladen wird.
5. Als ich Student war, musste man zweieinhalb Jahre Wehrdienst leisten.
6. Wenn es schneit, fahren viele Leute aus Angst vor einem Unfall lieber mit der U-Bahn als mit dem Auto.
7. Nach sieben Stunden Bergwanderung/Nachdem ich sieben Stunden in den Bergen

gewandert war, bin ich vor Erschöpfung sofort eingeschlafen.

**A2** 1. Ja, ich habe noch eine/welche. Nein, ich habe keine mehr.
2. Ja, aber es gibt nur noch eins/Ja, es gibt noch welche. Nein, es gibt keine mehr.
3. Ja, wir haben noch welches. Nein, wir haben keins mehr.
4. Ja, er ist einer der berühmtesten Schauspieler in Deutschland.
5. Ja, ich kann Ihnen gerne welche empfehlen.

**A3** 1. scheint glücklich zu sein.
2. scheint enttäuscht zu sein.
3. scheint sich wohl zu fühlen.
4. scheint nett zu sein.
5. scheint in Ordnung zu sein.
6. scheint krank gewesen zu sein.
7. scheint dich vermisst zu haben.

**A4** So ein Pech!

Vorgestern bat mich meine Mutter: „Mark, fahr doch bitte mal schnell zum Supermarkt und hol mir ein Kilo Zucker, zehn Eier. eine Packung Milch und ein Pfund Salz." „Na gut, wenn es sein muss", antwortete ich. „Hier hast du zehn Euro", sagte meine Mutter und gab mir das Geld. Ich steckte es in die Hosentasche und fuhr mit dem Fahrhrad zum Supermarkt. Im Supermarkt waren viele Leute und es dauerte lange, bis ich alle Sachen gefunden hatte. „Endlich geschafft!", dachte ich, als ich an der Kasse stand. „Das macht zusammen acht Euro", sagte der Herr an der Kasse. Aber als ich bezahlen wollte, war das Geld weg! Mama hatte mir doch zehn Euro gegeben. Ich wurde ganz nervös und suchte überall. Nichts! „Es tut mir leid", entschuldigte ich mich, „aber ich habe mein Geld verloren." „Dann bring die Sachen wieder an ihren Platz zurück!", sagte der Herr an der Kasse. Ich wurde ganz rot und brachte die Sachen zurück. „Was wird Mutter sagen?", dachte ich, „Sie wird bestimmt wütend sein." Als ich zu Hause ankam, erzählte ich Mutter die ganze Geschichte. Mutter seufzte nur und schüttelte den Kopf. Ich schaute auf den Boden und was sah ich da? Die zehn Euro! Sie waren mir zu Hause aus der Tasche gefallen!

**A5** Montagmorgen. Obwohl der Wecker schon zweimal geklingelt hatte, hatte Toni keine Lust, aufzustehen. Erst als der Wecker zum dritten Mal klingelte, stand Toni auf und wusch sich. Nachdem er sich angezogen hatte, machte er Frühstück. Während er frühstückte, las er die Zeitung. Nachdem er gefrühstückt hatte, packte er schnell einen kleinen Koffer. Er bestellte ein Taxi und fuhr zum Hauptbahnhof. Als er am Bahnhof ankam, kaufte er eine Fahrkarte nach Frankfurt-Flughafen. Im Zug schlief er ein. Während er schlief, träumte er von seinem Urlaub, von Sonne und blauem Meer. Als er am Flughafen ankam, ging er zum Schalter. Aber als er seinen Pass zeigen wollte, konnte er ihn nicht finden. Obwohl er in allen Taschen suchte, war der Pass nicht zu finden.

**A6**
1. wird/kann den Pass zu Hause vergessen haben.
2. Er wird/kann den Pass im Zug verloren haben.
3. Er wird/kann den Pass in den Koffer gepackt haben.
4. Der Taxifahrer wird/kann den Pass gestohlen haben.

**A7**

| Frage | Antwort |
|---|---|
| *War Bello noch auf dem Parkplatz, als ihr zum Parkplatz zurückkamt?* | Nein, als wir kurz darauf zum Parkplatz zurückkamen, war Bello verschwunden. |
| Was hat Songju gemeint, als du fragtest, wo Bello ist? | *Songju meinte: „Vielleicht hat er sich unter dem Auto versteckt. Du weißt doch, dass er gerne unterm Auto schläft."* |
| *War Bello unter dem Auto?* | Nein, unter dem Auto war Bello nicht. |
| *Was hat Songju dann zu dir gesagt?* | Songju sagte: „Mach dir keine Sorgen. Wir finden ihn sicher. Er wird schon an den Strand gelaufen sein. Du weißt doch, wie neugierig er ist." Damit wollte sie mich beruhigen. |
| Was habt ihr dann gemacht? | *Wir sind an den Strand gegangen, um Bello zu suchen.* |
| *Habt ihr ihn am Strand gefunden?* | Nein. Obwohl wir immer wieder ganz laut „Bello! Bello!" gerufen haben, kam Bello nicht. |
| Wie hast du dich gefühlt? | *Ich bin fast gestorben vor Angst.* |

| | |
|---|---|
| *Habt ihr dann Bello nicht wieder gefunden?* | Doch. Songju zeigte auf einen Hotdog-Stand vor der Pension. Dort saßen zwei Hunde nebeneinander und schauten auf die Hotdogs! |
| Was hatte Bello inzwischen gemacht? | *Bello hatte sich mit dem Hund des Pensionsbesitzers angefreundet.* |
| War Bello okay? | *Bello schien sehr hungrig zu sein.* Ich kaufte zwei Hotdogs: einen für Bello und einen für seinen neuen Freund. |
| Am Ende war doch alles in Ordnung, oder? | Ja, *Gott sei Dank hatten wir Bello gefunden! Und Bello hatte einen neuen Freund gefunden!* |

## Text zum Ergänzen

Im letzten Sommer habe ich mit meinem Freund eine sechswöchige Europareise gemacht. In Deutschland haben wir uns ein Auto geliehen. Wir sind zuerst nach Berlin gefahren, wo wir vier Tage geblieben sind. Danach sind wir über Frankfurt und Paris bis nach Madrid gefahren. Am besten erinnere ich mich an unseren Aufenthalt in Paris, denn dort haben wir etwas Besonderes erlebt.

Nach viereinhalb Stunden Fahrt von Aachen nach Paris sind wir in der Pension angekommen, wo ich übers Internet ein Zimmer reserviert hatte. Wir hatten uns aus zwei Gründen für die „Pension Louis“ entschieden: Erstens, weil sie in der Nähe des Eiffelturms lag, und zweitens, weil man vor dem Haus parken konnte. In der Anzeige hatte nämlich gestanden: „Parken vor dem Haus möglich“.

Das Zimmer war sauber und die Betten waren bequem. Leider gab es am ersten Morgen eine Überraschung: Als wir nach dem Frühstück nach Versailles fahren wollten, war nämlich unser Wagen verschwunden! „Wo kann er denn nur sein? Hat ihn etwa jemand gestohlen?“, rief mein Freund erschrocken. Da kam die Besitzerin aus dem Haus und sagte: „Es tut mir wirklich Leid, aber Ihren Wagen hat die Polizei abgeschleppt.“ „Was? Wieso denn das?“, wollte ich wissen. Die Besitzerin erklärte: „Normalerweise ist Parken vor dem Hotel erlaubt. Aber ab heute morgen ist Parken für eine Woche wegen Bauarbeiten verboten. Ich habe das Hinweisschild erst heute früh gesehen. Es tut mir sehr leid.“

Das war natürlich sehr ärgerlich, weil wir Bußgeld zahlen mussten und es ein paar Stunden dauerte, bis wir unser Auto zurückbekamen. Die Besitzerin hat zwei Drittel des Bußgeldes gezahlt. Ansonsten hat uns Paris sehr gut gefallen.

## Text zum Übersetzen

Am letzten Wochenende fuhren Herr und Frau Meyer mit ihrer Tochter Susi und ihrem Hund Bello in die Berge. Nach neun Stunden Fahrt im Auto kamen sie am Hotel an. Während Herr und Frau Meyer und Susi das Gepäck in ihr Zimmer trugen, lief Bello auf der Straße herum.
Die Familie packte die Koffer aus. Da bemerkte Susi plötzlich, dass Bello fehlte. „Wo ist denn Bello?" fragte sie. „Wahrscheinlich passt er auf unseren Wagen auf", antwortete Herr Meyer. Aber vor dem Hotel stand nur das Auto. Bello war nicht da! „Wo kann er denn nur sein?", rief Susi. „Mach dir keine Sorgen", meinte Frau Meyer. „Er wird in die Stadt gelaufen sein."
Also gingen sie in die Stadt, um Bello zu suchen. Aber obwohl sie immer wieder ganz laut „Bello! Bello!" riefen, kam Bello nicht. Da schlug Herr Meyer vor: „Fragen wir mal den Polizisten da drüben. Vielleicht hat er Bello gesehen." „Sie suchen einen kleinen Hund?", fragte der Polizist. „Ist es der da hinten?" Tatsächlich! Da stand Bello vor einer Würstchenbude und schaute auf die leckeren Würstchen. „Du hattest wohl großen Hunger/Du scheinst großen Hunger gehabt zu haben, Bello", sagte Susi und gab Bello ein Würstchen. „Hier hast du ein großes Würstchen."

## Text zum Korrigieren

Hurra! Ich habe die Führerscheinprüfung bestanden! Und ich habe zum ersten Mal alleine eine längere Fahrt gemacht. Das heißt, ich bin nicht ganz alleine gefahren, denn Fiffi, mein Hündchen, war dabei. Meine Mutter hat mir ihren alten Audi ausgeliehen und wir sind an den Walchensee gefahren. Nach fast drei Stunden Fahrt sind wir in der Pension, in der ich ein Zimmer reserviert hatte, angekommen. Die Pension liegt nah am See. Den Wagen habe ich vor der Pension geparkt. Während ich mein Gepäck aufs Zimmer gebracht habe, ist Fiffi im Garten der Pension herumgelaufen.
Doch als ich kurz darauf in den Garten ging, war Fiffi weg. „Wo ist denn meine Fiffi?", rief ich erschrocken. „Wo kann sie denn nur sein? Hoffentlich ist ihr nichts passiert!", dachte ich. Ich habe laut „Fiffi! Wo bist du?" gerufen, aber sie kam nicht. Ich bin fast gestorben vor Angst. Meine arme Fiffi!
Da hörte ich in der Straße gleich neben der Pension einen Hund bellen. Ich lief hin und was

sah ich da? Meine Fiffi! Sie saß vor einem Hotdog-Stand. Gott sei Dank habe ich sie gefunden! Sie hatte wohl Hunger. Ich kaufte zwei Hotdogs: einen für Fiffi und einen für mich. Denn ich hatte auch Hunger.

## Lektion 10

**A1** Zutaten: 1 Zucchini, 400g Mehl, 1TL Salz, ⅛l Wasser, Öl (zum Braten)
Für die Soße: 2EL Sojasoße, 1EL gehackte Zwiebeln, 1TL gehackter Knoblauch, 1TL Pepperonipulver, 1TL Sesamkörner
Schneiden Sie die Zucchini in dünne Scheiben. Mischen Sie das Mehl mit dem Wasser. Geben Sie das Salz hinzu und rühren Sie gut um. Geben Sie dann die Zucchini-Scheiben hinzu. Geben/Gießen Sie etwas Öl in die Pfanne und braten Sie die Zucchini-Scheiben bei schwacher Hitze. Bereiten Sie die Soße zu und mischen Sie die Zutaten gut. Servieren Sie die Zucchini-Scheiben mit der Soße. Guten Appetit!

**A2** 1. in dünne Scheiben geschnitten.
2. Die Soße wird über das Fleisch gegossen.
3. Die Soße wird zubereitet.
4. Die Fleischscheiben werden in Zucker und Reiswein eingelegt.
5. Die Fleischscheiben können auch in Sherry oder Cola eingelegt werden.
6. Die Soße und das Fleisch müssen gut mit den Händen gemischt werden.

**A3** 1. in dünne Scheiben geschnitten.
2. Die Soße wurde über das Fleisch gegossen.
3. Die Soße wurde zubereitet.
4. Die Fleischscheiben wurden in Zucker und Reiswein eingelegt
5. Die Fleischscheiben konnten auch in Sherry oder Cola eingelegt werden.
6. Die Soße und das Fleisch mussten gut mit den Händen gemischt werden.

**A4** 1. Meine Kleider müssen noch gewaschen werden.

2. Die Fenster müssen noch geputzt werden.
3. Die Wohnung muss noch aufgeräumt werden.
4. Der Müll muss noch weggebracht werden.
5. Eine Mail muss noch geschrieben werden.

**A5** 1. lässt, machen, lässt, machen.
2. Sie lässt den Fensterputzer die Fenster putzen./Sie lässt die Fenster vom Fensterputzer putzen.
3. Sie lässt die Putzfrau das Wohnzimmer aufräumen./Sie lässt das Wohnzimmer von der Putzfrau aufräumen.
4. Sie lässt ihren Mann das Gemüse und das Fleisch einkaufen./Sie lässt das Gemüse und das Fleisch von ihrem Mann einkaufen.

**A6** 1. Das eingelegte Fleisch wird gebraten.
2. Die geschälten Kartoffeln werden gekocht.
3. Das gewaschene Gemüse wird geschnitten.
4. Das gebratene Fleisch wird mit Salat serviert. 5. Die gekochten Eier werden geschält.

## Text zum Ergänzen

SPAM-Spaghetti - Zutaten für 4 Personen

| | |
|---|---|
| Sie brauchen: | 500g Spaghetti |
| | 4 l Salzwasser |
| Für die Soße: | 5 EL Öl |
| | 1 Dose SPAM (340 g) |
| | 1 große, gehackte Zwiebel |
| | ½ EL gehackter Knoblauch |
| | 1 Glas fertige Tomatensoße |
| | 1-2 EL Tschokochussang (Peperonipaste) |
| | Parmesankäse |

Die Spaghetti werden in 4 l Salzwasser 8-10 Minuten gekocht. Geben Sie das Öl in eine Pfanne und lassen Sie es heiß werden. Schneiden Sie den SPAM in Würfel und braten Sie die SPAM-Würfel. Geben Sie die gehackte Zwiebel und den gehackten Knoblauch hinzu. Lassen Sie alles einige Minuten bei schwacher Hitze braten. Dann wird die fertige Tomatensoße aus dem Glas hinzugegeben. Geben Sie zum Schluss 1-2 EL Peperonipaste hinzu und rühren Sie alles gut um. Servieren Sie die Spaghetti mit Parmesankäse und Salat oder Kimchi.

## Text zum Übersetzen

Putzen Sie die Soja(bohnen)sprossen. Die Soja(bohnen)sprossen müssen mehrmals gut gewaschen werden. Geben Sie ¼l Wasser in einen Topf und geben Sie die Soja(bohnen) sprossen hinzu/hinein. Lassen Sie die Soja(bohnen)sprossen etwa fünf Minuten bei mittlerer Hitze kochen. Geben Sie dann ½l Wasser, Salz, Knoblauch und Lauch hinzu. Lassen Sie die Suppe wieder 5 Minuten kochen. Servieren Sie die Suppe mit einer Prise Peperonipulver.

## Text zum Korrigieren

Eiersalat mit Obst - Zutaten für 4 Personen

Sie brauchen: 6 hartgekochte Eier
1 kleine Dose Ananas
2 Bananen
2 geschälte Äpfel
6 EL Majonäse
4 Ananassaft
2 TL Senf

Die Eier werden geschält und in Scheiben geschnitten. Schneiden Sie dann die Ananas und die Äpfel in Stücke. Schälen Sie die Banane und schneiden Sie sie in Scheiben. Dann werden Eier und Obst in eine Schüssel gegeben und gemischt.

Die Mayonnaise wird mit dem Ananassaft aus der Dose und mit dem Senf gemischt. Gießen Sie diese Soße über den Salat. Lassen Sie den Salat 15 Minuten ziehen und servieren Sie ihn mit frischem Brot.

## Lektion 11

**A1**

| Fragen | Antworten |
|---|---|
| Was (ist passiert)? | ein Busunfall |
| Wer (war an dem Ereignis beteiligt)? | Der Schüler Frank B. und der Busfahrer Ulrich H. |
| Wann (ereignete sich der Vorfall)? | Letzten Mittwoch, am 18. Juni, um 13. 10 Uhr |
| Wo (fand das Ereignis statt)? | an der Haltestelle Herder-Gymnasium |
| Wie (hat sich der Vorfall genau abgespielt)? | Frank B. wollte in letzter Minute noch in den um 13.10 Uhr abfahrenden Bus einsteigen. Der Busfahrer Ulrich H. hat die Türen geschlossen, sodass das rechte Bein des Schülers in der Tür steckenblieb. Der Bus fuhr los und schleifte Frank B. mehrere Meter über den Boden. |
| Warum (kam es dazu)? | Der Busfahrer sagte, er habe den einsteigenden Schüler nicht gesehen, weil er auf den Verkehr geachtet habe. |
| Welche Folgen (hatte das Ereignis)? | Frank B. wurde mit gebrochenem rechten Fuß und schweren Kopfverletzungen ins Krankenhaus gebracht. |

**A2** Frank erzählt, in der 6. Stunde habe er Sportunterricht gehabt. Er habe sich schnell gewaschen und sei zur Bushaltestelle gerannt. Der Bus nach Lahnstein fahre nämlich immer pünktlich um 13.10 Uhr ab. Er sei um 13.10 Uhr an der Bushaltestelle angekommen. Der Busfahrer habe ihn nicht gesehen und die Tür einfach zugemacht. Sein rechtes Bein sei in der Tür stecken geblieben. Der Bus sei losgefahren und habe ihn mehrere Meter über den Boden geschleift. Der Busfahrer habe ihn dann endlich bemerkt und angehalten. Jemand habe den Krankenwagen gerufen. Sein rechtes Bein sei gebrochen und er habe eine schwere Kopfverletzung. Er müsse zwei Wochen im Krankenhaus bleiben.

**A3** Singende Vögel im Frühling, blühende Blumen im Sommer, süß schmeckendes Obst im Herbst, fallender Schnee im Winter. Spielende Kinder am Meer, fliegende Vögel am Himmel, ein tanzendes Paar im Wald, verliebt klopfende Herzen - Ist sie nicht schön, unsere seit Millionen Jahren nie anhaltende Welt!

**A4** 1. Er war sehr müde, sodass er gleich einschlief. 2. Es regnete stark, sodass wir im Hotel blieben 3. Er sagte, er habe in Deutschland studiert. 4. Sie sagt, sie sei krank, sodass sie nicht zur Schule gehen könne. 5. Die Deutsch lernenden Schüler möchten in den Ferien nach Deutschland gehen.

## Text zum Ergänzen

Kind verletzt

Am Samstagmorgen um 10.00 Uhr spielte der 5-jährige Thomas G. im Garten vor dem Haus der Familie G. in der Heinrich-Heinestr. 7. Thomas G. warf einen Ball auf die Straße. Der Junge lief zwischen den am Straßenrand geparkten Autos auf die Straße, um den Ball zu holen. Er wurde von einem von links kommenden Wagen angefahren. Thomas G. wurde mit schweren Verletzungen am linken Arm und am Kopf ins Krankenhaus gebracht.

Albert F., der Fahrer des Unfallwagens, sagte, er habe das Kind wegen der geparkten Autos nicht rechtzeitig gesehen und Thomas G. habe nicht nach links und rechts geschaut, bevor er auf die Straße gelaufen sei. Die Polizei prüft, ob Albert G. Alkohol getrunken hat.

## Text zum Übersetzen

Am Montagabend gegen 18.30 Uhr spielten der 4-jährige Changho Lee/Changho L. und seine 7-jährige Schwester Yumi auf dem Spielplatz des Usong-Apartments in Seochodong. Yumi warf einen Ball auf den neben dem Spielplatz liegenden Parkplatz. Changho Lee/Changho L. lief auf den Parkplatz, um den Ball zu suchen. Der Ball lag unter einem parkenden Auto. Als der Junge den Ball holen wollte, fuhr der Wagen plötzlich los. Changho Lee/Changho L. wurde mit leichten Kopfverletzungen ins Krankenhaus gebracht/wurde leicht am Kopf verletzt und ins Krankenhaus gebracht. Hana Kang/Hana K., die Fahrerin des Wagens, sagte, der Unfall sei ihre Schuld. Es sei dunkel gewesen und sie habe nicht nach hinten geschaut.

## Text zum Korrigieren

Unfall auf dem Weg zur Schule

Am Dienstagmorgen fuhr die Schülerin Christine B. um 7.00 Uhr mit dem Fahrrad zur

Schule. Als sie von der Gerberstraße in die Brinkmannstraße einbiegen wollte, wurde sie von einem Auto angefahren. Gerhard W., der Fahrer des Wagens, rief sofort einen Krankenwagen. Christine B. wurde mit einem gebrochenen linken Bein und Kopfverletzungen ins Krankenhaus gebracht.
Gerhard W. sagte, als er in die Brinkmannstraße einbog, sei das Mädchen plötzlich nach links zur Straßenmitte gefahren. Er habe nichts machen können, weil in dem Moment auf der linken Seite ein Bus gekommen sei. Es sei nicht seine Schuld gewesen.
Christine B. sagte, sie sei immer nur am Straßenrand gefahren. Herr W. habe nicht aufgepasst und sie angefahren.

## Lektion 12

**A1** 1. zu 2. zu, auf, auf 3. von, zu, nach 4. ins, nach, zum

**A2** 1. am wohlsten 2. Am liebsten 3. Am besten 4. Am häufigsten

**A3** 1. Ich war noch nie auf einer deutschen Hochzeit.
2. Er hat mir nie von seiner Studienzeit in Deutschland erzählt.
3. Ich habe sie mehrmals zum Essen eingeladen, aber sie hat meine Einladung immer abgelehnt.
4. Was schenkt man in Korea am häufigsten zur Hochzeit?

**A4** 1. dir das Geschenk gefällt.
2. sich die Kinder das, was sie brauchen, besorgen.
3. es mir meine Freunde geschenkt.
4. es mir mein Freund erklären kann.

**A5** Wenn ich mehr lernen würde, hätte ich bessere Noten. Wenn ich bessere Noten hätte, wären meine Eltern zufriedener. Wenn meine Eltern zufriedener wären, müsste ich nicht jeden Tag Nachhilfe bekommen. Dann hätte ich auch mehr Freizeit. Wenn meine

Eltern zufriedener wären, würden sie mir auch mehr Taschengeld geben. Wenn ich mehr Taschengeld und mehr Freizeit hätte, könnte ich jeden Tag ins Internet-Café gehen. Wenn ich jeden Tag ins Internet-Café gehen würde, hätte ich keine Zeit für die Hausaufgaben. Wenn ich keine Zeit für die Hausaufgaben hätte, würde ich wieder schlechtere Noten bekommen. Was soll ich nur tun?

## Text zum Ergänzen

Lieber Stefan,

Wie geht es dir? Ich hoffe, bei dir und Anne ist alles in Ordnung und euer Start-up läuft gut. Das Semester geht zu Ende, ich habe schon alle Klausuren hinter mir. Es wäre schön, wenn ich in allen Fächern eine gute Note bekommen würde. Ich habe auch ein ganz gutes Gefühl, denn ich habe mich diesmal sehr fleißig auf die Prüfungen vorbereitet. Und die Vorbereitung hat mir sogar viel Spaß gemacht, weil mir eine deutsche Kommilitonin dabei geholfen hat. Sie hat mir sogar ihre eigenen Seminarnotizen ausgeliehen, die eine große Hilfe für mich waren. Ohne ihre Notizen hätte ich sicher viele Probleme mit den Klausuren gehabt. Ich würde mich gerne bei ihr dafür bedanken, weiß aber nicht genau, wie. Deshalb wäre ich dir für einen Rat dankbar. Ich habe auch schon überlegt, worüber sie sich wohl freuen würde. Sollte ich sie vielleicht einmal zu Kaffee und Kuchen einladen? Oder wäre es besser, mich mit einem Strauß Blumen zu bedanken? Aber ich habe keine Ahnung, welche Blumen ihr gefallen könnten.
Ich wäre dir wirklich dankbar, wenn du mir einen Tipp geben könntest.

Herzliche Grüße
Taeho

## Text zum Übersetzen

Lieber Shinung,

ich kann dein Problem sehr gut verstehen, denn was Geldgeschenke betrifft, gehen die Meinungen auch in Deutschland auseinander. Manche Leute sagen, Geldgeschenke seien praktisch, weil sich der Beschenkte kaufen könne, was er wirklich braucht. Daher könne man mit einem Geldgeschenk nichts falsch machen. Mein kleiner Bruder Max, der noch das Gymnasium besucht, wünscht sich z.B. schon lange einen i-Pad. Der kostet aber ziemlich viel. Wenn er sein ganzes Taschengeld dafür sparen müsste, müsste er fast ein Jahr lang jeden Cent sparen/zur Seite legen. Deshalb wünscht er sich zu seinem Geburtstag von seinen Verwandten und Freunden Geld als Geschenk. Mich hat er sogar schon gefragt, wie viel ich ihm „schenken" würde!

Meiner Meinung nach ist ein Geldgeschenk zwar sehr vernünftig, weil man mit Geld das besorgen kann, was man wirklich haben will. Andererseits ist es aber auch langweilig und nicht persönlich. Ein echtes Geschenk sollte aber eine Überraschung sein. Und es sollte den Beschenkten (also deinen Freunden) auch zeigen, dass du dir Mühe gemacht hast und dich gefragt hast: „Was könnte Evi und Bendi am besten gefallen? Worüber würden sie sich am meisten freuen?" Meiner Meinung nach sind die Brautenten ein schöneres Geschenk als Geld, denn sie sind ein Symbol für Eheglück. Gibt es etwas Wichtigeres im Leben als Glück? Kann man mit Geld Glück kaufen?

Beste Grüße

Jonas

## Text zum Korrigieren

Lieber Taeho,

vielen Dank für deine Mail. Bei uns ist alles in Ordnung. Unser Start-up läuft besser, als wir gehofft haben. Ich hätte nie gedacht, dass sich noch so viele Leute für Kinderbücher interessieren würden, weil die meisten Kinder heutzutage schon einen eigenen Computer haben.

Schön, dass du jetzt alle Klausuren hinter dir hast. Du solltest dir jetzt wirklich eine Lernpause gönnen und dich erholen. Wie wäre es, wenn du für ein paar Tage nach Damme kommen würdest? Du könntest auch bei uns wohnen, da wir jetzt sogar ein Gästezimmer haben. Wenn du Lust hast, könntest du uns auch in unserem Buchladen helfen und z.B. die Kunden bedienen. Das wäre doch auch eine gute Gelegenheit, dein Deutsch noch weiter zu verbessern. Was meinst du dazu?

Nun zu deiner Frage. Ich habe einmal mit Anne darüber gesprochen. Sie meinte, dass sich deine Kommilitonin sicherlich über einen Blumenstrauß freuen würde, weil die meisten Frauen Blumen mögen. Auch eine Einladung zu Kaffee und Kuchen wäre okay und vielleicht am bequemsten. Ich habe aber noch eine andere Idee: Wie wäre es, wenn du für deine Kommilitonin kochen würdest? Natürlich ein koreanisches Gericht wie z.B. Bulgogi. Das hast du doch auch schon mal für uns gekocht und es hat sehr lecker geschmeckt. Außerdem wäre es ein etwas persönlicheres Dankeschön. Sie würde sich sicherlich auch sehr darüber freuen.

Ich habe nämlich den Eindruck, dass du die Kommilitonin mehr als nur „sehr nett" findest.

Überleg es dir mal!

Viele Grüße

Stefan

# 한-독 작문사전

교재의 내용과 수준에 맞춘 것으로, <독일어 작문 연습 I>의 <한-독 작문 사전>에 포함된 내용은 될 수 있는 대로 제외하였음

**가공 처리 (작업) die Bearbeitung**

**가구 das Möbel <보통 복수>**

새 가구를 사다 neue Möbel kaufen

가구를 재배치하다 die Möbel umstellen

**가까운 곳 die Nähe**

여기 가까운 곳에 은행이 있습니까? Gibt es hier in der Nähe eine Bank?

**가난한 arm (ärmer, ärmst-)**

부자들은 점점 더 부유해지고, 가난한 사람들은 점점 더 가난해진다. Die Reichen werden immer reicher und die Armen immer ärmer.

**가능하다 (시간이 되다) gehen**

너 월요일 가능하니? Geht es bei dir am Montag?

**가득 찬 voll**

가득 찬 옷장 ein voller Kleiderschrank

버스가 가득 차 있다(만원이다). Der Bus ist voll.

공원이 사람들로 가득 차 있다. Der Park ist voller Leute.

**가라앉다 sinken**

배가 폭풍 속에서 가라앉았다. Das Schiff ist im Sturm gesunken.

**가로수길 die Allee**

우리는 가로수길을 산책했다. Wir sind durch die Allee spaziert.

**가르치다 unterrichten, (jn. et.) lehren, jm. et. beibringen**

당신은 언제부터 독일어를 가르치고 있습니까? Seit wann unterrichten Sie Deutsch?

그는 나에게 철학을 가르쳤다. Er hat mich Philosophie gelehrt.

나의 교수님이 내게 훌륭한 독일어를 가르쳐주셨다. Mein Professor hat mir gutes Deutsch beigebracht.

**가리키다 (auf et.) zeigen, (jn. auf et.) hinweisen**

손가락으로 누구를 가리키는 것은 무례하다. Es ist unhöflich, mit dem Finger auf jemanden zu zeigen.

그가 내게 금지표지판을 가리켰다. Er hat mich auf das Verbotsschild hingewiesen.

**가방 (가죽이나 천으로 된) die Tasche, (보통 각이 지고, 딱딱한 재질로 된) der Koffer**

그 나이든 여성은 무거운 가방을 들고 있었다. Die alte Dame trug eine schwere Tasche.

여행 가방을 싸다 den Koffer für die Reise packen

호텔에서 우리는 우선 가방(들)을 풀었다. Im Hotel haben wir zuerst unsere Koffer ausgepackt.

**가버린/가버리고 없는/떠나고 없는 weg**

그는 벌써 가고 없다. Er ist schon weg.

**가성비가 좋은 günstig, preisgünstig → 유리한**

이것은 가성비가 좋은 상품이다. Das ist ein günstiges Angebot.

**가수 der Sänger**

유명한 가수 ein berühmter Sänger

내가 좋아하는 여가수의 포스터 ein Poster von meiner Lieblingssängerin

**가슴 das Herz**

그의 가슴이 기쁨으로 뛰고 있다. Sein Herz klopft vor Freude.

내 개가 죽었다. 가슴이 아프다. Mein Hund ist gestorben. Mein Herz tut weh.

그녀는 떨리는 가슴으로 시험 결과를 기다렸다. Sie wartete mit klopfendem Herzen auf das Ergebnis der Prüfung.

**가운데에 mitten**

시청은 시내 가운데 있다. Das Rathaus liegt mitten in der Stadt.

**가입신청서/신고서 das Anmeldeformular**

가입신청서를 요청하다 Anmeldeformulare anfordern

가입신청서를 보내달라고 부탁하다 um die Zusendung eines Anmeldeformulars bitten

가입신청서를 작성하다/서명하다 das Anmeldeformular ausfüllen/ unterschreiben

가입신청서를 회사로 보내다 das Anmeldeformular an die Firma schicken

**가져오다 (사서) holen**

냉장고에서 맥주 한 병 가져다줄래? Holst du mir bitte eine Flasche Bier aus dem Kühlschrank?

누구를 위해서 슈퍼마켓에서 설탕 1kg을 (사서) 가져오다 für jn. ein Kilo Zucker vom Supermarkt holen

**가져오다 (가져가기를 기다리고 있는 것을) abholen**

나는 우체국에서/프런트에서 소포를 가져와야 한다. Ich muss das Paket von der Post/an der Rezeption abholen.

**가족 휴가 der Familienurlaub**

올해 우리는 마침내 다시 가족 휴가를 간다. In diesem Jahr machen wir endlich mal wieder einen Familienurlaub.

**가죽 das Leder**

검은 가죽(으로 만든) 신발 Schuhe aus schwarzem Leder

가죽 가방 eine Ledertasche/ein Lederkoffer

**가지고 가다 mitnehmen**

비 올 거야. 우산 가지고 가. Es wird Regen geben. Nimm einen Regenschirm mit.

**간장 die Sojasoße**

국에 간장 한 숟가락을 넣어라. Gib einen Löffel Sojasoße in die Suppe.

간장 한 숟가락을 치다 einen Löffel Sojasoße hinzugeben

간장, 깨, 참기름 등으로 만든 소스 eine Soße aus Sojasoße, Sesamkörnern und Sesamöl

**간접 indirekt**

**간접화법 indirekte Rede**

다음 문장을 직접화법에서 간접화법으로 옮기시오. Setzen Sie den folgenden Satz von der direkten Rede in die indirekte Rede.

**간판 das Schild → 표지판**

**간호사 die Krankenschwester**

간호사가 환자의 열을 잰다. Die Krankenschwester misst dem Patienten Fieber.

**갈라지다 (의견이) auseinander gehen**

핵에너지와 관련하여 의견이 뚜렷이 갈라진

다. In Bezug auf die Atomenergie gehen die Meinungen stark auseinander.

**감사 (표현) das Dankeschön**

이것은 너의 도움에 대한 작은 감사(표현)이다. Das ist ein kleines Dankeschön für deine Hilfe.

너무 기쁜 나머지 감사하다는 말을 하는 것도 잊었다. Vor Freude habe ich sogar vergessen, Dankeschön zu sagen.

**감사하다/감사드리다 (누구에게 무엇에 대하여) jm. für et. danken, sich bei jm. für et. bedanken**

와주셔서 진심으로 감사합니다. Ich danke Ihnen ganz herzlich für Ihr Kommen.

도와주셔서/초대해주셔서 진심으로 감사드립니다. Ich bedanke mich ganz herzlich für Ihre Hilfe/Einladung.

**감사한 dankbar → 고마운**

**감염시키다 anstecken, infizieren**

그가 기침하여 나를 감염시켰다. Er hat mich mit seinem Husten angesteckt.

**감염되다 sich anstecken, sich infizieren**

그는 코로나바이러스에 감염되었다. Er hat sich mit dem Corona-Virus angesteckt/infiziert.

**감(정) das Gefühl**

갑자기 그녀에게 공포감이 엄습했다. Plötzlich überkam sie ein Gefühl der Angst.

MT가 '우리'라는 감정(일체감)을 강화한다고 한다. Membership Training soll das Wir-Gefühl stärken.

**감정 das Gefühl**

감정을 잘 표현하지 못하는 사람이 많다. Viele Menschen können ihre Gefühle nicht gut zum Ausdruck bringen.

나는 그에게 좋지 않은 감정이 있다. Ich habe ein ungutes Gefühl ihm gegenüber.

**값어치가 있다 sich lohnen → 의미가 있다**

**값이 ...이다 machen**

전부 얼마예요? Wie viel macht das zusammen?

10유로입니다. Das macht zehn Euro.

**강 der Fluss**

라인강은 폭이 넓은 강이다. Der Rhein ist ein breiter Fluss.

나는 한강에서 산책하는 것을 좋아한다. Ich gehe sehr gerne am Hangang/Han-Fluss spazieren.

이 강은 수영이 금지되어 있다. In diesem Fluss ist Schwimmen verboten.

한강은 서울을 관통해서 흐른다. Der Han-Fluss fließt durch Seoul.

독일의 경제 기적은 "라인강의 기적"이라고 불린다. Das deutsche Wirtschaftswunder wird das „Wunder vom Rhein" genannt.

**강둑, 강변 das Flussufer**

강둑/강변에 텐트를 치는 것은 금지되어 있다. Am Flussufer ist Zelten verboten.

**강의 die (Lehr)Veranstaltung, die Vorlesung**

나는 오늘 강의가 두 개 있다. Heute habe ich zwei Vorlesungen.

**강의/강좌목록 das Vorlesungsverzeichnis**

강의목록이 벌써 인터넷에 올라왔니? Steht das Vorlesungsverzeichnis schon im Internet?

**강의실 der Unterrichtsraum, der Vorlesungssaal**

**강좌 der Kurs**

나는 그 강좌에 등록했다. Ich habe mich für den Kurs eingeschrieben.

**강좌 수강료 die Kursgebühr**

강좌 수강료는 선지급이다. Die Kursgebühr ist im Voraus zu zahlen.

**같다 (...인 것) scheinen (zu ...)**

날씨가 좋아질 것 같다. Das Wetter scheint besser zu werden.

**개막식 die Eröffnungsfeier**

개막식에 많은 사람이 초대되었다. Zu der Eröffnungsfeier wurden viele Leute eingeladen.

**개발 die Entwicklung**

정부는 재생 에너지 개발에 투자한다. Die Regierung investiert in die Entwicklung erneuerbarer Energien.

**개발하다 entwickeln**

나는 새로운 방법을 개발하고 싶다. Ich möchte eine neue Methode entwickeln.

이 질병에 대한 백신이 빨리 개발되어야 한다. Es muss schnell ein Impfstoff gegen diese Krankheit entwickelt werden.

이론/프로그램을 개발하다 eine Theorie/ein Programm entwickeln

**개월의 (...) -monatig**

나는 6개월짜리 비자를 받았다. Ich habe ein 6-monatiges Visum bekommen.

**개인정보 die persönlichen Daten**

우리는 오로지 이 목적을 위해서만 귀하의 개인정보를 사용할 것입니다. Wir werden Ihre persönlichen Daten nur für diesen Zweck verwenden.

당신은 귀하의 개인정보를 업데이트해야 합니다. Sie müssen Ihre persönlichen Daten aktualisieren.

개인정보 보호 der Schutz persönlicher Daten

**개최되다 stattfinden**

그 축제는 테레지엔 초원에서 개최된다. Das Fest findet auf der Theresienwiese statt.

**거대한/매우 큰 riesig**

거대한/매우 큰 개 ein riesiger Hund

그 공원은 거대하다. Der Park ist riesig.

그가 선물로 내게 매우 큰 기쁨을 주었다. Er hat mir mit seinem Geschenk eine riesige Freude gemacht.

**거리 die Straße**

아이들이 길에서 놀고 있다. Die Kinder spielen auf der Straße.

이 길은 공사로 차단되었다. Diese Straße ist wegen Bauarbeiten gesperrt.

나는 매우 조용한 거리에 산다. Ich wohne in einer sehr ruhigen Straße.

**거실 das Wohnzimmer**

누구의 거실이 크다/큰 거실을 가지고 있다 ein großes Wohnzimmer haben

거실의 물건을 재배치하다 das Wohnzimmer umräumen

거실에서 커피를 마시다 im Wohnzimmer Kaffee trinken

그는 매일 저녁 거실 텔레비전 앞에 앉아있다. Er sitzt jeden Abend im Wohnzimmer vor dem Fernseher.

**거실 테이블 der Wohnzimmertisch**

우리는 새 거실 테이블을 사서 거실 가운데에 놓았다. Wir haben einen neuen

Wohnzimmertisch gekauft und ihn in die Mitte des Wohnzimmers gestellt.

**거의 안/없/못 kaum**

자유시간이 거의 없다 kaum Freizeit haben

(이제) 돈이 거의 없다 kaum noch Geld haben

거의 어려움이 없다 kaum Schwierigkeiten haben

그는 독일어를 거의 말하지 못한다. Er spricht kaum Deutsch.

시험 전에 나는 거의 잠을 자지 않았다. Vor der Prüfung habe ich kaum geschlafen.

**거행되다 stattfinden**

그 결혼식은 9월에 거행된다. Die Hochzeit findet im September statt.

**걱정 die Sorge**

걱정하지 마. 모두 잘 될 거야. Mach dir keinen Sorgen. Es wird schon alles gut gehen.

나의 어머니는 아직도 내 걱정을 한다. Meine Mutter macht sich immer noch Sorgen um mich.

나는 우리가 정시에 도착하지 못할까 봐 걱정이다. Ich habe die Sorge, dass wir nicht pünktlich ankommen.

**건너편에 drüben, auf der gegenüberliegenden Seite**

저 건너편에 있는 경찰관에게 물어보자. Fragen wir den Polizisten da drüben.

<gegenüber + 3격>

정류장은 박물관 건너편에 있다. Die Haltestelle ist gegenüber dem Museum.

역 건너편에 좋은 식당이 있다. Gegenüber dem Bahnhof gibt es ein nettes Restaurant.

**건물 das Gebäude**

이 건물은 언제 지어졌지? Wann wurde dieses Gebäude gebaut?

은행은 새 건물에 (들어)있다. Die Bank befindet sich in einem neuen Gebäude.

이 지역에서는 지난 몇 년 동안 많은 옛 건물이 철거되고 새 고층건물이 건설되었다. In diesem Viertel wurden in den letzten Jahren viele alte Gebäude abgerissen und neue Hochgebäude gebaut.

**건설 der Bau**

주택 건설 der Bau des Hauses, der Hausbau

공장 건설은 3년이 걸렸다. Der Bau der Fabrik hat drei Jahre gedauert.

**건설공사 die Bauarbeiten <보통 복수>**

주차가 건설공사 때문에 금지되었다. Das Parken ist wegen Bauarbeiten verboten.

**건설하다 bauen**

이 교회가 언제 건설되었지? Wann wurde diese Kirche gebaut?

**건조 der Bau**

선박 건조 der Bau von Schiffen, der Schiffsbau

**걸다 hängen (hängte, gehängt)**

그림을 소파 위에 걸다 das Bild über das Sofa hängen

사진을 벽에 걸다 das Foto an die Wand hängen

외투를 (옷) 장 속에 걸다 den Mantel in den Schrank hängen

나는 빨래를 빨랫줄에 걸었다. Ich habe die Wäsche auf die Leine gehängt.

**걸려있다 hängen (hing, gehangen)**

벽이 큰 포스터들이 걸려있다. An der Wand hängen große Poster.

블라우스가 (옷) 장 속에 걸려있다. Die Bluse hängt im Schrank.

**걸리다 (시간이) dauern**

비행시간이 얼마나 걸리지? Wie lange dauert der Flug?

대학 수학이 4년 걸린다. Das Studium dauert vier Jahre.

군 복무는 1년 반이 걸린다. Der Militärdienst dauert anderthalb Jahre.

**걸어서 걸리는 분 (시간) die Gehminute**

역은 우리 집에서 걸어서 5분 거리에 있다. Der Bahnhof ist nur fünf Gehminuten von unserer Wohnung entfernt.

대학에서 지하철역까지는 걸어서 3분이다. Von der Universität bis zur U-Bahnstation sind es nur drei Gehminuten.

**검-/검은 dunkel-**

검푸른 dunkelblau

검은 갈색의 dunkelbraun

**검사하다 prüfen**

그 기술자가 내 자동차를 검사한다. Der Techniker prüft mein Auto.

경찰은 그가 술을 마셨는지를 검사한다. Die Polizei prüft, ob er Alkohol getrunken hat.

**검토하다/확인하다 prüfen, überprüfen**

계산서를 검토하세요. Bitte prüfen/überprüfen Sie die Rechnung.

**것/뭔가 (불특정한 어떤) etwas**

여행에서 네게 주려고 뭔가를 가져왔다. Ich habe dir etwas von meiner Reise mitgebracht.

**것 (뭔가 ...) etwas + 형용사의 명사화**

나는 빨리 집에 돌아가야 해. 중요한 것을 놓고 왔어. Ich muss schnell nach Hause zurück. Ich habe etwas Wichtiges vergessen.

**것이다 (... ㄹ) werden <조동사: 미래>**

내년에 나는 대학에 갈 것이다. Nächstes Jahr werde ich auf die Universität gehen.

<화법 조동사 werden: 추측>

그는 벌써 집에 (와) 있을 거야. Er wird schon zu Hause sein.

모든 게 잘 될 거야. Es wird schon alles gut gehen.

**것이다 (누구의) gehören + 3격 목적어**

이 시계는 우리 할머니 것이다. Diese Uhr gehört meiner Oma.

이 소파는 우리 할아버지 것이었다. Der Sessel gehörte meinem Großvater.

**게다가 außerdem → 그밖에도**

그는 추웠다. 게다가 열도 있었다. Ihm war kalt. Außerdem hatte er Fieber.

자전거가 고장 났다. 게다가 페터의 다리가 부러졌다. Das Fahrrad war kaputt. Außerdem hat sich Peter das Bein gebrochen.

**게시판 das Schwarze Brett**

게시판에 붙일 쪽지를 쓰다 einen Zettel fürs Schwarze Brett schreiben

쪽지를 게시판에 붙이다 einen Zettel ans Schwarze Brett hängen

**게재하다 (광고를) (eine Anzeige/ein Inserat) aufgeben**

신문에 광고를 게재하다 eine Anzeige/ein Inserat in der Zeitung aufgeben

**겨울방학 die Winterferien**

겨울방학을 집에서 보내다 die Winterferien

zu Hause verbringen

나는 다음 학기에 쓸 돈을 좀 벌기 위하여 겨울방학에 아르바이트할 것이다. Ich werde in den Winterferien jobben, um etwas Geld für das nächste Semester zu verdienen.

**겨자 der Senf**

마요네즈를 겨자와 섞다 die Mayonnaise mit dem Senf mischen

겨자를 곁들인 소시지를 주세요. Ich hätte gern ein Würstchen mit Senf.

너는 겨자(를 친) 소시지와 케첩(을 친) 소시지 중 어떤 것을 더 좋아하니? Isst du lieber Würstchen mit Senf oder mit Ketschup?

**격노한/매우 화난 wütend, zornig, entrüstet**

나는 그에게 매우 화가 났었다. Ich war sehr wütend auf ihn.

그는 매우 화난 표정을 지었다. Er machte ein wütendes/zorniges/entrüstetes Gesicht.

그의 행동이 나를 몹시 화나게 했다. Sein Verhalten hat mich wütend gemacht.

**격자(로 된)망/창살 das Gitter**

**견고한/튼튼한 stabil**

견고한/튼튼한 재료 stabiles Material

견고한/튼튼한 나무로 만든 테이블 ein Tisch aus stabilem Holz

**견인하다/견인해 가다 abschleppen**

경찰이 그 차를 견인해 갔다. Die Polizei hat den Wagen abgeschleppt.

**결과 das Ergebnis**

건강검진 결과가 어땠어? Wie war das Ergebnis der Gesundheitsuntersuchung?

**결과 (후속) die Folge <보통 복수: -n>**

그 사고는 어떤 결과를 초래했는가? Welche Folgen hatte der Unfall?

**결석하다 fehlen**

어제는 학생 3명이 결석했다. Gestern haben drei Schüler gefehlt.

**결정하다 (무엇을 취하기로/하기로) sich für et. entscheiden, (무엇을 취하지 않기로) sich gegen et. entscheiden**

나는 독일에서 공부하기로 (결정)했다. Ich habe mich für das Studium in Deutschland entschieden.

나는 그 집을 사지 않기로 (결정)했다. Ich habe mich gegen den Kauf des Hauses entschieden.

오늘날 많은 젊은 부부가 아이를 갖지 않기로 (결정)한다. Heutzutage entscheiden sich viele junge Paare gegen Kinder.

**결혼생활의 행복 das Eheglück**

이것은 결혼생활의 행복을 상징하는 것이다. Das ist ein Symbol für (das) Eheglück.

**결혼식 die Hochzeit**

제 결혼식에 초대하고 싶습니다. Ich möchte Sie zu meiner Hochzeit einladen.

결혼을 축하합니다! Herzlichen Glückwunsch zur Hochzeit!

**결혼한 verheiratet**

결혼한 지 얼마나 됐지? Wie lange bist du schon verheiratet?

**경기 die Konjunktur**

정부는 경기를 활성화하려고 노력한다. Die Regierung versucht, die Konjunktur anzukurbeln.

**경영학 die Betriebswirtschaftslehre (= BWL)**

그는 미국에서 경영학을 공부했다. Er hat in

den USA BWL studiert.

**경우/상황 der Fall**

이런 경우에 뭘 할 수 있을까? Was kann man in einem solchen Fall machen/tun?

최악의 상황에 너는 시험을 다시 한번 봐야 한다. Im schlimmsten Fall musst du die Prüfung noch einmal machen.

코로나가 지속할 때(경우)에 우리는 우리의 행사를 연기해야 한다. Für den Fall, dass die Corona-Pandemie weiter anhält, müssen wir unsere Veranstaltung verschieben.

**경의를 표하며 <공식적인 편지의 끝인사> Hochachtungsvoll**

**경이로운/감탄스러운 erstaunlich**

그는 감탄스럽게 훌륭한 독일어를 구사한다. Er spricht erstaunlich gutes Deutsch.

**경이적인 wunderbar → 놀라운**

**경제 die Wirtschaft**

**경제 기적 das Wirtschaftswunder**

**경제독일어 das Wirtschaftsdeutsch**

**경제학 die Wirtschaftswissenschaft <보통 복수: -en>**

대학에서 경제학을 공부하다 Wirtschaftswissenschaften studieren

경제학 학업/수학 das Studium der Wirtschaftswissenschaften

**경치 die Landschaft → 자연경관**

**경험 die Erfahrung**

자기 직업에서 경험이 많다 viel Erfahrung in seinem Beruf haben

그는 아직 직업 경험이 없다. Er hat noch keine berufliche Erfahrung.

직업상의 경험: 다양한 회의와 박람회에서의 통역 Berufliche Erfahrungen: Dolmetschen bei verschiedenen Konferenzen und Messen

나는 독일에서 좋은 경험을 많이 했다. Ich habe viele gute Erfahrungen in Deutschland gemacht.

나는 경험상 외국 유학이 얼마나 어려운지 알고 있다. Ich weiß aus eigener Erfahrung, wie schwer das Studium im Ausland ist.

**계단 die Treppe**

계단을 오르다 die Treppe hochsteigen

계단을 올라가다/올라오다 die Treppe hinaufgehen/hinaufkommen

계단을 내려가다/내려오다 die Treppe hinuntergehen/herunterkommen

계단을 조심해서 내려가세요. 계단이 젖어있습니다. Gehen Sie bitte vorsichtig die Treppe hinunter. Die Stufen sind nass.

**계단의 단 die Stufe**

177개의 단으로 된 계단 eine Treppe mit 177 Stufen

세 번째 단에 서/멈춰서 있다 auf der dritten Stufe stehen/stehenbleiben

**계산(법) das Rechnen**

**계산대 die Kasse**

계산대에서 기다려야 하다 an der Kasse warten müssen

계산대 앞에 긴 줄이 있었다. Vor der Kasse gab es eine lange Schlange.

5번 계산대에서 계산하세요. Bitte bezahlen Sie an Kasse 5.

계산대에 줄을 서세요. Bitte stellen Sie sich an der Kasse an.

**계속 weiter**

계속 그렇게 게으름을 피우면, 너는 그 시험에 합격할 수 없다. Wenn du weiter so faul bist, kannst du die Prüfung nicht bestehen.
비가 계속 이렇게 세게 내리면 나는 지하철을 타겠다. Wenn es weiter so stark regnet, werde ich die U-Bahn nehmen.

**계속 (더) 공부하다 weiterstudieren**
나는 계속 더 공부해서 박사학위를 취득하고 싶다. Ich möchte noch weiterstudieren und meinen Doktor machen.

**계획 der Plan**
너 벌써 방학 계획 있니? Hast du schon einen Plan für die Ferien?
나는 독일에서 공부하려는 나의 계획을 포기해야 했다. Ich musste meinen Plan, in Deutschland zu studieren, aufgeben.

**계획하다 planen**
그녀는 유럽여행을 계획하고 있다. Sie plant eine Europareise.
나는 방학에 이탈리아어를 배울 계획이다. Ich plane, in den Ferien Italienisch zu lernen.
우리는 내년에 독일에 갈 계획이다. Wir planen, nächstes Jahr nach Deutschland zu fliegen.

**고급 과정 der Fortgeschrittenenkurs**

**고급의 fortgeschritten → 상급의**
이 과정에는 학생들이 벌써 꽤 고급 수준이다. In diesem Kurs sind die Schüler schon ziemlich fortgeschritten.

**고급자 der/die Fortgeschrittene → 상급자**
고급자를 위한 과정 ein Kurs für Fortgeschrittene

**고등학교 die Oberschule**
고등학교에 다니다 die Oberschule besuchen
고등학교에 진학하다/다니다 auf die Oberschule gehen
고등학교를 마치다 die Oberschule abschließen
고등학교를 준비하다 sich auf die Oberschule vorbereiten
고등학교 졸업 후(에) nach dem Abschluss der Oberschule

**고등학교 교과서 das Oberschullehrbuch**

**고등학교 시절 die Oberschulzeit**
고등학교 시절에 나는 수학에 별로 관심이 없었다. Während der Oberschulzeit habe ich mich nicht besonders für Mathematik interessiert.
나는 내 남편을 고등학교 시절에 벌써 알았다. Ich habe meinen Mann schon in der Oberschulzeit kennengelernt.
누구를 고등학교 시절부터 알다 jn. seit der Oberschulzeit kennen

**고마운**
내게 조언해줄 수 있다면 정말 고맙겠다. Ich wäre dir wirklich dankbar, wenn du mir einen Rat geben könntest.

**고무 der Gummi <항상 단수>**
고무신 Gummischuhe/Schuhe aus Gummi

**고아원 → 보육원**

**고장 난 kaputt**
내 핸드폰이 고장 났다. Mein Handy ist kaputt.
나는 고장 난 내 자전거를 수리 맡겼다. Ich habe mein kaputtes Fahrrad reparieren lassen.

**고전의 klassisch**

나는 고전 음악을 좋아한다. Ich mag klassische Musik.

나는 고전 중국어를 공부했다. Ich habe klassisches Chinesisch studiert.

**고추장 die Peperonipaste**

고추장 3숟가락을 집어넣다 drei Esslöffel Peperonipaste hinzugeben

고추장을 설탕 및 참기름과 섞다 die Peperonipaste mit Zucker und Sesamöl mischen

**고춧가루 das Peperonipulver**

고춧가루 한 자밤(꼬집)을 집어넣다 eine Prise Peperonipulver hinzugeben

**고층건물 das Hochhaus**

30층짜리 고층건물에 살다 in einem Hochhaus mit 30 Stockwerken wohnen

서울과 그 둘레에는 사방에 고층건물이 있다. In und um Seoul gibt es überall riesige Hochhäuser.

**고품질의 (qualitativ) hochwertig, von hoher Qualität**

고품질 합성수지로 만든 신발 Schuhe aus hochwertigem Kunststoff

고품질 재료 hochwertiges Material

고품질 카메라 eine hochwertige Kamera

**고향 도시 die Heimatstadt**

자기 고향 도시를 소개하다/묘사하다 seine Heimatstadt vorstellen/beschreiben

내 고향 도시는 서울이다. Meine Heimatstadt ist Seoul.

너의 고향 도시는 어디냐? Wo liegt deine Heimatstadt?

**고향 마을 das Heimatdorf**

추석에 자기 고향 마을을 방문하다 an Chuseok sein Heimatdorf besuchen

내 고향 마을은 제주도에 있다. Mein Heimatdorf liegt auf der Insel Jeju.

**곧바로 gleich**

아비투어를 마치고 곧바로 대학공부를 시작하다 nach dem Abitur gleich mit dem Studium beginnen

수업 후에 곧바로 집으로 가다 nach dem Unterricht gleich nach Hause gehen

곧바로 갈게. Ich komme gleich.

**곧이어서 (kurz) darauf**

그는 긴 소파에 누웠다. 곧이어서 바로 잠이 들었어. Er legte sich auf die Couch. Kurz darauf ist er schon eingeschlafen.

**골목길 die Gasse**

로텐부르크에는 아름다운 골목길이 많다. In Rothenburg gibt es viele schöne Gassen.

막다른 골목길 die Sackgasse

**공 der Ball**

공을 가지고 놀다 mit einem Ball spielen

공을 받다/던지다/가져오다 den Ball fangen/werfen/holen

가죽 공 ein Ball aus Leder

**공간 der Platz**

이제 내 방에는 공간이 더 많다. Ich habe jetzt mehr Platz in meinem Zimmer.

거실에는 그렇게 큰 장을 들여놓을 공간이 없다. Im Wohnzimmer gibt es keinen Platz für so einen großen Schrank.

**공간배치를 바꾸다 umräumen**

자기 방의 공간배치를 바꾸다 sein Zimmer

umräumen

거실의/집안 전체의 공간배치를 바꾸다 das Wohnzimmer/die ganze Wohnung umräumen

나는 서가에 있는 책들의 위치를 옮겨놓았다. Ich habe die Bücher im Regal umgeräumt.

**공공의/대중의 öffentlich**

이것은 공공시설이다. Das ist eine öffentliche Anlage.

대중교통 수단을 이용해야 한다. Man sollte öffentliche Verkehrsmittel benutzen.

**공식적인 formell, offiziell**

그는 공식 방문을 하였다. Er hat einen formellen Besuch gemacht/abgestattet.

나는 그 행사에 공식 초대를 받았다. Ich habe eine offizielle Einladung zur der Veranstaltung bekommen.

**공장 die Fabrik**

방학에는 공장에서 일했다. In den Semesterferien habe ich in einer Fabrik gearbeitet.

**공짜로 umsonst, gratis, kostenlos**

음료수와 아이스크림은 공짜다. Getränke und Eis gibt es umsonst.

인생에 공짜는 없다. 죽는 것도 삶을 대가로 치른다. Nichts im Leben ist umsonst. Selbst der Tod kostet das Leben.

**공항 der Flughafen**

당신은 지하철로 인천 국제공항에 갈 수 있습니다. Sie können mit der U-Bahn zum Internationalen Flughafen Incheon fahren.

너는 언제 프랑크푸르트 공항에 도착하니? Wann kommst du am Frankfurter Flughafen an?

내가 공항으로 마중 나갈게. Ich hole dich vom Flughafen ab.

**과/부/팀 die Abteilung**

영어과/부/팀에서 일하다 in der englischen Abteilung arbeiten

연구개발팀장이 누구지? Wer ist der Leiter der Abteilung für Forschung und Entwicklung?

**과거 die Vergangenheit**

과거에 in der Vergangenheit

아버지는 자신의 과거 이야기를 많이 하셨다. Mein Vater hat viel über seine Vergangenheit erzählt.

내 새 남자친구에게 나의 모든 과거를 이야기해야 할까? Sollte ich meinem neuen Freund alles über meine Vergangenheit erzählen?

옛 사진들이 나의 부모님의 과거를 말해준다. Alte Fotos erzählen aus der Vergangenheit meiner Eltern.

과거와 현재가 공존하고 있다. Vergangenheit und Gegenwart existieren nebeneinander.

**과거(시제) das Präteritum**

**과외 (수업) die Nachhilfe, der Nachhilfeunterricht**

(누구에게) 독일어 과외를 (제공)하다 (jm.) Nachhilfeunterricht in Deutsch geben

(누구에게) 수학 과외를 받다 Mathe-Nachhilfeunterricht/Nachhilfeunterricht in Mathe (von jm.) bekommen

그는 과외로 학비를 벌었다. Er hat sich die

Studiengebühren mit Nachhilfeunterricht verdient.

**과일 장수 der Obstverkäufer**

**관계 die Beziehung**

어떻게 남북관계를 개선할 수 있을까? Wie kann man die innerkoreanischen Beziehungen verbessern?

나는 부모님과 관계가 좋지 않다. Ich habe keine gute Beziehung zu meinen Eltern.

한 사회의 부와 출산율 사이에 관계가 있는가? Besteht eine Beziehung zwischen Wohlstand und Geburtenrate in einer Gesellschaft?

**관광객 der Tourist**

인사동에는 관광객을 위한 명소가 많다. In Insadong gibt es viele Sehenswürdigkeiten für Touristen.

**관람 die Besichtigung**

관람하다 eine Besichtigung machen

박물관 관람 die Besichtigung des Museums

프로그램에 성 관람이 들어있다. Auf dem Programm steht eine Schlossbesichtigung.

나는 성 관람에 참여했다. Ich habe an der Besichtigung des Schlosses teilgenommen.

나는 뮌헨 시내 관광을 하였다. Ich habe eine Besichtigungstour durch München gemacht.

**관련 der Betreff (Betr.)**

귀하의 2020년 7월 8월 서신과 관련하여 Betr.: Ihr Schreiben vom 8. 7. 2020

**관련하다 betreffen**

나와 관련해서 말하자면, 나는 그 세미나에 참여하고 싶지 않다. Was mich betrifft, möchte ich nicht an dem Seminar teilnehmen.

**관사 der Artikel**

**관사 오류 der Artikelfehler**

한국인 독일어 학습자는 관사 오류를 자주 한다. Koreanische Deutschlerner machen oft Artikelfehler.

**관심 das Interesse**

나는 독일 문학에 관심이 많다. Ich habe großes Interesse an der deutschen Literatur.

**관심이 있다 sich für et. interessieren**

유행/역사에 관심이 있다 sich für Mode/Geschichte interessieren

K팝에 관심이 있니? Interessierst du dich für K-Pop?

나는 아버지의 과거에 관심이 많다. Ich interessiere mich sehr für die Vergangenheit meines Vaters.

**관여된 beteiligt**

누가 그 사고에 관여되었느냐? Wer war an dem Unfall beteiligt?

**관점 die Perspektive**

내 관점에서는 그것을 이해할 수 없다. Aus meiner Perspektive kann ich das nicht verstehen.

이 이야기를 1인칭의 관점에서 말해보시오. Erzählen Sie diese Geschichte aus der Ich-Perspektive.

**관통하여 durch**

그 강은 도시 한가운데를 관통하여 흐른다. Der Fluss fließt mitten durch die Stadt.

**관하여 (...에) über <+ 4 격 목적어>**

네 고향 도시에 관해 이야기해 줘. Erzähl mir etwas über deine Heimatstadt.

**괄호 die Klammer**

올바른 낱말을 괄호 안에 넣으시오. Setzen Sie das richtige Wort in die Klammer.

**광경 der Blick**

호텔 창문을 통해서 멋진 바다 광경이 보인다. Vom Hotelfenster aus hat man einen schönen Blick aufs Meer.

**광고 das Inserat, die Anzeige, die Werbeanzeige**

구인광고 die Stellenanzeige

신문에서 광고를 읽다 eine Anzeige in der Zeitung lesen

광고에 응답하다 auf ein Inserat antworten

나는 인터넷에서 흥미로운 구인광고를 보았다. Ich habe eine interessante Stellenanzeige im Internet gesehen.

신문에 광고를 게재하다 ein Inserat in der Zeitung aufgeben/in die Zeitung setzen

이 웹사이트에는 집 광고가 많다. Auf dieser Webseite gibt es sehr viele Wohnungsinserate.

**광범위한 umfangreich**

DOS 분야의 광범위한 지식 umfangreiche Kenntnisse im Bereich DOS

그는 독일 역사에 관하여 광범위한 지식을 가지고 있다. Er besitzt ein umfangreiches Wissen über die deutsche Geschichte.

**괜히 umsonst → 헛수고인**

수업이 휴강이다. 괜히 학교에 왔다. Der Unterricht ist ausgefallen. Ich bin umsonst zur Uni gekommen.

**교부하다(→ 내주다)/발급하다 (인증서를) ausstellen**

누구에게 인증서를 교부하다 jm. ein Zertifikat/eine Bescheinigung ausstellen

제게 이 강좌의 참가 증서를 발급해주실 수 있습니까? Können Sie mir eine Teilnahmebescheinigung für diesen Kurs ausstellen?

**교수 der Professor (= Prof.), der Hochschullehrer**

그는 베를린 대학의 예술사 교수이다. Er ist Professor für Kunstgeschichte an der Universität Berlin.

**교수법 die Didaktik, die Lehrmethode**

**교실 das Klassenzimmer**

교실에 들어가다 ins Klassenzimmer gehen

교실에서 나오다 aus dem Klassenzimmer kommen

아이들은 쉬는 시간에 교실에 남아있을 수 없다. Die Kinder dürfen in der Pause nicht im Klassenzimmer bleiben.

**교육 내용 der Lehrstoff, der Lehrinhalt**

방학에는 이번 학기 교육내용을 복습할 것이다. In den Ferien werde ich den Lehrstoff dieses Semesters wiederholen.

**교육실습 das Lehrpraktikum, das Schulpraktikum**

교사 자격을 취득하기 위해서는 4주간의 교육실습을 해야 한다. Um die Lehrerqualifikation zu erwerben, muss man ein 4-wöchiges Lehrpraktikum/Schulpraktikum machen.

**교장 der Schuldirektor, der Direktor**

교장(선생님)에게 편지를 쓰다 einen Brief an den Direktor schreiben

(여) 교장 선생님께 허락을 요청하다 die Direktorin um Erlaubnis bitten

교장 선생님께서 전체 교사와 학생들 앞에서 연설하셨다. Der Schuldirektor hat vor allen Lehrern und Schülern eine Rede gehalten.

**교제 광고 die Kontaktanzeige**

우리는 교제 광고를 통해서 알게 되었다. Wir haben uns über eine Kontaktanzeige kennengelernt.

**교통 der Verkehr**

교통상황에 유의하다 auf den Verkehr achten

이 거리에는 항상 교통량이 많다. Auf der Straße ist immer viel Verkehr. (= Auf der Straße ist das Verkehrsaufkommen immer hoch.)

**교통 연결 die Verkehrsverbindung**

지방에는 교통 연결이 그다지 좋지 않은 경우가 종종 있다. Auf dem Land ist die Verkehrsverbindung oft nicht besonders gut.

**교환 프로그램 das Austauschprogramm**

교환 프로그램에 관심을 가지다 sich für ein Austauschprogramm interessieren

교환 프로그램에 참여하다 an einem Austauschprogramm teilnehmen

한 학생 교환 프로그램으로 미국에 가다 im Rahmen eines Schüleraustauschprogramms in die USA gehen

**교환학생 der Austauschschüler, 대학의 교환학생 der Austauschstudent**

**구경 die Besichtigung**

성 구경 die Besichtigung des Schlosses (= die Schlossbesichtigung)

도시 구경 die Besichtigung der Stadt (= die Stadtbesichtigung)

**구경거리 die Sehenswürdigkeit**

우리는 쾰른 대성당과 같은 유명한 구경거리를 관람했다. Wir haben berühmte Sehenswürdigkeiten wie den Kölner Dom besichtigt.

서울은 구경거리가 많은 것으로 잘 알려져 있다. Seoul ist bekannt für seine vielen Sehenswürdigkeiten.

**구(舊)도심 die Altstadt**

서울의 구도심은 전쟁 때 거의 완전히 파괴되었다. Die Seouler Altstadt wurde im Krieg fast völlig zerstört.

**구매하다 einkaufen, kaufen**

시장/백화점에서 구매하기를 더 좋아하다 lieber auf dem Markt/im Kaufhaus einkaufen

나는 백화점에서 물건 사기를 좋아하지만, 채소를 살 때는 시장을 더 선호한다. Ich kaufe zwar gerne im Kaufhaus ein, aber Gemüse kaufe ich lieber auf dem Markt.

**구석 die Ecke**

테이블을 구석에 두다 den Tisch in die Ecke stellen

구석에 소파가 있다. In der Ecke steht ein Sessel.

**구성요소 der Baustein**

텍스트 구성요소 Bausteine für den Text

**구역 das Viertel, das Gebiet**

북촌은 서울의 아름다운 옛 구역이다. Bukchon ist ein schönes altes Viertel in Seoul.

나는 이 구역을 잘 안다. Ich kenne mich in diesem Viertel sehr gut aus.

이 구역에는 고층건물이 많이 건설된다. In diesem Gebiet werden viele Hochhäuser gebaut.

**구인광고 die Stellenanzeige**

어제 나는 인터넷에서 흥미로운 구인광고를 발견했다. Gestern habe ich eine interessante Stellenanzeige im Internet gefunden.

**구(입)하다/사다 sich et. besorgen, (sich) et. kaufen**

나는 새 자동차를 사야 한다. Ich muss mir einen neuen Wagen besorgen.

그 약은 모든 약국에서 살 수 있습니다. Sie können sich das Medikament in jeder Apotheke besorgen/kaufen.

**구직 (원서) die Stellenbewerbung**

구직 서류를 준비할 때는 몇 가지 점에 주의해야 한다. Bei einer Stellenbewerbung sollte man einige Punkte beachten.

**구체적으로 말하자면 und zwar**

나는 일주일에 두 번 대학에 와. 구체적으로 말하자면 수요일과 금요일에. Ich komme zweimal in der Woche zur Uni, und zwar mittwochs und freitags.

**구해주다/마련해 주다 (누구에게 무엇을) jm. et. besorgen**

그는 내가 필요한 것을 모두 구해준다. Er besorgt mir alles, was ich brauche.

**국가 der Staat, das Land**

민주주의 국가 ein demokratischer Staat

**국가의 staatlich**

**국립의 staatlich**

그는 한 국립대학에서 공부한다. Er studiert an einer staatlichen Universität.

**국민 die Bevölkerung**

일반 국민이 부진한 경기에 고통을 받고 있다. Die einfache Bevölkerung leidet sehr unter der schwachen Konjunktur.

**국적 die Staatsangehörigkeit**

한국 국적을 가지다 die koreanische Staatsangehörigkeit haben/besitzen

독일인과 결혼하면 독일 국적을 취득할 수 있다. Wenn man eine Deutsche oder einen Deutschen heiratet, kann man die deutsche Staatsangehörigkeit erwerben/annehmen.

국적을 바꾸다 die Staatsangehörigkeit wechseln

나는 이중국적을 가지고 있는데, 구체적으로 말하자면 독일 국적과 한국 국적을 가지고 있다. Ich besitze eine doppelte Staatsangehörigkeit, und zwar die deutsche und die koreanische.

**국제(적) international**

적십자사는 국제기구이다. Das Rote Kreuz ist eine internationale Organisation.

내 운전면허증은 국제적으로 통용된다. Mein Führerschein ist international gültig.

**군대 das Militär**

나는 내년에 군대에 가야 한다. Ich muss nächstes Jahr zum Militär.

**군 복무 der Militärdienst**

나는 군 복무를 마쳤다. Ich habe meinen Militärdienst abgeleistet.

내 친구는 군 복무를 면제받았다. Mein Freund ist vom Militärdienst befreit.

한국의 군 복무 기간은 1년 반이다. Der Militärdienst in Korea dauert anderthalb Jahre.

**굽다 braten**

고기를 중간 불로 굽다 das Fleisch bei mittlerer Hitze braten
감자를 기름에 굽다 die Kartoffeln in Öl braten
너는 구운 생선을 더 좋아하니, 아니면 찐 생선을 더 좋아하니? Magst du lieber gebratenen oder gedünsteten Fisch?

**궁(궐) der Palast**
이 궁궐은 언제 건설되었지? Wann wurde dieser Palast gebaut?

**궁금하다 neugierig sein**
나는 그의 반응이 궁금하다. Ich bin neugierig auf seine Reaktion.
나는 그가 그것에 관해서 무어라고 말할지 궁금하다. Ich bin neugierig, was er dazu sagt.

**귀걸이 der Ohrring**
그녀는 큰 귀걸이를 착용하기를 좋아하다. Sie trägt gerne große Ohrringe.

**규칙 die Regel**
규칙을 지키세요. Bitte beachten Sie die Regeln.
예외 없는 규칙은 없다. Es gibt keine Regel ohne Ausnahme.

**그것으로 damit <부사: da + mit>**
그것으로 그녀는 나를 진정시키려고 했다. Damit wollte sie mich beruhigen.

**그곳의 dortig**
나는 아직 그곳 대학의 입학허가서가 필요하다. Ich brauche noch die Zulassung von der dortigen Universität.

**그다음에 danach <부사: da + nach>**

**그 당시 damals**
한국전쟁은 1953년에 끝났다. 그 당시 서울은 거의 완전히 파괴되었다. Der Koreakrieg endete 1953. Damals war Seoul fast völlig zerstört.

**그 뒤에 dahinter <부사: da + hinter>**
앞에는 내 여자 사촌이 서 있다. 그 뒤에 나의 아버지가 서 계신다. Vorne steht meine Cousine. Dahinter steht mein Vater.

**그(러는) 사이에 inzwischen → 그사이에**

**그럼에도 불구하고 (→ 그런데도) trotzdem**
비가 거세게 오고 있었다. 그런데도 그는 한사코 밖으로 나가려고 했다. Es regnete heftig. Trotzdem wollte er unbedingt nach draußen.

**그리다 zeichnen, malen**
방을 그리시오! Zeichnen Sie das Zimmer!
누가 이 도면을 그렸지? Wer hat diesen Plan gezeichnet?
그녀는 여가에 그림 그리는 것을 좋아한다. Sie malt gern in ihrer Freizeit.

**그렇지 않으면/않을 때 ansonsten**
항상 마스크를 써라. 그렇지 않으면 감염될 수 있어. Trag immer eine Maske. Ansonsten kannst du dich anstecken.

**그리스어 Griechisch**

**그리움 die Sehnsucht**
너에 대한 나의 그리움이 커. 어떻게 이 그리움을 달랠 수 있을까? Ich habe große Sehnsucht nach dir. Wie kann ich diese Sehnsucht stillen?

**그리워하다 vermissen**
네가 몹시 그리울 거야. Ich glaube, ich werde dich sehr vermissen.

**그림 die Abbildung**

3번 그림이 보여주는 것처럼 wie (die) Abbildung 3 zeigt

**그림 묘사 die Bildbeschreibung**

그림 묘사에서 볼 수 있는 것처럼 wie man an der Bildbeschreibung sehen kann

수업 중에 우리는 그림 묘사를 해야 한다. Im Unterricht müssen wir eine Bildbeschreibung machen.

**그래서 daher**

그래서 우리가 귀하의 허락을 요청하는 바입니다. Wir bitten Sie daher um Ihre Erlaubnis.

영어는 매우 중요하다. 그래서 나는 영국에서 어학코스에 다니고 싶다. Englisch ist sehr wichtig. Daher möchte ich einen Sprachkurs in England machen.

**그밖에도 außerdem → 게다가**

**그밖에 또 (다른) weiter-**

그밖에 또 질문이 있습니까? Haben Sie noch weitere Fragen?

**그사이에 inzwischen**

그사이에 어두워졌다. Inzwischen ist es dunkel geworden.

그사이에 달러 환율이 현저히 내려갔다. Inzwischen ist der Dollarkurs stark gesunken.

**그 위에 darauf <부사: da + auf>**

**그 전에 davor <부사>**

**그제 vorgestern**

너 그제 뭐 했니? Was hast du vorgestern gemacht?

**근처 die Nähe**

그는 내 근처 아주 가까운 곳에 산다. Er wohnt ganz in der Nähe von mir.

**금 das Gold**

이 반지 순금이야? Ist der Ring aus echtem Gold?

**금속 das Metall**

이 금속이 녹슬었다. Das Metall ist rostig.

이 금속은 녹슬지 않는다. Dieses Metall rostet nicht.

**금액이 (...)이다 machen**

모두 합쳐서 10유로이다. Das macht alles zusammen 10 Euro.

**금지된 verboten**

여기는 주차가 금지되어 있다. Hier ist Parken verboten.

그 영화는 금지되었다. Der Film wurde verboten.

**긍정적인 positiv**

나는 긍정적인 답을 기대한다. Ich hoffe auf eine positive Antwort.

그 말을 들었을 때, 나는 긍정적으로 놀랐다. Ich war positiv überrascht, als ich das hörte.

**기계공학 der Maschinenbau**

페터는 기계공학을 전공하고 엔지니어가 되었다. Peter studierte Maschinenbau und wurde Ingenieur.

**기관 die Institution**

공공기관들은 위기 상황에서 신속하게 대응해야 한다. Die öffentlichen Institutionen müssen in Krisen schnell reagieren.

여러 기관을 위해서 번역하다 Übersetzungen für verschiedene Institutionen machen

**기기 das Gerät**

그 기기가 이제 작동하지 않는다. Das Gerät funktioniert nicht mehr.

**기능하다/작동하다 funktionieren**

이 프로그램이 어떻게 작동하는지 아니?

Weißt du, wie dieses Programm funktioniert?

**기니 픽 das Meerschweinchen**

기니 픽을 가지다/기르다 ein Meerschweinchen haben

기니 픽 우리 der Käfig des Meerschweinchens

**기름 das Öl**

식용유 das Speiseöl

석유 das Erdöl

기름 가격(유가) der Ölpreis

**기본지식 die Grundkenntnis <보통 복수: -se>**

나는 프랑스어 기본지식만 갖추고 있다. Ich besitze nur Grundkenntnisse in Französisch.

당신은 빨리 독일어 문법의 기본지식을 습득해야 합니다. Sie müssen sich schnell die Grundkenntnisse der deutschen Grammatik aneignen.

**기사 die Nachrichten <항상 복수>**

학생들이 직접 기사를 쓴다. Die Schüler schreiben die Nachrichten selber.

나는 매일 아침 신문의 기사를 읽는다. Ich lese jeden Morgen die Nachrichten in der Zeitung.

**기숙사 das Wohnheim**

나는 기숙사에 방을 신청했다. Ich habe ein Zimmer im Wohnheim beantragt.

**기숙사 목록 die Wohnheimliste**

**기술(技術) die Technik, die Technologie**

한국은 과학과 기술에 투자를 많이 한다. Korea investiert viel in die Entwicklung von Wissenschaft und Technologie.

**기술(記述) die Beschreibung**

**기술하다 beschreiben**

당신의 경험을 기술하시오. Beschreiben Sie Ihre Erfahrungen.

독일의 학교 제도를 기술하시오. Beschreiben Sie das Schulsystem in Deutschland.

**기어오르다 klettern**

어렸을 때 나는 나무에 기어오르기를 좋아했다. Als Kind bin ich gerne auf Bäume geklettert.

그 도둑이 창문을 통해서 기어올랐다. Der Dieb kletterte durchs Fenster.

**기억 die Erinnerung**

나는 아직 어린 시절 기억이 많다. Ich habe noch viele Erinnerungen an meine Kindheit.

나는 독일 유학 시절에 관하여 좋은 기억만 가지고 있다. Ich habe nur schöne Erinnerungen an meine Studienzeit in Deutschland.

오늘 우리 만남은 오랫동안 내 기억에 남을 것이다. Unser Treffen heute wird mir noch lange in Erinnerung bleiben.

**기억하다 sich an et. erinnern**

나는 아직도 우리의 첫 만남을 기억하고 있다. Ich erinnere mich noch an unser erstes Treffen.

**기업 das Unternehmen**

나는 독일어 기업을 위한 번역을 많이 하였다. Ich habe viele Übersetzungen für deutsche Unternehmen gemacht.

그는 큰 기업에서 일한다. Er arbeitet bei einem großen Unternehmen.

정부가 중소기업을 지원한다. Die Regierung

unterstützt die kleinen und mittleren Unternehmen.
그 기업은 부도가 났다. Das Unternehmen ist bankrott gegangen.

**기진맥진한 erschöpft**
토론 후에 나는 완전히 기진맥진하였다. Nach der Diskussion war ich völlig erschöpft.

**기진맥진 die Erschöpfung**
그는 기진맥진하여 금방 잠이 들었다. Er ist vor Erschöpfung sofort eingeschlafen.

**기차 der Zug**
기차를 기다리다 auf den Zug warten
기차를 타다 den Zug nehmen
기차를 타고 가다 mit dem Zug fahren
기차를 놓치다 den Zug verpassen

**기초/초급 과정 der Grundstufenkurs**

**기초/초급 단계 die Grundstufe**

**기호 das Zeichen**
언어는 기호로 구성된다. Sprache besteht aus Zeichen.
너는 물을 표시하는 화학 기호를 아니? Kennst du das chemische Zeichen für Wasser?

**기혼의 verheiratet**
그녀는 기혼 여성이다. Sie ist eine verheiratete Frau.

**긴급한 dringend**
나는 긴급히 필요한 것만 산다. Ich kaufe nur, was ich dringend brauche.
너에게 급히 부탁할 일이 있다. Ich habe eine dringende Bitte an dich.
텔레비전에 속보가 나오고 있다. Es gibt eine dringende Nachricht (= eine Eilmeldung) im Fernsehen.

**길 der Weg, (도로) die Straße**
이 길이 시내로 갑니까? - 아니요, 다른 길로 가야 해요. Führt diese Straße in die Innenstadt? - Nein, da müssen Sie einen anderen Weg nehmen.
성공으로 가는 길 der Weg zum Erfolg
아직 먼 길입니다. Das ist noch ein langer Weg.
우리는 아직 갈 길이 멀다. Wir haben noch einen langen Weg vor uns.

**길 가운데 die Straßenmitte**
길 가운데로 (차를 몰고) 가다 zur Straßenmitte fahren
그 아이가 길 가운데에 멈춰 섰다. Das Kind blieb auf der Straßenmitte stehen.

**길가 der Straßenrand**
나는 길가에 잠깐 멈췄다. Ich habe kurz am Straßenrand angehalten.
그 경찰이 내게 길가로 차를 대라고 했다. Der Polizist forderte mich auf, an den Straßenrand zu fahren und zu halten.
길가에는 상인들이 신선한 과일과 음료수를 팔았다. Am Straßenrand verkauften Händler frisches Obst und Getränke.

**까지 (...) bis <종속접속사>**
내가 올 때까지 기다려. Bitte warte, bis ich zurückkomme.
bis <전치사>
나는 12월까지 독일에 머문다. Ich bleibe bis Dezember in Deutschland.

**깜짝 놀란 erschrocken**
나는 너무나 깜짝 놀라서 한마디 말도 할 수

없었다. Ich war so erschrocken, dass ich kein Wort mehr sagen/herausbringen konnte.

**깨 das Sesamkorn <보통 복수: -körner>**

그 소스를 만들기 위해서는 깨 두 숟가락이 필요하다. Für die Soße braucht man zwei Esslöffel Sesamkörner.

**깨끗하게 하다/다듬다 putzen**

샐러드/채소를 깨끗하게 다듬다 den Salat/das Gemüse putzen

**깨끗한 sauber**

한국에서는 고속도로 휴게소의 화장실도 깨끗하다. In Korea sind auch die Toiletten auf den Autobahnraststätten sauber.

나는 이제 깨끗한 셔츠가 없다. Ich habe kein sauberes Hemd mehr.

**깨우다 wecken**

내일 아침 5시에 나를 깨워줘. Weck mich morgen früh um 5 Uhr.

자명종이 매일 아침 7시에 나를 깨운다. Der Wecker weckt mich jeden Morgen um sieben.

해가 나를 깨웠다. Die Sonne hat mich geweckt.

**껍질 die Schale**

껍질도 먹을 수 있다. Auch die Schale kann man essen.

**껍질을 벗기다 schälen**

감자의 껍질을 벗기다 die Kartoffeln schälen

양파 껍질을 벗길 때, 눈물이 났다. Als ich die Zwiebeln schälte, kamen mir die Tränen.

달걀을 삶은 후 찬물에 넣으면 껍질이 더 쉽게 벗겨진다. Wenn man die Eier nach dem Kochen in kaltes Wasser legt, lassen sie sich leichter schälen.

나는 햇볕에 심하게 탔다. 내 피부 껍질이 벗겨졌다. Ich hatte einen starken Sonnenbrand. Meine Haut hat sich geschält.

**껍질을 벗긴 geschält**

껍질을 벗긴 달걀을 샐러드에 넣으시오. Geben Sie die geschälten Eier in den Salat.

**꼬집 (→ 자밤) (두세 손가락에 집히는 양) die Prise → 자밤**

소금 한 꼬집을 넣다 eine Prise Salz hinzugeben

**꼭대기 die Spitze**

우리는 산꼭대기까지 올라갔다. Wir sind bis zur Spitze des Berges gestiegen.

산꼭대기/산 정상 die Spitze des Berges

탑 꼭대기 die Spitze des Turms

**꽃 die Blume**

꽃이 들어있는 꽃병 eine Vase mit Blumen

테이블 위에 꽃이 한 송이 있다. Auf dem Tisch steht jetzt eine Blume.

누구에게 꽃을 선물하다 jm. eine Blume schenken

**꽃다발 der Blumenstrauß, der Strauß**

나는 꽃다발을 선물 받았다. Ich habe einen Blumenstrauß geschenkt bekommen.

**꿈 der Traum**

자기 꿈을 실현하다 seine Träume verwirklichen/erfüllen

내 꿈은 패션 디자이너가 되는 것이다. Mein Traum ist, Mode-Designer zu werden.

**꿈을 꾸다 träumen**

나는 항상 잠을 깊이 자고 꿈을 전혀 꾸지 않는다. Ich schlafe immer tief und träume nie.

어젯밤 나는 꿈에 친구를 보았다. Letzte Nacht habe ich von meinem Freund geträumt.
어젯밤 나는 나쁜 꿈을 꾸었다. Letzte Nacht habe ich schlecht geträumt.
그녀는 독일 유학을 꿈꾸고 있다 Sie träumt davon, in Deutschland zu studieren.

**끝 der Abschluss**
파티 끝에 집주인이 감사의 말을 하였다. Zum Abschluss der Party hat der Hausbesitzer eine Dankesrede gehalten.

**끝마치다 fertig sein**
잠깐만 기다려. 곧 끝나. Warte bitte einen Moment. Ich bin gleich fertig.
나는 내년에 대학공부를 끝마칠 것이다. Ich werde nächstes Jahr mit dem Studium fertig sein.
아직도 짐 풀기를 끝마치지 못했니? (→짐을 다 못 풀었니?) Bist du immer noch nicht mit dem Auspacken fertig?

**끼다 stecken bleiben → 박혀있다**
내 발이 문에 끼었다. Mein Fuß ist in der Tür stecken geblieben.

**끼어/박혀있다 stecken bleiben**
열쇠가 자물쇠에 박혔다. 빼내려고 할 때, 부러졌다. Der Schlüssel war im Schloss stecken geblieben. Als ich ihn rausziehen wollte, ist er abgebrochen.

**나간 (다른 사람에게 주고 없는)/양도된 vergeben**
그 집은 벌써 나갔다. Die Wohnung ist schon vergeben.

**나라 der Staat, das Land → 국가**

**나란히 nebeneinander**
옛것과 새것이 나란히 존재한다. Altes und Neues existieren nebeneinander.
나란히 서라! Stellt euch nebeneinander!

**나르다 (옮겨) tragen**
가방을 사무실로 나르다 die Koffer ins Büro tragen
호텔 종업원이 우리 짐을 방으로 날랐다. Der Portier hat unser Gepäck aufs Zimmer getragen.

**나무 (재질) das Holz**
단단한 나무로 만든 장롱 ein Schrank aus festem/stabilem Holz

**나무 (식물) der Baum**
사진 맨 왼쪽에 나무가 몇 그루 있다. Ganz links auf dem Bild/Foto gibt es einige Bäume.
나무를 심다/베다 einen Baum setzen/fällen
나무를 옮겨 심다 einen Baum umpflanzen

**나무의/로 만든 hölzern**
나무로 만든 탈 eine hölzerne Maske

**나중에 später**
나중에/이따 보자. Bis später!
나중에 전화할게. Ich rufe dich später an.
그녀는 나중에 영화를 만들고 싶어 한다. Sie möchte später Filme machen.

**날개 der Flügel**
내가 새라면, 그리고 두 날개가 있다면, Wenn ich ein Vöglein wär', und auch zwei Flügel hätt'...
그 독수리가 날개를 펼쳤다. Der Adler hat seine Flügel ausgebreitet.

**날다 fliegen**
새들이 남쪽으로 날아간다. Die Vögel fliegen

nach Süden.

하늘에 비행기가 한 대 날아간다. Am Himmel fliegt ein Flugzeug.

**날씬한 schlank**

그녀는 날씬한 몸매를 가지고 있다. Sie hat eine schlanke Figur.

그녀는 더 날씬해지려고 적게 먹는다. Sie isst wenig, weil sie noch schlanker werden will.

**남녀공학의 gemischt**

남녀공학의 학교 eine gemischte Schule

**남자 고등학교 die Jungenoberschule**

**남자 조카 der Neffe**

**남쪽 der Süden**

남쪽 지방에는 내일 비가 올 것이다. Im Süden des Landes wird es morgen regnen.

**남쪽의 südlich**

이탈리아는 독일의 남쪽에 있다. Italien liegt südlich von Deutschland.

그는 뮌헨에서 남쪽으로 30km 떨어진 작은 마을에서 태어났다. Er wurde in einem kleinen Dorf 30 km südlich von München geboren.

**낯선 fremd**

낯선 도시에서는 처음에 외로움을 느낀다. In einer fremden Stadt fühlt man sich anfangs einsam.

한 낯선 남자가 내게 너의 주소를 물었다. Ein fremder Mann hat mich nach deiner Adresse gefragt.

**내놓다 (음식을 상에) servieren**

고기를 채소와 함께 내놓다 das Fleisch mit Gemüse servieren

샐러드를 빵과 함께 내놓다 den Salat mit Brot servieren

**내용 der Inhalt**

다음 내용이 담긴 메일을 작성하시오. Schreiben Sie eine Mail, die folgende Inhalte enthält: ...

**내지/또는/거나 beziehungsweise (= bzw.)**

내 오래된 책들은 팔거나 선물했다. Meine alten Bücher habe ich verkauft bzw. verschenkt.

**냉장고 der Kühlschrank**

우유를 냉장고에 넣어라. Stell die Milch bitte in den Kühlschrank.

냉장고를 끊임없이 열지 마라. Mach nicht dauernd den Kühlschrank auf.

시원한 맥주를 냉장고에서 가져다줄까? Soll ich dir ein kühles Bier aus dem Kühlschrank holen?

**넘겨주다 (누구에게 무엇을) jm. et. überlassen → 맡기다**

방학 중에 내 방을 네게 3주간 넘겨줄 수 있다. In den Ferien kann ich dir mein Zimmer für drei Wochen überlassen.

**넘는 (... 이)/이상 über → 이상 (...)**

서울은 600년이 넘게 오래된 수도이다. Seoul ist eine über 600 Jahre alte Hauptstadt.

나는 오늘 30km 넘게/이상 걸었다. Heute bin ich über 30 Kilometer gelaufen.

우리 할아버지는 80세가 넘었으나 아직도 매우 정정하시다. Mein Großvater ist über 80 Jahre alt, aber immer noch sehr fit.

**넣다 (무엇을 어디에) (et. in et.) hineingeben**

간장 몇 방울을 국에 넣으시오. Geben Sie einige Tropfen Sojasoße in die Suppe hinein.

커피에 우유를 조금 넣으시오. Geben Sie etwas Milch in den Kaffee hinein.

**네 살의 vierjährig/4-jährig**

그녀에게는 네 살 난 딸이 있다. Sie hat eine vierjährige Tochter.

**년의 (...) -jährig**

내년에 우리는 우리 회사의 20년 존속을 기념한다. Nächstes Jahr feiern wir das 20-jährige Bestehen unserer Firma.

**노고/노력/수고 die Mühe**

귀하의 노고에 깊이 감사드립니다. Vielen Dank für Ihre Mühe.

우리는 목적 달성을 위해서 노력을 아끼지 않을 것이다. Wir werden keine Mühe scheuen, um unser Ziel zu erreichen.

**노래 das Lied**

누가 이 노래를 불렀지? Wer hat dieses Lied gesungen?

이 노래를 나는 오늘 처음 듣는다. Dieses Lied höre ich heute zum ersten Mal.

BTS의 노래가 빌보드 차트 1위에 올랐다. Das Lied von BTS ist auf Platz 1 der Billboard-Charts gelandet. (= ... liegt auf Platz 1 ...)

**노랫소리 der Gesang**

아침에 새들의 노랫소리가 나를 깨운다. Am Morgen weckt mich der Gesang der Vögel.

**노력 die Mühe → 노고**

그는 큰 노력을 기울였다. Er hat sich viel Mühe gegeben.

**노르웨이 (das) Norwegen**

**노벨상 der Nobelpreis**

올해 누가 노벨 문학상을 받았지? Wer hat dieses Jahr den Nobelpreis für Literatur bekommen?

**놀라운/경이적인 erstaunlich, wunderbar**

그것은 놀라운 스포츠 역량이다. Das war eine erstaunliche sportliche Leistung.

**놀라다 (뜻밖이라서) erstaunt sein**

그가 아직도 나를 기억해서 놀랐다. Ich war erstaunt, dass er sich noch an mich erinnern konnte.

나는 사람들이 얼마나 경솔한지 매번 놀란다. Ich bin immer wieder erstaunt darüber, wie leichtsinnig die Menschen sind.

**놀이터 der Spielplatz**

우리 아파트 단지에는 놀이터가 여러 개 있다. In unserem Apartmentkomplex gibt es mehrere Spielplätze.

**놓다 legen**

베개를 소파 위에 놓아라. Leg die Kissen aufs Sofa.

책을 책상 위에 놓아라. Leg die Bücher auf den Schreibtisch.

**누군가 jemand <부정대명사>**

오늘 누가 내게 전화했나요? Hat heute jemand für mich angerufen?

여기 누가 독일어 할 수 있나요? Kann hier jemand Deutsch sprechen?

**누리다 (무엇을) sich et. gönnen, et. genießen**

졸업시험이 끝나면 너는 휴가를 누릴 수 있다. Nach dem Examen kannst du dir ruhig einen Urlaub gönnen.

은퇴 후에 그는 편안하고 안정된 삶을 누린다. Nach der Pensionierung genießt er ein angenehmes und ruhiges Leben.

**뉴스 die Nachrichten <항상 복수>**

오늘 나는 아직 TV 뉴스를 못 봤다. Ich habe heute noch keine TV-Nachrichten gesehen.

뉴스에 그 사고에 대한 보도가 있었다. In den Nachrichten gab es einen Bericht über den Unfall.

**느낌 das Gefühl → 감**

여기는 어쩐지 느낌이 안 좋다. Ich fühle mich hier irgendwie nicht wohl.

**능력 die Fähigkeit, die Kompetenz**

그는 자기 능력을 과신하고 있다. Er überschätzt seine Fähigkeiten.

학생은 자신의 능력을 일찍 개발해야 한다. Die Schüler sollten ihre Kompetenzen frühzeitig entwickeln.

**다니다 (학교에) besuchen**

그녀는 서울에 있는 독일 학교에 다닌다. Sie besucht die Deutsche Schule in Seoul.

그들은 같은 고등학교에 다녔다. Sie haben die selbe Oberschule besucht.

**다듬다 putzen**

샐러드/채소를 깨끗하게 다듬다 den Salat/das Gemüse putzen

**다루다 (무엇을) mit et. umgehen**

내 친구는 이 컴퓨터 프로그램을 잘 다룬다. Mein Freund kann gut mit diesem Computerprogramm umgehen.

**다시 가져다 두다 zurückstellen**

사용한 책을 다시 서가에 가져다 두세요. Stellen Sie die benutzten Bücher bitte wieder ins Regal zurück.

**다시/도로 가져다주다 zurückbringen**

그 책을 도서관에 다시 가져다주어라. Bring das Buch in die Bibliothek zurück.

빈 병을 슈퍼마켓에 다시 가져다주면, 병 보증금을 받을 수 있다. Wenn du die leeren Flaschen in den Supermarkt zurückbringst, kannst du Flaschenpfand bekommen.

**다시/도로 가져오다 zurückbringen**

내일까지 그 책을 내게 다시 가져와라. 그 책이 필요해. Bring mir bitte das Buch bis morgen zurück! Ich brauche es.

**다음 nächst-**

다음 주 nächste Woche

다음 해/내년 nächstes Jahr

다음 여름은 분명히 옵니다! 우리의 에어컨 특별세일을 놓치지 마세요. Der nächste Sommer kommt bestimmt! Verpassen Sie nicht unser Supersonderangebot für Klimaanlagen.

**다양한 verschieden**

이 모델은 다양한 색이 있다. Dieses Modell gibt es in verschiedenen Farben.

**다음에/후에 (...) nachdem <종속접속사>**

초등학교를 마치고 (난 다음에) 나는 중학교에 다녔다. Nachdem ich die Grundschule abgeschlossen hatte, besuchte ich die Mittelschule.

베를린 장벽이 무너진 후에 많은 동독 사람이 서베를린으로 몰려갔다. Nachdem die Berliner Mauer gefallen war, strömten viele Ostdeutsche nach Westdeutschland.

**다음의 folgend**

다음 질문에 답하시오. Antworten Sie auf folgende Fragen: ...

다음 기사는 한반도의 현 상황을 다루고 있

다. Der folgende Artikel beschäftigt sich mit der aktuellen Lage auf der koreanischen Halbinsel.

**다지다 hacken**

양파를 다지다 die Zwiebeln hacken

마늘을 잘게 다지다 den Knoblauch fein hacken

**다진 gehackt**

다진 양파 die gehackten Zwiebeln

**다치다 sich verletzen, verletzt werden, verletzt sein**

나는 머리를 다쳤다. Ich habe mich am Kopf verletzt.

그녀는 손을 다쳤다. Sie hat sich an der Hand verletzt.

나는 팔을 다쳤다. Mein Arm ist verletzt.

그 자동차 사고에서 운전자와 동승자가 심하게 다쳤다. Bei dem Autounfall wurden der Fahrer und der Beifahrer schwer verletzt.

**다친/부상한 verletzt → 상처를 입은**

다친 운전사는 즉시 병원으로 이송됐다. Der verletzte Fahrer wurde sofort ins Krankenhaus gebracht.

**다투다 streiten**

그것에 대하여 다툰 뒤로 우리는 더는/다시 만나지 않았다. Nachdem wir darüber gestritten hatten, haben wir uns nicht mehr/wieder getroffen.

**단추 der Knopf**

금속으로 만든 단추 Knöpfe aus Metall

단추를 풀다/잠그다 den Knopf aufmachen/zumachen

단추를 달다 den Knopf annähen

단추/버튼을 누르다 auf den Knopf drücken

**닫다 zumachen, schließen**

문을 닫아라. Mach die Tür zu.

창문을 닫으시오. Schließen Sie bitte das Fenster.

**달걀 샐러드 der Eiersalat**

달걀 샐러드를 만들다 einen Eiersalat zubereiten/machen

달걀 샐러드 요리법 ein Rezept für Eiersalat

달걀 샐러드를 빵과 함께 내놓다 den Eiersalat mit Brot servieren

**담당자 der/die Zuständige**

**담당하는 (무엇/누구를) für et./jn. zuständig**

누가 담당 공무원입니까? Wer ist der zuständige Beamte?

이 사안을 담당하는 사람하고 이야기하고 싶다. Ich möchte mit jemandem sprechen, der für diese Angelegenheit zuständig ist.

**담요 die Decke**

침대 위에 따뜻한 담요가 있다. Auf dem Bett liegt eine warme Decke.

나는 항상 얇은 담요만 덮고 잔다. Ich schlafe immer nur mit einer dünnen Decke zugedeckt.

**답변하다 auf et. antworten, et. beantworten**

내 질문에 답변하세요. Beantworten Sie bitte meine Fragen.

이 질문에 대해서는 제가 답변드릴 수 없습니다. Auf diese Frage kann ich nicht antworten.

**당/매/마다 pro ...**

한 사람 당 pro Kopf/Person, 쪽 당 pro Seite, 매년 pro Jahr, 매월 pro Monat

전 세계적으로 매일 몇 사람이 태어나지? Wie viele Menschen werden pro Tag auf der Welt geboren?

**대도시 die Großstadt**

대도시에 살다 in der Großstadt leben

대도시로 이사하다 in die Großstadt ziehen

대도시 출신이다 aus der Großstadt kommen

3백만 명의 주민이 사는 대도시 eine Großstadt mit drei Millionen Einwohnern

나는 대도시 생활을 좋아하지 않는다. Ich mag das Großstadtleben nicht.

**대리 수업 die Unterrichtsvertretung**

나는 나를 대신하여 대리수업을 할 수 있는 사람을 찾고 있다. Ich suche jemanden, der für mich die Unterrichtsvertretung machen kann.

**대문 das Tor**

남대문은 서울의 4대문 중 하나이다. Das Namdaemun-Tor ist eins der vier Tore der Stadt Seoul.

**대성당 der Dom**

쾰른 대성당은 전 세계에서 유명하다. Der Kölner Dom ist in/auf der ganzen Welt berühmt.

**대신에 anstatt/statt + zu-Infinitiv**

끊임없이 불평하는 대신에 차라리 그 문제에 대해서 대책을 세워라. Anstatt dich dauernd zu beschweren, solltest du lieber etwas gegen das Problem tun.

<anstatt/statt + 2격 목적어>

모두 술 대신 차를 마셨다. Alle tranken nur Tee statt Wein.

그의 아내 대신에 그의 딸이 왔다. Anstatt seiner Frau kam seine Tochter.

카드가 35장 대신에 34장만 있다. Es gibt nur 34 statt 35 Karten.

오래된 빵 대신 신선한 빵을 집으세요. Nehmen Sie bitte das frische Brot statt des alten.

**대접 die Schüssel → 사발**

**대중의 öffentlich → 공공의**

대중의 의견을 듣다 die öffentliche Meinung hören

대중교통 der öffentliche Verkehr

대중교통 수단 das öffentliche Verkehrsmittel

**대학 die Hochschule**

대학에 다니다 die Hochschule besuchen

대학에서 공부하다 an der Hochschule studieren

대학 졸업 후에 나는 경제 분야에서 활동하고 싶다. Nach dem Abschluss der Hochschule möchte ich in die Wirtschaft gehen.

대학공부 das Hochschulstudium

전문대학 die Fachhochschule

**대학 간의 interuniversitär**

**대학교원 der Hochschullehrer**

그의 아버지는 대학교원이다. Sein Vater ist Hochschullehrer.

**대학교육 die Hochschulausbildung**

대학교육을 받다 eine Hochschulausbildung haben

**대학도시 die Universitätsstadt**

**대학 동창 der Studienkollege**

**대학 등록금 die Studiengebühr**

대학 등록금은 지난 몇 년 동안 인상되지 않

았다. Die Studiengebühren wurden in den letzten Jahren nicht erhöht.

**대학생 교환 der Studentenaustausch**

**대학생 원룸 아파트 das Studentenapartment**

**대학 수학 das Studium**

대학 수학을 시작하다 mit dem Studium beginnen

영어영문학 대학 수학을 마치다 das Studium der Anglistik abschließen

대학에서의 물리학 수학을 끝마치다 das Physikstudium beenden

대학 수학 이전에 vor dem Studium

대학 수학 동안에 während des Studiums

대학 수학 이후에 nach dem Studium

**대학 수학 시절 die Studienzeit**

나는 대학 수학 시절 절반을 미국에서 보냈다. Ich habe die Hälfte der Studienzeit in den USA verbracht.

**대학의 akademisch**

**대학 이력 akademische Laufbahn**

**대학입학시험 die Universitätsaufnahmeprüfung (= die Uniaufnahmeprüfung)**

대학입학시험을 준비하다 sich auf die Uniaufnahmeprüfung vorbereiten

대학입학시험을 위해서 공부하다 für die Uniaufnahmeprüfung lernen

대학입학시험에 합격하다 die Uniaufnahmeprüfung bestehen

대학입학시험에서 떨어지다 bei/in der Uniaufnahmeprüfung durchfallen

**대학 졸업(장) der Studienabschluss**

어떤 대학 졸업을 가지고 계십니까? (대학의 최종 학력이 어떻게 됩니까?) Was für einen Studienabschluss haben Sie?

이 대학의 졸업(장)은 국제적으로 인정된다. Der Studienabschluss dieser Universität wird international anerkannt.

그는 훌륭한 대학을 졸업했지만, 일자리를 구할 수 없었다. Er konnte trotz eines guten Studienabschlusses keine Stelle finden.

**대학 학업 시작 der Studienbeginn**

**대화를 나누다 sich unterhalten**

어머니께서 항상 오랫동안 전화로 친구와 대화를 나누신다. Meine Mutter unterhält sich immer lange am Telefon mit ihrer Freundin.

파티에서 나는 흥미로운 사람들과 대화를 나눴다. Auf der Party habe ich mich mit interessanten Leuten unterhalten.

**더블 침대 das Doppelbett**

**더욱 발전시키다 weiterentwickeln**

나는 내 독일어 실력을 더욱 발전시키고 싶다. Ich möchte meine Deutschkenntnisse weiterentwickeln.

나는 직업적으로 나를 더욱 발전시키고 싶다. (더욱 발전하고 싶다) Ich möchte mich beruflich weiterentwickeln.

**더위 die Hitze**

나는 이 더위를 도무지 견딜 수 없다. Ich kann diese Hitze einfach nicht ertragen.

더위가 나를 완전히 지치게 한다. Die Hitze macht mich fix und fertig.

**던지다 werfen**

그는 자기 아들이 도로로 던진 공을 가져온다. Er holt den Ball, den sein Sohn auf die Straße geworfen hat.

그는 편지를 열어보지 않은 채 휴지통에 던졌다. Er warf den Brief ungeöffnet in den Papierkorb.

**덮인 (구름에) bedeckt**

하늘이 구름에 덮였다. Der Himmel ist bedeckt.

**데려오다 abholen**

누가 우리 손님을 공항에서 데려오지? Wer kann unseren Besuch vom Flughafen abholen?

**데리고 가다 mitnehmen**

나를 파티에 데리고 갈 수 있겠니? Kannst du mich auf die Party mitnehmen?

너를 시내에 데리고 가줄까? (데려다줄까?) Soll ich dich in die Stadt mitnehmen?

**데이터 die Daten <항상 복수> → 정보**

개인에 관한 데이터/인적사항 persönliche Daten

자신의 데이터를 제시하다 seine Daten angeben

**데이터 처리 die Datenverarbeitung**

**도달하다 erreichen**

우리가 목적지에 오늘 안으로 도달할 수 있을까? Können wir unser Ziel heute noch erreichen?

그는 애를 썼지만, 목표에 도달하지 못했다. Trotz seiner Anstrengungen hat er sein Ziel nicht erreicht.

**도대체 denn, bloß, nur**

너 지금 도대체 어디 있니? Wo bist du denn jetzt?

**도로 die Straße**

도로가 홍수로 차단되었다. Die Straße ist wegen des Hochwassers gesperrt.

**도로 가운데 die Straßenmitte**

**도보여행 신발 die Wanderschuhe**

가죽으로 만든 튼튼한 도보여행 신발 stabile Wanderschuhe aus Leder

치수 42의 도보여행 신발 Wanderschuhe in Größe 42

**도서관 die Bibliothek**

도서관에서 책을 몇 권 빌리고 싶다. Ich möchte einige Bücher aus der Bibliothek ausleihen.

**도서 박람회 die Buchmesse**

작년에 나는 프랑크푸르트 도서 박람회에 갔었다. Letztes Jahr habe ich die Frankfurter Buchmesse besucht.

올해는 코로나 19 때문에 프랑크푸르트 도서 박람회가 온라인으로만 열릴 수 있었다. In diesem Jahr konnte die Frankfurter Buchmesse wegen Covid 19 nur online stattfinden.

**도시 묘사 die Stadtbeschreibung**

도시 묘사를 하다 eine Stadtbeschreibung machen

**도시의 한 지역 der Stadtteil**

도시 한 지역 전체를 바자에 초대하다 den ganzen Stadtteil zum Basar einladen

도시의 부유한 지역에 살다 in einem reichen Stadtteil wohnen

**도움 die Hilfe**

나는 당신의 도움이 급히 필요합니다. Ich brauche dringend Ihre Hilfe.

도움을 요청해도 되겠습니까? Darf ich Sie um Ihre Hilfe bitten?

내가 그에게 도움을 제안했지만, 그는 내 도움을 받으려 하지 않았다. Ich habe ihm meine Hilfe angeboten, aber er wollte meine Hilfe nicht annehmen.

**도착시각 die Ankunftszeit**

도착시각을 알려주세요. Lassen Sie mich Ihre Ankunftszeit wissen.

**도취한 begeistert → 신이 나서, 반하다**

학생들은 그 생각에 도취하였다. Die Schüler sind von der Idee begeistert.

**도표 die Tabelle**

도표는 2000년 이후의 인구 변화를 보여준다. Die Tabelle zeigt die Bevölkerungsentwicklung seit 2000.

**도표(식으)로 작성된 tabellarisch**

도표로 작성된 이력서 ein tabellarischer Lebenslauf

**독어독문학 die Germanistik**

**독일 (das) Deutschland**

우리는 독일 전역을 여행하였다. Wir sind durch ganz Deutschland gereist.

**독일어 교사 der Deutschlehrer**

**독일어 교사 양성 교육 die Deutschlehrerausbildung**

**독일어 교사 자격 die Deutschlehrerqualifikation**

**독일어 수업 der Deutschunterricht**

재미있는 독일어 수업을 하다 interessanten Deutschunterricht machen

나는 독일어 수업 시간에 가끔 잠이 들었다. Ich bin im Deutschunterricht manchmal eingeschlafen.

나는 뮐러 교수님의 독일어 수업에서 많은 것을 배웠다. Ich habe im Deutschunterricht von Herrn Prof. Müller viel gelernt.

**독일어의 deutschsprachig**

독일어 사용지역에서는 다양한 방언이 사용된다. Im deutschsprachigen Raum werden verschiedene Dialekte gesprochen.

**독일여행 die Deutschlandreise**

나는 독일여행을 준비하고 있다. Ich bereite mich auf meine Deutschlandreise vor.

나는 독일여행에서 사진을 많이 찍었다. Ich habe auf der Deutschlandreise viele Fotos gemacht.

독일여행 중에 내 카메라를 도둑맞았다. Während meiner Deutschlandreise wurde meine Kamera gestohlen. (= ... wurde mir die Kamera ...)

**독일 연방정부 die (deutsche) Bundesregierung**

(독일) 연방정부는 세금을 인하하려고 한다. Die Bundesregierung will die Steuern senken.

(독일) 연방정부는 핵발전에서 탈피하고자 한다. Die Bundesregierung will aus der Atomkraft aussteigen.

**독해력 das Leseverständnis**

**돌려받다 zurückbekommen**

나는 그에게 빌려준 돈을 끝까지 돌려받지 못했다. Ich habe das Geld, das ich ihm ausgeliehen hatte, nie zurückbekommen.

**돌보다 (누구를/무엇을) jn./et. betreuen, auf jn. aufpassen)**

당신이 출근하면 누가 아이들을 돌봅니까? Wer betreut Ihre Kinder, wenn Sie zur Arbeit gehen?

나는 오늘 저녁에 내 여동생을 돌봐야 한다. 나의 부모님께서 연극을 보러 가시기 때문이다. Ich muss heute Abend auf meine kleine Schwester aufpassen, weil meine Eltern ins Theater gehen.

나는 슈미터 교수님께 박사 논문을 돌보아/지도해달라고 부탁했다. Ich habe Herrn Prof. Schmitter gebeten, meine Doktorarbeit zu betreuen.

**돌봄 die Betreuung**

**돌아가기 (차량으로) die Rückfahrt**

한국으로 돌아가기 전에 vor der Rückkehr nach Korea

고향으로 돌아간 후에 계속해서 독일어를 공부하다 nach der Rückkehr in die Heimat weiter Deutsch lernen

돌아가기 전에 가이드는 참가자 수를 세었다. Vor der Rückfahrt zählte der Reiseleiter die Teilnehmer.

돌아가는 길은 오래 걸렸다. Die Rückfahrt dauerte lange.

사고는 돌아가는 길에 발생했다. Der Unfall passierte auf der Rückfahrt.

**돌아가다 zurückgehen, zurückkehren, (비행기를 타고) zurückfliegen**

집으로 돌아가다 nach Hause zurückgehen

아비투어 후에 한국으로 돌아가다 nach dem Abitur nach Korea zurückkehren

**돌아가시다 sterben**

나의 할머니는 작년에 돌아가셨다. Meine Großmutter ist letztes Jahr gestorben.

나의 장인은/시아버지는 암으로 돌아가셨다. Mein Schwiegervater ist an Krebs gestorben.

**돌아서 들어가다 einbiegen**

오른쪽 비스마르크슈트라세로 돌아서 들어가세요. Biegen Sie nach rechts in die Bismarckstraße ein.

게르버슈트라세에서 브린크만슈트라세로 돌아서 들어가세요. Biegen Sie von der Gerberstraße in die Brinkmannstraße ein.

내가 그 길로 돌아서 들어가려고 했을 때, 한 아이가 갑자기 길로 뛰어들었다. Als ich in die Straße einbiegen wollte, lief plötzlich ein Kind auf die Straße.

**돌아오다/가다 zurückkehren/-kommen**

**동료 (직장) der Kollege/die Kollegin**

나는 내 동료들과 아주 잘 지낸다. Ich verstehe mich mit meinen Kollegen sehr gut.

**동봉하다 beilegen, anbei legen → 동봉하여**

독일여행 사진 한 장을 동봉한다. Ich lege ein Foto von meiner Deutschlandreise bei.

**동봉하여 (편지, 메일에) anbei**

제 이력서와 증명서를 동봉합니다. Anbei lege ich meinen Lebenslauf und meine Zeugnisse.

**동안에 während + 2격 목적어**

방학 동안에 während der Ferien

대학 수학 동안에 während des Studiums

<während: 종속접속사>

내가 요리하는 동안에, 네가 상을 차리면 좋겠다. Während ich koche, kannst du schon einmal den Tisch decken.

**동쪽 der Osten**

미국 동부에는 유명한 대학이 많이 있다. Im Osten der USA gibt es viele berühmte Universitäten.

**동화책 das Märchenbuch**

내가 어렸을 때, 어머니가 매일 저녁 내게 동화책을 읽어주셨다. Als ich klein war, hat mir meine Mutter jeden Abend aus dem Märchenbuch vorgelesen.

**동행하다 begleiten → 함께 가(주)다**

연주회에 나를 동행할래? - 그래, 기꺼이 함께 갈게. Begleitest du mich zum Konzert? - Ja, ich komme gerne mit.

**두건 das Kopftuch**

우리 할머니께서는 밭일하실 때 항상 두건을 쓰셨다. Meine Großmutter trug bei der Feldarbeit immer ein Kopftuch.

**두근거리다 klopfen**

그녀를 보면 내 가슴이 두근거린다. Mein Herz klopft, wenn ich sie sehe.

내 가슴은 기쁨에 두근거린다! Mein Herz klopft vor Freude!

그녀는 두근거리는 가슴으로 그를 기다린다. Sie wartet mit klopfendem Herzen auf ihn.

**두다 (물건을 ...에 세워) stellen**

그 커피 테이블 위에 둬. Stell bitte den Kaffee auf den Tisch.

책을 서가에 두다 die Bücher ins Regal stellen

스탠드를 테이블 위에 두다 die Lampe auf den Tisch stellen

(뉘어/펼쳐 두다/놓다) legen

신문을 테이블 위에 두다 die Zeitung auf den Tisch legen

이불을 소파 위에 두다 die Decke aufs Sofa legen

**두드리다 klopfen**

안으로 들어가기 전에 문을 두르려야 한다. Bevor man eintritt, sollte man an die Tür klopfen.

문에서 두드리는 소리가 났지만, 아무도 보이지 않았다. Es hat an der Tür geklopft, aber es war niemand zu sehen.

그가 내 어깨를 두드렸다. Er hat mir auf die Schulter geklopft.

**두려움 die Angst**

다른 아이들에 대하여 두려움을 가지다 vor den anderen Kindern Angst haben

개가 두렵다/무섭다. vor Hunden Angst haben

나는 독일어 시험이 두렵다. Ich habe Angst vor der Deutschprüfung.

나는 일자리를 잃을까 봐 두렵다. Ich habe Angst um meine Stelle.

**두 번 zweimal**

나는 두 번 반(여자)대표였다. Ich war zweimal Klassensprecherin.

그는 독일에 벌써 두 번 갔었다. Er war schon zweimal in Deutschland.

**둘째로 zweitens**

**뒤로/에 hinter + 4격 목적어**

너의 아버지 뒤로 가서 서라. Stell dich hinter deinen Vater.

**뒤에 hinter + 3격 목적어**

내 여자 사촌 뒤에 내 고모가 서 있다. Hinter meiner Cousine steht meine Tante.

**뒤(쪽에) hinten**

뒤를 돌아보지 마라. Schau nicht nach hinten.

교실 뒤 아주 왼쪽에 내 친구 욕핸이 앉아있다. Hinten ganz links im Klassenzimmer sitzt mein Freund Jochen.

**듣다 (귀 기울여) zuhören**

내 말을 (귀 기울여) 잘 들으세요! Hören Sie mir bitte ganz genau zu!

학생들이 내 말을 매우 흥미롭게 (귀 기울여) 들었다. Die Schüler haben mir sehr interessiert zugehört.

**들고 있다 tragen**

그녀는 무거운 쇼핑백을 들고 있다. Sie trägt eine schwere Einkaufstasche.

**들르다 vorbeischauen, vorbeigehen**

집에 가는 길에 네게 잠깐 들를게. Auf dem Weg nach Hause werde ich kurz bei dir vorbeischauen.

내게 들러 커피 한 잔 마시고 가. Schau doch auf einen Kaffee bei mir vorbei.

**들어 나르다 tragen**

가방을 방으로 들어 나르시오. Tragen Sie bitte die Koffer ins Zimmer.

**등산화 die Wanderschuhe**

도보여행을 위해서는 튼튼하고 편안한 등산화를 신어야 한다. Für eine Wanderung sollte man feste und bequeme Wanderschuhe anziehen.

**디자이너 der Designer**

그녀는 패션 디자이너가 되고 싶어 한다. Sie möchte Mode-Designerin werden.

나의 꿈의 직업은 디자이너이다. Mein Traumberuf ist Designer.

**디자인 das Design**

디자인을 (대학에서) 공부하다/전공하다 Design studieren

디자인 수학 das Design-Studium

디자인에 관심을 가지다 sich für Design interessieren

너의 새 안경 디자인이 멋있다. Das Design deiner neuen Brille finde ich schick.

**디자인 사무실 das Designbüro**

**따로따로 getrennt, separat → 분리하여**

우리는 따로따로 계산합니다. Wir zahlen getrennt.

**때 als**

내가 6살이었을 때, 우리 가족은 서울로 이사했다. Als ich sechs Jahre alt war, zog meine Familie nach Seoul.

**때문에 wegen + 2격 목적어, weil <종속접속사>, denn <대등접속사>**

감기(에 걸렸기) 때문에 나는 오늘 출근하지 않는다. Wegen der Erkältung gehe ich heute nicht zur Arbeit./Ich gehe heute nicht zur Arbeit, weil ich erkältet bin./Ich gehe heute nicht zur Arbeit, denn ich bin erkältet.

**떠나(가)고 없는 weg**

그는 벌써 가고 없다. Er ist schon weg.

많은 학생이 방학 중에 떠나고 없다. Viele Studenten sind während der Ferien weg.

**떨다 (몸을) zittern**

그는 추워서/두려워서 온몸을 떨었다. Er zitterte vor Kälte/Angst am ganzen Körper.

**떨리다**

긴장하여 그의 목소리가 떨렸다. Seine Stimme zitterte vor Nervosität/Anspannung.

그가 그 편지를 읽을 때 손이 떨렸다. Seine Hände zitterten, als er den Brief las.

**떨어지다 (물체가 아래로) fallen**

나뭇잎이 떨어진다. Die Blätter fallen.

떨어지는 나뭇잎 fallende Blätter

눈이 떨어진다. Der Schnee fällt.

그 돈이 내 주머니에서 떨어졌다. Das Geld ist mir aus der Tasche gefallen.

**떨어지다 (시험에서) (bei/in der Prüfung) durchfallen, durch die Prüfung fallen**

나는 그 시험에서 떨어졌다. Ich bin durch die Prüfung gefallen./Ich bin bei der Prüfung durchgefallen.

**뛰어가다 rennen**

버스정류장으로 뛰어가다 zur Bushaltestelle rennen

아이들이 빨간 불에 길을 건너 뛰어갔다. Die Kinder sind bei Rot über die Straße gerannt.

**뛰어난 vorzüglich, ausgezeichnet, hervorragend**

그 음식은 맛이 뛰어났다. Das Essen schmeckte vorzüglich.

그의 독일어는 뛰어나다. Sein Deutsch ist ausgezeichnet.

그녀는 발음이 뛰어나다. Sie hat eine hervorragende Aussprache.

**라고 하다 (소문에/사람들이 ...) sollen ...**

크리스마스에 눈이 내릴 것이라고 한다. Zu Weihnachten soll es schneien/Schnee geben.

앞으로 10년 동안 더 많은 집이 건설될 것이라고 한다. In den nächsten zehn Jahren sollen mehr Wohnungen gebaut werden.

**라디오 das Radio**

라디오를 듣다 Radio hören

그 소식을 라디오에서 들었다. Ich habe die Nachricht im Radio gehört.

서가 위에 내 오래된 라디오가 있다. Auf dem Regal steht mein altes Radio.

**라디오 방송 die Radiosendung**

누가 이 인기 있는 라디오 방송을 진행하지? Wer moderiert diese beliebte Radiosendung?

**라틴어 (das) Latein**

**러시아 (das) Russland**

**로/로서 (...) als**

여름방학 때 그는 여행안내자로 일한다. In den Sommerferien arbeitet er als Reiseleiter.

그녀는 패션 디자이너로서 전 세계에 잘 알려져 있다. Sie ist als Mode-Designerin weltweit sehr bekannt.

**리터 Liter (l)**

우유 1리터 ein Liter Milch

스파게티를 소금물 2리터에 끓이세요. Kochen Sie die Spaghetti in zwei Liter Salzwasser.

**마녀 die Hexe**

사악한 늙은 마녀 eine böse alte Hexe

**마늘 der Knoblauch**

마늘 껍질을 벗겨 잘게 다지다 den Knoblauch schälen und klein hacken

다진 마늘 한 스푼을 집어넣다 einen Teelöffel gehakten Knoblauch hinzugeben

**마련해주다 (누구에게 무엇을) jm. et. besorgen → 구해주다**

그가 자기 친구에게 일자리를 마련해 주었다. Er hat seinem Freund eine Stelle besorgt.

**마요네즈 die Mayonnaise**

마요네즈를 파인애플 주스와 섞다 die Mayonnaise mit dem Ananassaft mischen

**마을 das Dorf**

이 마을에서는 아무 일도 일어나지 않는다.

In diesem Dorf ist nichts los.

나는 이 마을에서 태어나서 자랐다. Ich bin in diesem Dorf geboren und aufgewachsen.

**마주치다 (누구와) jm. begegnen**

우리는 복도에서 자주 마주쳤다. Wir sind uns häufig auf dem Flur begegnet.

그와 다시는 절대로 마주치지 않았으면 좋겠다. Ich hoffe, dass ich ihm nie wieder begegne.

**마찬가지로 ebenfalls**

나의 독일어 지식도 마찬가지로 매우 좋다. Meine Deutschkenntnisse sind ebenfalls sehr gut.

그도 마찬가지로 부산 출신이다. Er kommt ebenfalls aus Busan.

**마치다 (과정을) abschließen**

초등학교를 마치다 die Grundschule abschließen

대학 수학을 마치다 das Studium abschließen

빵 기술자 교육을 마치다 die Ausbildung zum Bäcker abschließen

**마치다 (군 복무, 실습 등의 의무 과정 따위를) (den Wehrdienst, das Praktikum) ableisten**

군 복무는 벌써 마쳤습니까? Haben Sie Ihren Wehrdienst schon abgeleistet?

나는 교생실습을 벌써 마쳤다. Ich habe mein Lehrpraktikum schon abgeleistet.

**마침내 endlich**

마침내 나는 나만의 방을 가지게 되었다! Endlich habe ich ein eigenes Zimmer!

마침내 나는 시험에 합격했다! Endlich habe ich die Prüfung bestanden!

우리는 마침내 우리의 목표에 도달했다. Wir haben endlich unser Ziel erreicht.

**만들다 organisieren → 조직하다**

교환 프로그램을 만들다 ein Austauschprogramm organisieren

작업팀을 만들다 einen Arbeitskreis organisieren

**만들다 (음식을) zubereiten**

나는 소스와 샐러드도 만들어야 한다. Ich muss noch die Soße und den Salat zubereiten.

생강차를 어떻게 만들지? Wie bereitet man Ingwer-Tee zu?

저녁 식사를 만들다 das Abendessen zubereiten

**만들다 (무엇을 ...형태로) et. in ... setzen**

동사를 과거형으로 만들다 die Verben in die Vergangenheitsform setzen

**만족한 zufrieden**

내가 더 좋은 성적을 얻었다면, 부모님께서 만족하실 텐데. Wenn ich bessere Noten hätte, wären meine Eltern zufrieden.

그 교사는 학생들에 대하여 만족해한다. Der Lehrer ist mit den Schülern zufrieden.

너 새 일자리에 만족하니? Bist du mit der neuen Stelle zufrieden?

**만화 der Comic**

만화를 즐겨 읽다 gern Comics lesen

**말 die Rede**

벌써 오래전부터 아이들이 놀이터가 필요하다는 말이 있었다. Es ist schon lange die Rede davon, dass die Kinder einen Spielplatz brauchen.

그런 말을 할 수 없다. (그렇게 말할 수는 없

다.) Davon kann nicht die Rede sein.

**말을 타다 reiten**

말을 타본 적 있니? Bist du schon mal auf einem Pferd geritten?

**말하다 äußern → 표명하다**

무엇에 대한 자신의 의견을 말하다 seine Meinung über et./zu et. äußern

이 주제에 대한 당신의 의견을 말씀하시오. Bitte äußern Sie Ihre Meinung zu diesem Thema.

**말하다 (...라는 뜻으로, ...라는 의견을) meinen**

"밸로는 아마도 호텔 앞에서 우리를 기다릴 거야."라고 아버지께서 말씀하셨다. „Bello wartet wahrscheinlich vor dem Hotel auf uns", meinte Vater.

**맛있게 드세요! Guten Appetit!**

**맛있다 schmecken (gut)**

맛있다. Das schmeckt gut.

**맞다 stimmen**

그것은 맞지 않는다. Das stimmt nicht.

**맡기다 (누구에게 무엇을) jm. et. überlassen → 넘겨주다**

너에게 결정을 맡길게. Ich überlasse dir die Entscheidung.

**매다 tragen**

나는 넥타이 매는 것을 좋아하지 않는다. Ich trage ungern Krawatten.

**매력적인 attraktiv**

매력적인 여자 eine attraktive Frau

매력적인 일자리 eine attraktive Stelle

매력적인 제안 ein attraktives Angebot

매력적인 조건 attraktive Bedingungen

그 폭 넓은 강이 도시를 특히 매력적으로 만든다. Der breite Fluss macht die Stadt besonders attraktiv.

**매료되다 begeistert sein → 반하다**

그는 그 제안에 완전히 매료되었다. Er ist von dem Angebot völlig begeistert.

**매료된 begeistert**

학생들은 새 선생님에게 매료되었다. Die Schüler sind begeistert von dem neuen Lehrer.

**매우 좋은 wunderbar, sehr gut, besonders gut**

오늘은 날씨가 매우 좋다. Das Wetter ist heute wunderbar.

**매우 큰 riesig → 거대한**

매우 큰 개 ein riesiger Hund

매우 큰 빌딩 ein riesiges Hochhaus

**매일 täglich**

학생 라디오 방송이 매일 방송을 한다. Das Schülerradio sendet täglich.

기차가 토요일을 제외하고 매일 운행한다. Der Zug fährt täglich außer Samstag.

**매체 das Medium**

언어는 의사소통의 가장 중요한 매체이다. Sprache ist das wichtigste Medium zur Kommunikation.

오늘날 다양한 매체가 외국어 수업에 투입된다. Heutzutage werden verschiedene Medien im Fremdsprachenunterricht eingesetzt.

**매트리스 die Matratze**

매트리스 위에서 자다 auf einer Matratze schlafen

매트리스를 치우다 die Matratze wegräumen

**맥주 캔/깡통 die Bierdose**

맥주 캔을 모으다 Bierdosen sammeln

파티 후에 바닥 여기저기에 플라스틱 컵과 빈 맥주 깡통이 놓여있었다. Nach der Party lagen überall Plastikbecher und leere Bierdosen auf dem Boden.

**맨 먼저 zunächst**

네가 집에 오면 맨 먼저 숙제를 해야 한다. Wenn du nach Hause kommst, solltest du zunächst deine Hausaufgaben machen.

**머리 부상/상처 die Kopfverletzung**

가벼운 머리 상처를 입다 eine leichte Kopfverletzung haben

그는 심한 머리 부상으로 병원에 이송되었다. Es wurde mit einer schweren Kopfverletzung ins Krankenhaus gebracht.

**먹고 싶다 Appetit auf ... haben**

케이크 한 조각이 먹고 싶다 Appetit auf ein Stück Kuchen haben

무엇이 먹고 싶니? Worauf hast du Appetit?

나는 아이스크림이 매우 먹고 싶어. Ich habe riesigen Appetit auf ein Eis!

**먼저 im Voraus → 미리**

집세를 먼저 내야 합니다. Sie müssen die Miete im Voraus zahlen.

**멈추다 (...하기를: 가기를, 말하기를) nicht mehr weiter ... + 부정사(gehen, sprechen...)**

그는 말을 멈추고 일어나서 가버렸다. Er sprach nicht mehr weiter, stand auf und ging weg.

**멈춤 der Halt**

멈춰! Halt!

**멈추어 서다/정차하다 anhalten**

버스가 멈추어 서지 않았다. Der Bus hat nicht angehalten.

그 운전자는 이미 멈춰 설 수 없었다. Der Fahrer konnte nicht mehr anhalten.

**멋진 cool <구어>, fantastisch/phantastisch**

멋진 음악을 듣다 coole Musik hören

멋진 선생님 ein cooler Lehrer

나는 그가 멋지다고 생각한다. Ich finde ihn cool.

**메다 tragen**

그는 무거운 배낭을 메고 있다. Er trug einen schweren Rucksack.

**메모 die Notiz <보통 복수: -en>**

수업 중에 잠이 들었다. 그래서 나는 메모를 할 수 없었다. Im Unterricht bin ich eingeschlafen. Deshalb konnte ich mir keine Notizen machen.

그는 기억력이 좋아서 메모할 필요가 없다. Er hat ein gutes Gedächtnis und braucht sich keine Notizen zu machen.

**메이커 옷 → 유명상표/명품 옷 die Markenkleidung**

**면 die Baumwolle**

이 셔츠는 순면이다. Das Hemd ist aus reiner Baumwolle.

면 블라우스 die Baumwollbluse

면 셔츠 das Baumwollhemd

**명사화 die Nominalisierung**

**모국어 die Muttersprache**

부모가 서로 다른 모국어를 가지고 있으면, 아이는 종종 이중 언어 사용자이다. Wenn die Eltern unterschiedliche Muttersprachen haben, sind die Kinder oft bilingual.

**모으다 zur Seite legen, sparen**

돈을 (다른 용도로 사용하기 위하여) 모으다/

챙겨놓다 Geld zur Seite legen

나는 매월 10만원을 모은다. Ich lege jeden Monat 100.000 Won zur Seite.

**모임 die Versammlung, das Treffen**

10명이 넘는 모임은 금지되어 있다. Versammlungen von mehr als zehn Personen sind untersagt.

그 모임은 매월 두 번째 금요일에 열린다. Das Treffen findet an jedem zweiten Freitag im Monat statt.

**모자 die Mütze**

겨울에는 항상 모자를 쓴다. Im Winter trage ich immer eine Mütze.

털모자 die Wollmütze

**모텔 die Pension**

우리는 모텔에서 잤다. Wir haben in einer Pension übernachtet.

**목사 der Pfarrer**

대학 졸업 후 그는 목사가 되고자 한다. Nach dem Studium möchte er Pfarrer werden.

그 목사가 일요일에 예배를 본다. Der Pfarrer liest/hält am Sonntag die Messe.

**목적지 das Ziel**

그는 일등으로 목적지에 도착했다. Er ist als Erster am Ziel angekommen.

**목표 das Ziel**

그는 국회의원이 되고자 하는 자신의 목표에 도달했다. Er hat sein Ziel, Abgeordneter zu werden, erreicht.

**묘사 die Beschreibung**

행위자를 자세히 묘사해 주세요. Bitte geben Sie eine ausführliche Beschreibung des Täters.

**묘사하다 beschreiben**

자기 방/고향 도시를 묘사하다 sein Zimmer/seine Heimatstadt beschreiben

자기 친구를 묘사하다 seinen Freund beschreiben

**무료로 umsonst, gratis**

음료수는 무료이다. Die Getränke sind gratis.

나는 연극 표를 무료로 받았다. Ich habe die Theaterkarte umsonst bekommen.

인생에 공짜는 없다. Nichts im Leben ist umsonst.

**무조건 unbedingt → 반드시**

너는 이 낱말들을 무조건 외워야 한다. Du musst diese Wörter unbedingt auswendig lernen.

너는 그를 무조건 한번 만나봐야 해. Du solltest ihn unbedingt einmal kennenlernen.

**문법 오류 der Grammatikfehler**

나는 학생이 범하는 문법 오류를 모두 수정하지는 않는다. Ich korrigiere nicht alle Grammatikfehler, die die Schüler machen.

**무엇에 대하여 worüber**

너희들은 무엇에 대하여 이야기했니? Worüber habt ihr gesprochen?

너는 무엇에 대하여 생각했니? Worüber hast du nachgedacht?

너는 무엇에 대하여 친구하고 다퉜니? Worüber hast du mit deinem Freund gestritten?

**문의 die Anfrage**

나는 내 문의에 대하여 답을 받지 못했다. Ich habe auf meine Anfrage keine Antwort bekommen.

문의할 사항이 있으면, 우리에게 이 주소로 연락하세요. Wenn Sie Anfragen haben, schreiben Sie uns unter dieser Adresse.

**문의 메일 die Anfragemail**

**문의하다 anfragen**

그녀는 그 회사에 그곳에서 실습할 수 있는지를 문의하였다. Sie hat bei der Firma angefragt, ob sie dort ein Praktikum machen könne.

**문장부호 das Satzzeichen**

빠진 문장부호를 보충해야 합니다. Sie müssen die fehlenden Satzzeichen ergänzen.

**문학 die Literatur**

나는 독일 현대문학에 관심이 있다. Ich interessiere mich für die moderne deutsche Literatur.

**문화 die Kultur**

옛 문화 eine alte Kultur

문화와 정치에 관심을 가지다 sich für Kultur und Politik interessieren

외국어 수업에서는 해당 국가의 문화에 대하여도 배운다. Im Fremdsprachenunterricht lernt man auch etwas über die Kultur des jeweiligen Landes.

민박하면 그 나라의 문화를 특히 잘 접할 수 있다. Bei einem Aufenthalt in einer Gastfamilie kann man die Kultur eines Landes besonders gut kennenlernen.

**문화도시 die Kulturstadt**

**물갈퀴 die Schwimmflosse → 오리발**

**물류 die Logistik**

**물류(사업)개발 die Logistikentwicklung**

**물을 주다 gießen**

이 꽃은 물이 많이 필요하지 않습니다. 일주일에 한 번만 물을 주세요. Diese Blumen brauchen nicht viel Wasser. Gießen Sie sie nur einmal pro Woche.

**미래 die Zukunft**

미래에 무슨 일이 일어날지 항상 알 수는 없다. Man kann nicht immer wissen, was in der Zukunft passiert.

어떤 직업이 미래에/앞으로 수요가 있을까? Welche Berufe werden in Zukunft gefragt sein?

**미래계획 der Zukunftsplan**

너의 미래계획은 어떤 것이냐? Wie sehen deine Zukunftspläne aus?

나는 아직 특별한 미래계획이 없다. Ich habe noch keine besonderen Pläne für die Zukunft.

**미리 (앞서서) im Voraus**

너는 푯값을 미리 내야 한다. Du musst die Karten im Voraus bezahlen.

한 달 전에 벌써 (미리) 예약할 수 있다. Man kann schon einen Monat im Voraus reservieren.

**미혼의 ledig**

그는 마흔 살이지만, 아직 미혼이다. Er ist schon vierzig, aber immer noch ledig.

**민간축제 das Volksfest**

옥토버페스트는 큰 민간축제이다. Das Oktoberfest ist ein großes Volksfest.

**민박가정 die Gastfamilie**

미국에 체류하는 동안 나는 민박가정에 머물렀다. Während meines Aufenthalts in den USA habe ich bei einer Gastfamilie gewohnt.

**민속 마을 das Volkskundedorf**

용인에는 큰 민속 마을이 있다. In Yongin gibt es ein großes Volkskundedorf.

**민중 축제 das Volksfest → 민간축제**

**밀가루 das Mehl**

그 반죽을 위해서는 200g의 밀가루가 필요합니다. Für den Teig brauchen Sie 200g Mehl.

**바꿔 쓰다 (문장의 형태 따위를) umschreiben, den Satz in ... setzen**

밑줄 친 낱말이 명사로 사용되도록 문장을 바꿔쓰세요. Schreiben Sie den Satz so um, dass das unterstrichene Wort als Nomen verwendet wird.

이 문장을 수동태로 바꾸시오. Setzen Sie den Satz ins Passiv.

**바닥 der Boden**

돈이 바닥에 (떨어져) 있다. Das Geld lag auf dem Boden.

바닥은 반드시 청소되어야 한다. Der Boden muss unbedingt geputzt werden.

**바라건대 (...면 좋겠다) hoffentlich → 좋(겠)다**

바라건대, 그 일자리가 아직 안 나갔으면 좋겠다. Hoffentlich ist die Stelle noch nicht vergeben.

바라건대, 너희의 모든 일이 문제가 없으면 좋겠다. Hoffentlich ist bei euch alles in Ordnung.

**바라보다 schauen → 쳐다보다**

바닥을 바라보다 auf den Boden schauen

창밖을 바라봐. 눈이 내려! Schau mal aus dem Fenster. Es schneit!

**바래다주다 begleiten**

기꺼이 집에 바래다줄게. Ich begleite dich gerne nach Hause.

**바로 direkt**

부산은 바로 바다에 붙어 있다. Busan liegt direkt am Meer.

회의는 점심 후에 바로 시작한다. Die Sitzung beginnt direkt nach dem Mittagessen.

**바로/딱 그만큼 genauso**

내 남동생은 키가 딱 너만 해. Mein (jüngerer) Bruder ist genauso groß wie du.

**바자회 der Basar**

이 꽃병은 바자회에서 샀다. Die Vase habe ich auf dem Basar gekauft.

**바지 주머니 die Hosentasche**

그가 자기 손을 바지 주머니에 집어넣었다. Er steckte seine Hände in die Hosentasche.

바지 주머니에서 손을 빼라. Nimm die Hände bitte aus der Hosentasche.

**박람회 die Messe**

그 박람회는 2년에 한 번씩 열린다. Die Messe findet alle zwei Jahre statt.

**박람회 (개최) 도시**

프랑크푸르트는 유명한 박람회 도시이다. Frankfurt ist eine berühmte Messestadt.

**박물관 das Museum**

그 박물관은 월요일마다 휴관이다. Das Museum ist montags geschlossen.

이 박물관에는 종종 흥미로운 전시회가 있다. In diesem Museum gibt es oft interessante Ausstellungen.

**박사학위 (과정) die Promotion, das Ph. D.-Studium, das Promotionsstudium**

나는 박사학위 과정에 등록했다. Ich habe mich zum Promotionsstudium

eingeschrieben.

**박사학위를 취득하다 promovieren**

나는 뮌스터 대학에서 언어학으로 박사학위를 취득하였다. Ich habe an der Universität Münster über Sprachwissenschaft promoviert.

**박사학위 과정 학생 der Doktorand**

나는 슈미터 교수님께 나를 박사학위 과정 학생으로 받아줄 것인지를 물었다. Ich fragte Herrn Prof. Schmitter, ob er mich als Doktoranden annehmen würde.

**박혀있다 stecken bleiben → 끼다**

열쇠가 자물쇠에 박혔다. Der Schlüssel ist im Schloss stecken geblieben.

땅이 축축했다. 공이 땅바닥에 박혔다. Die Erde war feucht. Der Ball ist im Boden stecken geblieben.

**밖에 draußen**

날씨가 좋으면 우리는 항상 밖에서 아침을 먹는다. Bei schönem Wetter frühstücken wir immer draußen.

**반 (학급) die Klasse**

중학교 때 우리는 같은 반이었다. In der Mittelschule waren wir in derselben Klasse.

**반/과/부(서)/팀 die Abteilung**

독일어과는 본부건물 6층에 있다. Die deutsche Abteilung ist im 5. Stock des Hauptgebäudes.

그는 연구소의 영어과/부(서)에서 일한다. Er arbeitet in der englischen Abteilung des Instituts.

**반나절 동안에 halbtags**

나는 반나절만 근무한다. Ich arbeite nur halbtags.

**반도 die Halbinsel**

한반도의 평화는 동아시아 전체의 평화에 중요하다. Der Frieden auf der Koreanischen Halbinsel ist wichtig für den Frieden in ganz Ostasien.

**반드시 unbedingt → 무조건**

**반 소풍 der Klassenausflug**

**반 여행 die Klassenfahrt**

**반장 der Klassensprecher → 학급회장**

**반하다 begeistert sein → 매료되다**

그는 너에게 완전히 반했다. Er ist von dir völlig begeistert.

**받다 bekommen, erhalten → 수령하다**

나는 네가 보내준 소포를 벌써 받았다. Ich habe dein Paket schon erhalten.

나는 입학허가서를 아직도 못 받았다. Ich habe die Zulassung immer noch nicht erhalten.

나는 독일 대사관 환영회에 초대받았다. Ich habe eine Einladung zum Empfang in der deutschen Botschaft erhalten.

**받(아들이)다 annehmen**

제 초대를 받아주시면 좋겠습니다. Ich hoffe, Sie nehmen meine Einladung an.

그는 나의 충고를 받아들이지 않았다. Er hat meinen Rat nicht angenommen.

그녀가 나를 박사과정 학생으로 받아들였다. Sie hat mich als Doktorandin angenommen.

내가 너에게 온 소포를 받아줄 수 있다. Ich kann das Paket für dich annehmen.

**발견하다 finden**

나는 그 돈을 바닥에서 발견했다. Ich habe

das Geld auf dem Boden gefunden.
나는 결혼반지를 잃어버리고 다시 발견하지(찾지) 못했다. Ich habe meinen Ehering verloren und nicht wieder gefunden.

**발생하다/일어나다/벌어지다 passieren, geschehen, sich ereignen, los sein**
사고가 어떻게 발생했지? Wie ist der Unfall passiert?
무슨 일이 발생했지? Was ist geschehen?
그런 사고가 이 길에서는 자주 발생한다. Solche Unfälle ereignen sich häuftig auf dieser Straße.
얼굴이 안 좋아 보여. 무슨 일이야? - 아무 일 없어. 잠을 잘못 잤을 뿐이야. Du siehst nicht gut aus. Was ist los (mit dir)? - Nichts ist los (mit mir). Ich habe nur schlecht geschlafen.
서울에는 항상 뭔가 재미있는 일이 벌어진다. In Seoul ist immer etwas Interessantes los.
이 마을에는 절대 (특별한) 일이 벌어지지 않는다. In diesem Dorf ist nie etwas los.

**발송 die Zusendung**
지연된 발송에 대해서 양해를 구합니다. Ich bitte Sie um Verständnis für die verspätete Zusendung.

**발전 die Entwicklung**
이 프로젝트는 빈곤 국가의 발전에 이바지한다. Das Projekt trägt zur Entwicklung der armen Länder bei.

**발전시키다 entwickeln**
우리는 우리의 능력을 더욱 발전시켜야 한다. Wir müssen unsere Fähigkeiten noch weiter entwickeln.

**발췌문 der Ausschnitt**
이것은 그의 논문에서 가져온 발췌문이다. Das ist ein Ausschnitt aus seinem Aufsatz.

**방 번호 die Zimmernummer**

**방문 der Besuch**
네가 방문한다고 하니 기쁘다. Ich freue mich auf deinen Besuch.
박물관 방문은 흥미로웠다. Der Besuch des Museums war interessant.

**방문하다 besuchen**
전시회를 방문하다 die Ausstellung besuchen
주말에 나는 옛 선생님을 방문한다. Am Wochenende besuche ich meinen alten Lehrer.

**방문할 가치가 있는 besuchenswert**
그 전시회는 방문할 가치가 있다. Die Ausstellung ist besuchenswert.

**방석 das Kissen, das Sitzkissen**
부드러운 방석 ein weiches Kissen
여기 방석 위에 앉아라. Setz dich auf das Kissen hier.

**방송하다 senden**
이 방송국은 매일 한 시간씩 뉴스를 방송한다. Dieser Sender sendet jeden Tag eine Stunde Nachrichten.

**방수의 wasserdicht**
내 핸드폰은 방수가 된다. Mein Handy ist wasserdicht.
방수 재료 wasserdichtes Material
방수 시계 eine wasserdichte Uhr

**방학 (중에 열리는) 어학연수 die Sprachferien**
영국에서 방학 어학연수에 참가하다 Sprachferien in England machen

**배 das Schiff**
배를 만들다 Schiffe bauen
배를 타고 가다 mit dem Schiff fahren
배를 타고 여행을 하다 eine Reise mit dem Schiff machen
조선 der Schiffsbau

**배경 der Hintergrund**
아름다운 배경 ein schöner Hintergrund
사진의 배경에 im Hintergrund des Fotos
배경에 만리장성이 보인다. Im Hintergrund sieht man die Chinesische Mauer.
대통령의 제안은 이러한 배경 속에서 이해해야 한다. Der Vorschlag des Präsidenten ist vor diesem Hintergrund zu verstehen.

**배고픈 hungrig**
나는 엄청나게 배고프다. Ich bin hungrig wie ein Wolf.

**배낭 der Rucksack**
가죽 배낭 ein Rucksack aus Leder
배낭을 싸다/꾸리다 den Rucksack packen
배낭을 등에 메다 den Rucksack auf dem Rücken tragen

**배게 하다 (양념이) durchziehen lassen**
그 고기를 30분 동안 (양념이) 배게 하세요. Lassen Sie das Fleisch dreißig Minuten durchziehen.

**백만 die Million (약자: Mill., Mio.)**
주민 3백만 명 drei Millionen Einwohner
인구 3백만의 도시 eine Drei-Millionen-Stadt
수백만 명의 관광객 Millionen von Touristen

**백만 (명 (이상)이 사는) 도시 die Millionenstadt**

**버무리다 mischen**
고기와 양념을 손으로 버무리다 das Fleisch und die Gewürze mit den Händen mischen

**버스 der Bus**
버스를 타다 den Bus nehmen
버스를 놓치다 den Bus verpassen
나는 지하철보다는 버스 타기를 더 좋아한다. Ich fahre lieber mit dem Bus als mit der U-Bahn.

**버스운전사 der Busfahrer**

**버스 정류장 die Bushaltestelle**

**버클 die Schnalle**
쇠로 된 버클 eine Schnalle aus Metall
혁대 버클 die Gürtelschnalle

**번역 die Übersetzung**
의미 번역(의역)이 낱말 번역(직역)보다 더 좋다. Eine sinngemäße Übersetzung ist besser als ein wörtliche Übersetzung.
기계 번역 die maschinelle Übersetzung

**번역사/번역가/번역자 der Übersetzer**
번역사로 일하다 als Übersetzer arbeiten
(그) 소설 번역자 der Übersetzer des Romans
통역사와 번역사 교육을 이수하다 eine Ausbildung zum Dolmetscher und Übersetzer machen

**번역하다 übersetzen**
이 문장을 한국어로 어떻게 번역할 수 있을까? Wie kann man diesen Satz ins Koreanische übersetzen?

**번잡한 (어수선하고 빠르게 돌아가는) hektisch**
번잡한/어수선한 도시 eine hektische Stadt

**벌금 das Bußgeld**
빨간불에 신호등을 지나가면, 벌금을 내야 합니다. Wenn Sie bei Rot über die Ampel

fahren, müssen Sie Bußgeld zahlen.

**벌써 bereits, schon**

나는 그 문제를 벌써 해결했다. Ich habe das Problem bereits/schon gelöst.

**벌어지다 (사건이) passieren, geschehen, sich ereignen → 발생하다**

**벌어진 일/사건 das Ereignis**

**벌어진 일/사건 (우연히, 부정적인) der Vorfall**

**범죄소설 der Kriminalroman, der Krimi**

**법학 공부 das Jurastudium**

**베개 das Kopfkissen**

그는 베개를 베지 않고 잔다. Er schläft ohne Kopfkissen.

**벽 die Wand**

오른쪽 벽에 an der rechten Wand

벽의 왼쪽(부분)에 links an der Wand

그림을 벽에 걸다 ein Bild an die Wand hängen

**벽지 die Tapete**

가는 줄무늬가 있는 벽지 eine Tapete mit dünnen Streifen

꽃무늬가 있는 벽지 eine Blumentapete

**별첨 (→ 붙임) die Anlage**

붙임: 이력서와 성적표 Anlagen: Lebenslauf und Zeugnisse

붙임으로 이력서를 보냅니다. Als Anlage sende ich meinen Lebenslauf.

**병 das Glas**

나는 맥주를 병 채로보다는 잔으로 마신다. Ich trinke Bier lieber aus dem Glas als aus der Flasche.

**병원 das Krankenhaus**

다리가 부러져서 병원으로 이송되다 mit einem gebrochenen Bein ins Krankenhaus gebracht werden

3주간 병원에 머물러야 하다 drei Wochen im Krankenhaus bleiben müssen

병원에서 내 보내지다/퇴원하다 aus dem Krankenhaus entlassen werden

**병원차 der Krankenwagen**

병원차를 부르다 einen Krankenwagen rufen

병원차로 병원으로 이송되다 mit dem Krankenwagen ins Krankenhaus gebracht werden

**보고(서) der Bericht**

보고문을 작성하다 einen Bericht schreiben

경찰보고(서) der Bericht der Polizei, der Polizeibericht

사고보고(서) der Unfallbericht

정확한 보고(서) ein genauer Bericht

**보고하다 berichten**

그가 내게 회의 진행에 관하여 상세하게 보고했다. Er hat mir ausführlich über den Verlauf der Sitzung berichtet.

**보내다 senden, schicken, zusenden, zuschicken**

제게 귀사의 안내 책자를 보내주시오. Bitte senden Sie mir Ihre Informationsbroschüren.

귀하에게 기꺼이 정보자료를 보내드리겠습니다. Wir senden Ihnen gerne Informationsmaterial.

그 회사가 내게 즉시 가입신청서를 보냈다. Die Firma hat mir die Anmeldeformulare sofort zugeschickt.

제게 자세한 정보자료를 보내주십시오. Bitte senden Sie mir ausführliches Informationsmaterial zu.

**보냄, 보내줌 die Zusendung**

정보자료를 보내주실 것을 요청합니다. Ich bitte Sie um die Zusendung von Informationsmaterial.

**보다 (...) als ...**

건강이 돈보다 더 중요하다. Gesundheit ist wichtiger als Geld.

대학 졸업은 독일보다 한국에서 더 중요하다. Ein Universitätsabschluss ist in Korea wichtiger als in Deutschland.

**보도하다 berichten**

신문이 그 사고에 관해서 보고했다. Die Zeitungen haben über den Unfall berichtet.

**보스니아 (das) Bosnien**

**보여주다 zeigen**

누구에게 집을 보여주다 jm. seine Wohnung zeigen

누구에게 학창시절의 사진을 보여주다 jm. seine Fotos aus der Schulzeit zeigen

여자 여행안내원이 관광객에게 성을 보여준다. Die Reiseleiterin zeigt den Touristen das Schloss.

**보육원 (부모 없는 아이들의) das Waisenhaus, (장애 등으로 맡겨진 아이들의 보호소) das Kinderheim**

나는 내 아이들의 장난감을 보육원에 선물했다. Ich habe die Spielsachen meiner Kinder einem Waisenhaus/Kinderheim geschenkt.

나는 보육원에서 자원봉사자로 일했다. Ich habe als Freiwilliger in einem Kinderheim gearbeitet.

**보조원 der Assistent**

프로젝트 보조원 der Projekt-Assistent

나는 뮌헨 대학에서 학술 조교로 일하고 있다. Ich arbeite als wissenschaftlicher Assistent an der Universität München.

**보조원 일자리 die Assistentenstelle**

보조원의 일자리에 응모/지원하다 sich um die Assistentenstelle bewerben

**보충(해야 할 빈칸이 있는) 텍스트 der Ergänzungstext**

**보통 normalerweise, in der Regel**

보통 나는 12시에 잠자리에 든다. In der Regel/Normalerweise gehe ich um zwölf Uhr ins Bett.

**보통의 üblich → 흔한**

결혼식에 돈을 선물하는 것이 한국에서는 보통 있는 일이다. Es ist in Korea üblich, dass man zur Hochzeit ein Geldgeschenk macht.

**복사(본) die Kopie → 사본**

제게 계약서 복사본을 보내주세요. Bitte schicken Sie mir eine Kopie des Vertrags.

**볼거리 die Sehenswürdigkeit → 구경거리**

서울에는 볼거리가 많다. In Seoul gibt es viele Sehenswürdigkeiten.

**볼만한 sehenswert**

이 도시에서 특히 볼만한 것이 무엇이지? Was ist in dieser Stadt besonders sehenswert?

**봄 학기 das Frühlingssemester**

봄 학기가 언제 시작하지? Wann beginnt das Frühlingssemester?

**봉착하다 (...에) auf et. stoßen**

우리는 그 프로그램을 개발하다가 문제에 봉착했다. Wir sind bei der Entwicklung des Programms auf ein Problem gestoßen.

**부/과/팀 die Abteilung**

영어부/과/팀에서 일하다 in der englischen

Abteilung arbeiten

**부고 die Todesanzeige, die Sterbeanzeige**

나는 신문에서 그의 부고를 보았다. Ich habe seine Todesanzeige in der Zeitung gesehen.

**부동산 광고 die Immobilienanzeige**

**부드러운 (재질, 피부) weich, zart; (목소리) sanft**

부드러운 재료 weiches Material

부드러운 천으로 만든 셔츠 ein Hemd aus weichem Stoff

**부딪치다 stoßen, zusammenstoßen**

나는 문에 머리를 부딪쳤다. Ich habe mir den Kopf an der Tür gestoßen.

(누구와) 부딪치다 mit jm. zusammenstoßen

나는 그와 부딪쳤다. Ich bin mit ihm zusammengestoßen.

**부딪히다 (물체, 문제/현상에) auf et. stoßen → 봉착하다**

(물체에) 부딪히다 sich an et. stoßen

나는 문에 부딪혔다. Ich habe mich an der Tür gestoßen.

**부러뜨리다 brechen**

나는 다리를 부러뜨렸다. Ich habe mir das Bein gebrochen.

**부러진 gebrochen**

내 오른팔이 부러졌다. Mein rechter Arm ist gebrochen.

나는 부러진 손으로 글을 쓸 수가 없다. Ich kann mit der gebrochenen Hand nicht schreiben.

**부르다 (택시를) bestellen**

핸드폰으로 택시를 부를 수 있다. Man kann per Handy ein Taxi bestellen.

**부서 die Abteilung**

프랑스어 부서에 일하다 in der französischen Abteilung arbeiten

**부속품 das Zubehör, das Zubehörteil**

이 진공청소기에는 부속품이 많다. Zu diesem Staubsauger gibt es viel Zubehör.

**부엌 die Küche**

우리는 저녁에 부엌에 앉아서 어떻게 하루를 보냈는지를 이야기하는 것을 좋아한다. Wir sitzen abends gerne in der Küche und unterhalten uns über den Tag/darüber, wie wir den Tag verbracht haben.

**부엌 테이블 der Küchentisch**

부엌 테이블에 앉아서 식사하다 am Küchentisch essen

**부전공 das Nebenfach**

나는 스페인어를 부전공으로 공부했다. Ich habe Spanisch als Nebenfach studiert.

**부족하다 fehlen → 없다**

학생 한 명이 부족하다. Ein Schüler fehlt.

나는 용기가 부족하다. Mir fehlt es an Mut.

**부탁 die Bitte, der Gefallen**

도움/용서 부탁/요청 eine Bitte um Hilfe/Verzeihung

나는 너에게 큰 부탁이 (하나) 있다. Ich habe eine große Bitte an dich.

부탁 하나 들어줄 수 있을까? Könntest du mir bitte einen Gefallen tun?

누구의 부탁을 들어주다/거절하다 jm. eine Bitte erfüllen/abschlagen

**부탁하건대 <공손한 표현> bitte**

**부탁하다 (누구에게 무엇을) jn. um et. bitten**

누구에게 정보자료를 보내달라고 부

탁하다 jn. um die Zusendung von Informationsmaterial bitten

우리는 선생님께 학생 방송(국)을 허락해주도록 부탁하고 싶습니다. Wir möchten Sie um die Erlaubnis für ein Schülerradio bitten.

**부활절 방학 die Osterferien**

부활절 방학에 이모부와 이모를 방문하다 in den Osterferien Onkel und Tante besuchen

**북서쪽 der Nordwesten**

**북쪽 der Norden**

그 도시는 한반도의 북쪽에 있다. Die Stadt liegt im Norden der Koreanischen Halbinsel.

**북쪽의 nördlich**

판문점은 서울에서 56km 북쪽에 있다. Panmunjeom liegt 56 km nördlich von Seoul.

**분류하다 sortieren, trennen**

쓰레기를 내놓기 전에 분류해야 한다. Man muss den Müll erst sortieren, bevor man ihn hinausbringt.

**분리된/별도의, 분리하여 separat**

분리된(별도의) 입구가 있다. Es gibt einen separaten Eingang.

이 유리잔을 분리하여 포장하세요. Verpacken Sie diese Gläser bitte separat.

**분리하다 trennen**

우리는 쓰레기를 분리해야 한다. Wir müssen den Müll trennen.

쓰레기를 그냥 그렇게 버리면 안 돼. 먼저 종이, 유리, 플라스틱으로 분리해야 해. Du darfst den Müll nicht einfach so wegwerfen. Du musst ihn vorher nach Papier, Glas und Plastik trennen.

**분명히 bestimmt, sicherlich → 확실히**

다음 여름은 분명히 온다! Der nächste Sommer kommt bestimmt!

너는 분명히 스키 타는 것을 배우고 싶을 것이다. Du hast doch bestimmt Lust, Skifahren zu lernen.

너의 부모님께서는 네가 방문하면 분명히 기뻐할 것이다. Deine Eltern freuen sich sicherlich über deinen Besuch.

**분사 das Partizip**

**분석 die Analyse**

**분야 der Bereich, das Gebiet → 영역**

경제 분야의 전문 개념을 외우다 Fachbegriffe im Bereich Wirtschaft auswendig lernen

경제 분야에 정통하다 sich im wirtschaftlichen Bereich gut auskennen

**분위기 die Stimmung, die Atmosphäre**

파티 분위기가 좋다. Die Stimmung auf der Party ist gut.

여기에 억눌린 분위기가 흐르고 있다. Hier herrscht eine gedrückte Stimmung.

**불쌍한 arm**

나의 불쌍한 밸로! 낯선 도시에서 혈혈단신이 되었다니! Mein armer Bello! Ganz allein in einer fremden Stadt!

세상에는 불쌍한 사람이 많다. Auf der Welt gibt es viele arme Menschen.

**불특정대명사 das Indefinitpronomen**

**붓다 gießen**

고기에 소스를 붓다 die Soße über das Fleisch gießen

냄비에 물 500ml를 부으세요. Gießen Sie 500ml Wasser in den Topf.

**비로소 erst**

토니는 일어나고 싶은 생각이 없다. 자명종이 3번째 울리자 비로소 일어났다. Toni hat keine Lust aufzustehen. Erst als der Wecker zum dritten Mal klingelt, steht er auf.

**비록 ...지만 obwohl**

비록 우리가 그의 이름을 불렀지만, 그는 오지 않았다. Obwohl wir seinen Namen gerufen haben, kam er nicht.

**비즈니스 das Geschäft → 사업**

비즈니스가 잘 진행된다. Das Geschäft läuft gut.

**비즈니스맨/사업가 der Geschäftsmann, die Geschäftsfrau**

많은 비즈니스맨이 이 과정에 참여한다. Viele Geschäftsleute nehmen an diesem Kurs teil.

**비즈니스영어 das Geschäftsenglisch**

우리는 비즈니스영어를 위한 강좌를 제공한다. Wir bieten Kurse für Geschäftsenglisch an.

**비판 die Kritik**

그는 자기 상관을 강하게 비판했다. Er hat starke Kritik an seinem Vorgesetzten geübt/geäußert.

비판을 받아들이다/거부하다 die Kritik annehmen/ablehnen

**비판하다 kritisieren**

그 야당 정치인이 정부를 신랄하게 비판했다. Der Oppositionspolitiker kritisierte die Regierung scharf.

**비행기 das Flugzeug, die Maschine**

네 비행기가 언제 출발하니? Wann geht deine Maschine?

**비행기를 타고 가다 fliegen**

너 언제 (비행기를 타고) 한국에 가려고 하니? Wann willst du nach Korea fliegen?

**빌려주다 (누구에게 무엇을) jm. et. ausleihen**

내게 잠시 네 자전거 좀 빌려줄 수 있니? Kannst du mir bitte kurz dein Fahrrad ausleihen?

100유로를 빌려줄 수 있니? Kannst du mir 100 Euro ausleihen?

**빌리다 sich et. leihen, mieten**

우리는 자동차를 빌려서 일주 여행을 하였다. Wir haben uns ein Auto geliehen und eine Rundreise gemacht.

독일에서 나는 오토바이를 빌려서 함부르크에서 뮌헨까지 타고 갔다. In Deutschland habe ich (mir) ein Motorrad gemietet und bin von Hamburg bis nach München gefahren.

**빙 둘러서 herum**

서울 주위를 빙 둘러서 많은 위성도시가 있다. Es gibt um Seoul herum viele Satelittenstädte.

**빙빙 돌며 뛰다 herumlaufen**

밸로가 호텔 앞에서 빙빙 돌며 뛰었다. Bello lief vor dem Hotel herum.

**빠진 fehlend**

빠진 문장부호/낱말을 보충하시오. Ergänzen Sie die fehlenden Satzzeichen/Wörter.

**빨아먹는 사탕 der Lolli, der Lutscher**

빨간 빨아먹는 사탕 ein roter Lolli

어릴 때 나는 (딸기 맛의) 빨간 사탕을 빨아먹기 좋아했다. Als Kind habe ich gerne rote

Lollis (mit Erdbeergeschmack) gelutscht.

**빵집 die Bäckerei**

제과점에 가다 zur Bäckerei gehen

제과점에서 빵과 케이크를 사다 Brot und Kuchen in der Bäckerei kaufen

**사건 das Ereignis**

1988년 서울 하계올림픽은 한국에서 큰 사건이었다. Die Olympischen Sommerspiele 1988 in Seoul waren ein großes Ereignis in Korea.

**사고 차량 der Unfallwagen**

사고 차량 운전자가 도주했다. Der Fahrer des Unfallwagens ist geflüchtet.

**사과하다 sich (bei jm. für et.) entschuldigen**

"그 일은 유감입니다, 그 아이를 전혀 보지 못했습니다."라고 말하면서 그 사고 차량 운전자가 사과했다. „Die Sache tut mir leid, ich habe das Kind einfach nicht gesehen", entschuldigte sich der Fahrer des Unfallwagens.

**사귀다 kennenlernen → 처음 만나다**

독일 유학 중에 나는 많은 사람을 사귀었다. Während meines Studiums in Deutschland habe ich viele Leute kennengelernt.

**사(들이)다 kaufen, einkaufen → 구매하다**

**사라지다 verschwinden → 없어지다**

내 지갑이 사라졌다. Mein Geldbeutel ist verschwunden.

사장은 회의 끝나고 바로 사라졌다. Der Chef ist gleich nach der Sitzung verschwunden.

그가 경찰관을 보자 빨리 사라졌다. Als er den Polizisten sah, verschwand er schnell.

**사라져버린 weg → 없어진**

내 지갑이 사라졌다. Mein Geldbeutel ist weg.

**사랑에 빠진 verliebt**

그녀는 자기 동료와 사랑에 빠졌다. Sie ist in ihren Kollegen verliebt.

나는 즉시 그녀를 사랑하게 되었다. Ich habe mich sofort in sie verliebt.

**사발 die Schüssel → 대접**

샐러드를 사발에 담아라. Gib den Salat in die Schüssel.

**사별한 verwitwet**

전후에 사별한 여자가 많았다. Nach dem Krieg gab es viele verwitwete Frauen.

**사본 die Kopie → 복사본**

**사안 die Angelegenheit → 일**

이 사안에서 나를 도와줄 수 있니? Kannst du mir in dieser Angelegenheit helfen?

그것은 개인적인 사안/일이다. 관여하고 싶지 않다. Das ist eine private Angelegenheit. Da möchte ich mich nicht einmischen.

그는 업무적 사안에서/업무와 관련하여 내게 항상 좋은 조언을 한다. Er gibt mir immer gute Ratschläge in geschäftlichen Angelegenheiten.

**사업 das Geschäft → 비즈니스**

사업은 어떻습니까? Wie läuft Ihr Geschäft? - 사업이 잘 진행되고 있습니다. 주문이 많습니다. Mein Geschäft läuft gut. Es gibt viele Aufträge.

**사용하다 (물건을) benutzen, gebrauchen, verwenden**

나는 이 스키를 단 한 해 겨울만 사용했다. Ich habe diese Ski nur einen Winter benutzt.

너는 이 장을 서가로 사용할 수 있다. Du kannst diesen Schrank als Bücherregal benutzen/verwenden/ gebrauchen.

(낱말을) 사용하다 anwenden

이 낱말은 이 맥락에 사용할 수 없다. Dieses Wort kann man in diesem Kontext nicht anwenden.

(기기를) bedienen

이 기기를 어떻게 사용하지? Wie bedient man dieses Gerät?

**사이로/사이에 <방향> zwischen + 4격 목적어**

이 의자를 장롱과 피아노 사이에 놓아라. Stell den Stuhl zwischen den Schrank und das Klavier.

**사이에 <위치> zwischen + 3격 목적어**

소파와 장롱 사이에 (낮은) 서랍장이 있다. Zwischen dem Sessel und dem Schrank steht eine Kommode.

**사전 das Wörterbuch**

나는 새로운 낱말을 모두 사전에서 찾아본다. Ich schlage jedes neue Wort im Wörterbuch nach.

**사진을 찍다 ein Foto machen**

그는 정말로 사진을 잘 찍는다. Er macht wirklich gute Fotos.

우리 사진 한 장 찍어 줘! Mach ein Foto von uns!

**산업 die Industrie**

제주에는 산업이 거의 없다. Auf der Insel Jeju gibt es kaum Industrie.

**산업도시 die Industriestadt**

울산은 산업도시이다. Ulsan ist eine Industriestadt.

**산책하다 spazieren gehen**

공원에서 산책하다 im Park spazieren gehen

**산천 die Landschaft → 자연경관**

**살의 (몇) -jährig**

6살짜리 어린이는 아직 그것을 이해하지 못한다. 6-jährige Kinder können das noch nicht verstehen.

**살펴보다 sich et. anschauen**

그림을 자세히 살펴보다 sich die Bilder genau anschauen

사진을 잘 살펴보세요. 아는 사람이 있습니까? Schauen Sie sich die Fotos genau an. Erkennen Sie jemanden?

**살피다 schauen**

Thomas G.는 길로 뛰어나가기 전에 좌우를 살피지 않았다. Thomas G. hat nicht nach links und rechts geschaut, bevor er auf die Straße lief.

**삼과 이 분의 일 dreieinhalb**

비 때문에는 나는 집에까지 세 시간 반이 걸렸다. Wegen des Regens habe ich dreieinhalb Stunden bis nach Hause gebraucht.

**삼 분의 일 das Drittel**

나는 벌써 그 책의 3분의 1 이상을 읽었다. Ich habe schon mehr als ein Drittel des Buches gelesen.

**상급 과정 der Oberstufenkurs**

**상급 단계 die Oberstufe**

**상급 단계 과정 der Oberstufenkurs**

**상급의/고급의 fortgeschritten**

그는 독일어에서 매우 상급/고급 수준이다. Er ist in Deutsch weit fortgeschritten.

**상급자/고급자 der/die Fortgeschrittene**

우리는 상급자/고급자를 위한 강좌/과정 도 제공합니다. Wir bieten auch Kurse für Fortgeschrittene (= Fortgeschrittenenkurse) an.

**상기시키다 erinnern → 생각나게 하다**

왜 여러분이 독일어를 공부해야 하는지 한 번 더 상기시켜도 될까요? Darf ich Sie noch einmal daran erinnern, warum Sie Deutsch lernen sollten?

방에서 나갈 때 불을 꺼야 한다는 것을 네게 매번 상기시켜야 하니? Muss ich dich immer wieder daran erinnern, das Licht auszumachen, wenn du aus dem Zimmer gehst?

**상세한 ausführlich**

상세한 정보를 요청하다 ausführliche Informationen anfordern

상세한 보고서를 작성하다 einen ausführlichen Bericht schreiben

그녀는 범인에 대한 상세한 기술을 할 수 있었다. Sie konnte eine ausführliche Beschreibung des Täters geben.

**상이한 verschieden, unterschiedlich → 서로 다른**

이 사안에 있어서 우리는 상이한 의견을 가지고 있었다. In dieser Angelegenheit waren wir verschiedener Meinung.

두 정당은 상이한 목표를 추구한다. Die beiden Parteien verfolgen unterschiedliche Ziele.

**상징 das Symbol, das Wahrzeichen**

흰 비둘기는 평화의 상징이다. Die weiße Taube ist ein Symbol für Frieden.

에펠탑은 파리의 상징이다. Der Eiffelturm ist das Wahrzeichen von Paris.

**상징하다 für et. stehen, et. symbolisieren**

빨강은 사랑을 상징한다. Rot steht für die Liebe.

별은 메르체데스의 이미지를 상징한다. Der Stern symbolisiert das Mercedes-Image.

**상처 die Verletzung**

그는 심한 상처를 입었다. Er hat sich schwere Verletzungen zugezogen.

그는 가벼운 상처만 입었다. Er hat nur leichte Verletzungen erlitten.

그는 아직도 그 정신적 상처에 시달리고 있다. Er leidet immer noch unter der psychischen Verletzung.

**상처가 난 verletzt → 다친, 부상한**

**상처를 입은 verletzt → 다친**

다친 사람들은 즉시 병원으로 이송되었다. Die Verletzten wurden sofort ins Krankenhaus gebracht.

**상처를 입히다 verletzen**

그 학생은 심한 상처를 입었다/심하게 다쳤다. Der Schüler wurde schwer verletzt.

**상표 die Marke**

이것은 스노우 (상)표 스키이다. Das sind Ski der Marke SNOW.

잘 알려진 상표 eine bekannte Marke

자동차 상표 die Automarke

옷 상표 die Kleidermarke

**새 der Vogel**

지저귀는 새들 singende Vögel (der Singvogel)

저기 새가 한 마리 날아간다. Dort fliegt ein

Vogel.

**색연필 der Farbstift**

색연필로 그리다 mit Farbstiften malen

**샌들 die Sandale**

이 스키 신발은 샌들처럼 편안하다. Die Skischuhe sind bequem wie Sandalen.

여름에 나는 샌들을 즐겨 신다. Im Sommer trage ich gern Sandalen.

**생가 das Geburtshaus**

프랑크푸르트에서 나는 괴테 생가를 관람했다. In Frankfurt habe ich das Geburtshaus von Goethe besichtigt.

**생각 der Gedanke**

그것에 관해서 너무 많이 생각하지 마. Mach dir nicht zu viele Gedanken darüber.

**생각 (...하고 싶은) die Lust → 의욕**

수영하고 싶은 생각 있니? Hast du Lust zu schwimmen?

나하고 수영장에 갈 생각 없니? - 아니, 됐어. 머리가 아프고 아무것도 하고 싶은 생각이 없어. Hast du keine Lust, mit mir ins Schwimmbad zu gehen? - Nein, danke. Ich habe Kopfschmerzen und zu nichts Lust.

아이스크림 먹고 싶은 생각 있니? Hast du Lust auf ein Eis?

**생각하게 하다 (jn. an et.) erinnern**

그의 편지를 보자 내 독일 시절이 생각났다. (→ 그의 편지가 나의 독일 시절을 생각나게 하였다.) Sein Brief hat mich an meine Zeit in Deutschland erinnert.

이 사진은 나의 어린 시절을 생각하게 한다. Dieses Foto erinnert mich an meine Kindheit.

**생각하다 (의견) meinen**

이 제안에 대해서 어떻게 생각해? Was meinst du zu diesem Vorschlag?

(기억) 생각하다

나는 자주 너를 생각한다. Ich denke oft an dich.

**서가 das Bücherregal**

밝은색 나무로 만든 서가 ein Bücherregal aus hellem Holz

책을 서가에 꽂다 die Bücher ins Bücherregal stellen

그 책을 서가에서 가져다줄래? Könntest du mir das Buch aus dem Bücherregal holen?

너 빨리 다시 서가의 먼지를 닦아내야 하겠다. Du solltest das Bücherregal endlich mal wieder abstauben.

**서랍장 die Kommode**

양말을 서랍장에 넣다 die Socken in die Kommode legen

**서로 다른 verschieden → 상이한**

**서로(에게서/로부터) voneinander**

우리는 오랫동안 서로(에게서) 아무 소식도 듣지 못했다. Wir haben lange nichts voneinander gehört.

**서류 die Unterlage <보통 복수: -n>**

서류를 요청하다 Unterlagen anfordern

지원 서류 die Unterlagen für die Bewerbung

회사에 서류를 보내다 die Unterlagen an die Firma schicken

**서 있다 stehen**

문 오른쪽 옆에 옷장이 있다. Rechts neben der Tür steht der Kleiderschrank.

**서점 der Buchladen, die Buchhandlung**

나는 이 책을 큰 서점에서 샀다. Ich habe dieses Buch in einer großen Buchhandlung gekauft.

그는 서점을 운영한다. Er führt einen Buchladen.

**서쪽 der Westen**

인천은 한국의 서쪽(지방)에 있다. Incheon liegt im Westen Koreas.

**서쪽에 (...의) westlich (von) ..., im Westen von ...**

중국은 한국의 서쪽에 있다. China liegt westlich von Korea.

**서쪽의 westlich**

서쪽 지방은 (→ 그 나라의 서쪽 부분은) 오늘 흐리다. Im westlichen Teil des Landes ist es heute bedeckt.

**서해 das Westmeer**

**석사 M. A. (Magister Artium; Magistra Artium; Master of Arts)**

**석사과정 das Masterstudium**

나는 다음 학기에 석사 과정을 시작할 것이다. Ich werde nächstes Semester mein Masterstudium beginnen.

나는 생물학 석사과정에 등록했다. Ich habe mich für das Masterstudium in Biologie eingeschrieben.

**석사 논문 die Magisterarbeit, die Masterarbeit**

나는 인공지능에 관해 석사 논문을 썼다. Ich habe meine Magisterarbeit über Künstliche Intelligenz geschrieben.

그의 석사 논문이 수용되었다. Seine Magisterarbeit wurde angenommen.

**섞다 mischen**

설탕과 밀가루를 잘 섞다 Zucker und Mehl gut mischen

**선글라스 die Sonnenbrille**

짙은 선글라스를 쓰고 있다 eine dunkle Sonnenbrille tragen

선글라스를 쓰다 die Sonnenbrille aufsetzen

선글라스를 벗다 seine Sonnenbrille abnehmen

**선물 받는 사람 der/die Beschenkte**

**선물하다 (누구에게 무엇을) jm. et. schenken, (무엇을) et. verschenken, (누구에게) jn. beschenken**

누구에게 생일에 책을 선물하다 jm. ein Buch zum Geburtstag schenken

나는 오래 사용한 라디오를 팔고 싶지 않고, 그냥 선물한다. Ich möchte mein altes Radio nicht verkaufen, ich verschenke es einfach.

나는 크리스마스 때 남편으로부터 선물을 많이 받았다. Ich wurde von meinem Mann zu Weihnachten reich beschenkt.

**선언 die Erklärung**

1919년 3월 1일 독립선언이 공개적으로 낭독되었다. Am 1. 3. 1919 wurde die Erklärung der Unabhängigkeit öffentlich verlesen.

**선언하다 erklären**

교장 선생님은 "학생 라디오 방송을 허락하겠습니다."라고 선언했다. „Ich gebe die Erlaubnis für das Schülerradio“, erklärte der Direktor.

**선포하다 (전쟁을) den Krieg erklären**

그들은 사전에 전쟁을 선포하지 않고 우리나라를 공격했다. Sie haben unser Land angegriffen, ohne vorher den Krieg zu erklären.

**설거지하다 spülen**

그릇을 설거지하다 das Geschirr spülen

나는 기꺼이 어머니를 도와 설거지한다. Ich helfe meiner Mutter gern, das Geschirr zu spülen.

**설명 die Erklärung**

나는 그의 설명을 이해할 수 없었다. Ich konnte seine Erklärung nicht verstehen.

나는 당신에게 자세한 설명을 요구합니다. Ich verlange eine ausführliche Erklärung von Ihnen.

**설탕 der Zucker <항상 단수>**

나는 항상 우유와 설탕을 타서 커피를 마신다. Ich trinke meinen Kaffee immer mit Milch und Zucker.

설탕 1kg을 슈퍼마켓에서 사 오다 ein Kilo Zucker vom Supermarkt holen

설탕과 밀가루를 섞다 den Zucker und das Mehl mischen

갈색 설탕 brauner Zucker

흰 설탕 weißer Zucker

**성공 der Erfolg**

성공하길! Viel Erfolg!

누구에게 성공을 빌다 jm. viel Erfolg wünschen

학업을 성공적으로 마치다 das Studium mit Erfolg abschließen

어학코스를 잘 마치다 (→ 어학코스에 성공적으로 참여하다) mit Erfolg an einem Sprachkurs teilnehmen

가끔 실패가 성공의 바탕이 될 때가 있다. Manchmal ist ein Misserfolg die Grundlage für einen Erfolg.

**성급한 hektisch**

그렇게 성급하게 하지 마. Sei nicht so hektisch!

오늘날 많은 사람이 성급한 생활을 한다. Heutzutage führen viele Menschen ein hektisches Leben.

우리의 일상생활이 점점 더 성급해진다. Unser Alltag wird immer hektischer.

**성급함 die Hektik**

성급함 속에서 나는 지갑을 집에 두고 나왔다. In der Hektik habe ich meinen Geldbeutel zu Hause liegen lassen.

**성악 der Gesang**

그는 이탈리아에서 성악을 공부했다. Er hat in Italien Gesang studiert.

**성인 der/die Erwachsene**

그 학원은 성인과 학생을 위한 어학코스를 제공한다. Das Institut bietet Sprachkurse für Erwachsene und Schüler an.

**성인의 erwachsen**

18세면 성인이다. Mit 18 ist man erwachsen.

**성장하다 aufwachsen**

나는 작은 마을에서 성장했다. Ich bin in einem kleinen Dorf aufgewachsen.

나는 시골 조부모님 댁에서 성장했다. Ich bin bei meinen Großeltern auf dem Land aufgewachsen.

**성장한 erwachsen**

그에게는 성장한 딸이 둘 있다. Er hat zwei erwachsene Töchter.

**성적 die Note, die Zensur**

좋은 성적을 가지다 gute Noten haben

성적 '수'를 받다 die Note 1 bekommen

나는 독일어 성적을 향상해야 한다. Ich muss meine Note in Deutsch verbessern.

**성적표/성적증명서 das Zeugnis**

좋은 성적표를 가지다 ein gutes Zeugnis haben

제 성적표 사본을 한 장 동봉/첨부합니다. Ich lege/füge eine Kopie meines Zeugnisses bei.

성적표상의 성적 die Zeugnisnote(n)

**세계여행 die Weltreise**

나는 세계여행을 한번 하고 싶다. Ich möchte gern einmal eine Weltreise machen.

**세계적으로 유명한 weltberühmt**

그녀는 세계적으로 유명한 배우/가수이다. Sie ist eine weltberühmte Schauspielerin/Sängerin.

쾰른은 대성당이 있어서 세계적으로 유명하다. Köln ist weltberühmt für seinen Dom.

**세련된 elegant (우아하고 세련된), schick (멋지고 현대적인)**

세련된 디자인 ein elegantes Design

세련된 원피스 ein schickes Kleid

**세미나실 der Seminarraum**

**세미나 (노트) 필기 die Seminarnotiz <보통 복수: -en>**

세미나 필기 좀 보여줄래? Kannst du mir bitte deine Seminarnotizen zeigen?

**세 번째의 dritt-**

세 번째로 오래된 대학 die drittälteste Universität

세 번째로 큰 도시 die drittgrößte Stadt

**셰리 (남부 스페인산 백포도주) der Sherry**

셰리를 마시다 einen Sherry trinken

고기를 셰리에 재다 das Fleisch in Sherry einlegen

**소개하다 vorstellen**

자기 고향 도시를 소개하다 seine Heimatstadt vorstellen

누구에게 자기 여자 친구를 소개하다 jm. seine Freundin vorstellen

제 남편을 소개해드려도 될까요? Darf ich Ihnen meinen Mann vorstellen?

**소금 das Salz <항상 단수>**

소금 한 자밤/꼬집 eine Prise Salz

소금 한 티스푼을 넣다 einen Teelöffel Salz hinzugeben

물에 소금을 약간 넣다 etwas Salz ins Wasser geben

**소금물 das Salzwasser**

스파게티를 소금물 3l에 삶다 die Spaghetti in drei Liter Salzwasser kochen

**소도시 die Kleinstadt**

소도시에 살다 in einer Kleinstadt leben

독일 남부에 있는 작은 도시에서 오다 aus einer Kleinstadt im Süden Deutschlands kommen

대도시에서 소도시로 이사하다 aus der Großstadt in die Kleinstadt ziehen

**소리치다 schreien**

두려워서 소리치다 vor Angst schreien

아이들이 "멈춰!"하고 소리쳤다. Die Kinder haben „Anhalten!“ geschrien.

**소설 der Roman**

누가 이 소설을 썼지? Wer hat diesen Roman geschrieben?

이 소설은 노벨 문학상이 수여됐다. Dieser Roman wurde mit dem Nobelpreis für Literatur ausgezeichnet.

**소스 die Soße**

소스를 만들다 die Soße zubereiten

고기 위에 소스를 붓다 die Soße über das Fleisch gießen

고기에 소스를 버무리다 die Soße mit dem Fleisch mischen

소스를 만들기 위해 재료를 섞다 die Zutaten für die Soße mischen

**소시지 das Würstchen, die Wurst**

크고, 기름진 소시지 ein großes, fettes Würstchen

겨자를 얹은 소시지 ein Würstchen mit Senf

소시지를 굽다 Würstchen braten

**소시지 가게 die Würstchenbude**

소시지 가게에서 소시지를 사다 sich ein Würstchen an der Würstchenbude kaufen

**소식 die Nachricht**

네게 좋은 소식이 있다. 너 그 일자리를 얻었다. Ich habe eine gute Nachricht für dich: Du hast die Stelle bekommen.

그 사람에게서 새로운 소식이 있니? Gibt es neue Nachrichten von ihm?

**소유하다 besitzen**

그는 집을 두 채 소유하고 있다. Er besitzt zwei Häuser.

2채 이상의 주택(부동산)을 소유한 사람은 더 높은 세율의 세금을 내야 한다. Wer mehr als eine Wohnimmobilie besitzt, muss einen höheren Steuersatz zahlen.

**소원 der Wunsch**

소원이 많다 viele Wünsche haben

내 소원은 독일로 한 번 여행하는 것이다. Mein Wunsch ist, einmal nach Deutschland zu reisen.

나의 소원이 실현되었다. Mein Wunsch ist wahr geworden./Mein Wunsch hat sich erfüllt/verwirklicht.

**소재지 der Standort → 입지**

그 회사는 홍콩 소재지를 포기하고 싱가포르로 이전하려고 한다. Die Firma will den Standort Hongkong aufgeben und nach Singapur ziehen.

**소파 das Sofa**

오래되었지만, 편안한 소파 ein altes, aber bequemes Sofa

흰 가죽으로 만든 현대식 소파 ein modernes Sofa aus weißem Leder

소파 위에 앉다 sich aufs Sofa setzen

점심 후에 그는 항상 소파에 누워서 잠깐 잠을 잔다. Nach dem Mittagessen legt er sich immer aufs Sofa und macht ein Nickerchen.

**속하다 (...에) → (...의) 것이다 gehören <+ 3격 목적어>**

이 소파는 전에 나의 할머니에게 속했다. Der Sessel hat früher meiner Oma gehört.

이 책이 누구 것이지? Wem gehört das Buch?

**손 die Hand**

오른손 die rechte Hand

왼손으로 글을 쓰다 mit der linken Hand schreiben

질문이 있으면 손을 드세요. Wenn Sie eine Frage haben, heben Sie die Hand.

**손가락 der Finger**

나는 손가락을 다쳤다. Ich habe mir den Finger verletzt.

그녀는 새끼손가락에 반지를 끼고 있다. Sie trägt einen Ring am kleinen Finger.

그는 요리하다가 손가락을 베었다. Er hat sich beim Kochen in den Finger geschnitten.

**손님 der Gast, der Besuch**

당신은 우리 집에서 항상 환영받는 손님입니다. Sie sind bei uns immer ein willkommener Gast.

지금 손님이 와 있어. 나중에 전화할게. Ich habe im Moment Besuch. Ich rufe dich später zurück.

**손님(을 위한)방 das Gästezimmer**

너는 우리 손님방에서 자도 돼. Du kannst gerne in unserem Gästezimmer schlafen.

**솔직한 ehrlich**

솔직히 말해서, 너를 완전히 이해할 수는 없다. Ehrlich gesagt, kann ich dich nicht ganz verstehen.

**쇠고기 das Rindfleisch**

쇠고기를 얇게 썰다 das Rindfleisch in dünne Scheiben schneiden

쇠고기를 쌀로 빚은 술에 재다 das Rindfleisch in Reiswein einlegen

쇠고기를 프라이팬에/약간의 기름에 굽다 das Rindfleisch in der Pfanne/in etwas Öl braten

쇠고기를 소금과 후추로 양념하다 das Rindfleisch mit Salz und Pfeffer würzen

**쇼핑 가능성 die Einkaufsmöglichkeit**

우리 집 근처에는 쇼핑할 데가 많다. Es gibt viele Einkaufsmöglichkeiten in der Nähe meiner Wohnung.

**쇼핑하다 einkaufen → 사다**

쇼핑하러 가기를 좋아하다 gerne einkaufen gehen

남대문 시장은 쇼핑하기 좋다. Auf dem Namdaemun-Markt kann man gut einkaufen.

**수강하다 (강좌를) besuchen**

어학코스를/댄스 강좌를 수강하다 einen Sprachkurs/Tanzkurs besuchen

**수건 das Handtuch**

여기 닦을 수건이 있다. Hier hast du ein Handtuch zum Abtrocknen.

**수고 die Mühe**

수고에 미리 감사드립니다. Vielen Dank im Voraus für Ihre Mühe.

**수도 die Hauptstadt**

수도에서 살다 in der Hauptstadt leben

독일의 수도 die Hauptstadt von Deutschland

수도로 이사하다 in die Hauptstadt ziehen

통일 후 독일은 수도를 본에서 베를린으로 옮겼다. Nach der Wiedervereinigung hat Deutschland die Hauptstadt von Bonn nach Berlin verlegt.

**수동태 das Passiv**

이 능동태 문장을 수동태로 옮기시오. Setzen Sie diesen Aktivsatz ins Passiv.

**수동태 문장 der Passivsatz**

이 수동태 문장으로 능동태 문장을 만드시오. Bilden Sie aus diesem Passivsatz einen Aktivsatz.

**수량표시 die Mengenangabe**

**수령하다/받다 erhalten, bekommen**

나는 어제 한국에서 온 작은 소포를 수령하였다. Ich habe gestern ein Päckchen aus Korea erhalten.

**수리하다 reparieren**

자전거를 수리하다 das Fahrrad reparieren

나는 내 자동차를 수리 맡겼다. Ich habe mein Auto reparieren lassen.

이 컴퓨터는 이제 수리할 수 없다. Dieser Computer ist nicht mehr zu reparieren.

**수많은 zahlreich**

수많은 방문객 zahlreiche Besucher

서울에는 수많은 박물관과 연극공연장이 있다. In Seoul gibt es zahlreiche Museen und Theater.

**수업 내용 der Unterrichtsstoff**

**수업 실습 die Unterrichtspraxis**

**수업 참관 die Hospitation**

**수업하다 unterrichten, Unterricht geben**

나는 오늘 4시간 수업해야 한다. Ich muss heute vier Stunden unterrichten.

내일은 두 시간만 수업하면 된다. Morgen brauche ich nur zwei Stunden Unterricht zu geben.

**수여하다 (누구/무엇에게 무엇을 인정하여 상/타이틀을) jn./et. mit et. auszeichnen**

영화 기생충에 상을 수여하였다. Man hat den Film Parasite mit einem Preis ausgezeichnet.

나는 생일에 노벨상이 수여된 책을 선물 받았다. Ich habe zu meinem Geburtstag ein Buch, das mit dem Nobelpreis ausgezeichnet wurde, geschenkt bekommen.

**수염 der Bart**

그는 수염을 기르고 있다. Er hat/trägt einen Bart.

그는 수염을 기른다. Er lässt sich einen Bart wachsen.

**수영강습 der Schwimmkurs**

수영강습을 받다 einen Schwimmkurs machen/besuchen

**수용하다 annehmen → 받아들이다**

사과를 수용하다 eine Entschuldigung annehmen

내 제안은 수용되지 않았다. Mein Vorschlag wurde nicht angenommen.

제 초대를 수용하시면 좋겠습니다. Ich hoffe, Sie nehmen meine Einladung an.

**수정 텍스트 der Korrekturtext**

**수행하다 begleiten → 동행하다, 바래다주다**

그녀는 대통령의 독일 방문 때 통역사로 대통령을 수행하였다. Sie hat den Präsidenten bei seinem Deutschlandbesuch als Dolmetscherin begleitet.

**수행하다 (일을) leisten**

너는 군 복무를 벌써 수행했니? Hast du deinen Militärdienst schon geleistet?

**숙고하다 überlegen**

결정하기 전에 그 일을 한 번 더 숙고해 보아라. Überlege dir die Sache noch einmal ganz genau, bevor du dich entscheidest.

**숙박 die Übernachtung**

하루 숙박비가 얼마입니까? Was kostet eine Übernachtung?

**숙소 die Unterkunft**

가성비가 좋은 숙소를 찾고 있다. Ich suche eine günstige Unterkunft.

**순(수한) echt**

순 가죽으로 만든 가방 eine Tasche aus echtem Leder

순은으로 만든 시계 eine Uhr aus echtem Silber

**순간 der Moment**

이 순간 버스가 한 대 왔다. In diesem Moment kam ein Bus.

**순서 die Reihenfolge**

다음 문장들을 올바른 순서로 배열하시오. Bringen Sie folgende Sätze in die richtige Reihenfolge.

**숟가락 der Esslöffel**

깨 한 숟가락 ein Esslöffel Sesamkörner

기름 세 숟가락을 넣다 drei Esslöffel Öl hinzugeben

**숨다 sich verstecken**

그는 책상 밑에 숨었다. Er hat sich unter dem Schreibtisch versteckt.

**숲 der Wald**

나는 숲에서 산책하기를 좋아한다. Ich gehe gern im Wald spazieren.

**쉬다 (일이 없다) freihaben**

수요일에는 내가 쉰다. Mittwochs habe ich frei.

**스며들게 하다 (양념이) ziehen lassen → 재우다 (고기를 양념에)**

나는 고기에 한 시간 동안 양념이 스며들게 한다. Ich lasse das Fleisch eine Stunde ziehen.

**스치며 끌다 schleifen**

버스가 그 학생을 땅 위로 스치며 끌었다. Der Bus schleifte den Schüler über den Boden.

프랑크는 땅 위로 10미터를 스치며 끌렸다. Frank wurde zehn Meter über den Boden geschleift.

**스칸디나비아 (das) Skandinavien**

**스케이트보드 das Skateboard**

스케이트보드를 타다 Skateboard fahren

**스케치북 der Malblock, der Zeichenblock**

빈 스케치북 ein leerer Malblock

스케치북과 색연필 Malblock und Farbstifte

**스케치하다 zeichnen, skizzieren**

**스키 der Ski**

나는 스키를 타러 매년 알프스에 간다. Ich fahre jedes Jahr in die Alpen, um Ski zu fahren.

**스키 스틱 der Stock, der Skistock**

스키 스틱은 공짜로 준다. Die Skistöcke gibt es umsonst.

**스탠드 (책상 등) die Lampe, die Schreibtischlampe, die Nachttischlampe**

스탠드를 켜다/끄다 die Lampe anmachen/ausmachen

스탠드를 꺼라, 자고 싶다. Mach bitte die Lampe aus, ich möchte schlafen.

스탠드를 나이트 테이블에 올려놓다 die Lampe auf den Nachttisch stellen

**스테레오 음향기기 die Stereoanlage → 오디오 기기**

현대적인 스테레오 음향기기 eine moderne Stereoanlage

스테레오 음향기기를 켜다/끄다 die Stereoanlage anmachen/ausmachen

**스트레스 der Stress**

나는 학교에서 스트레스가 많다. Ich habe viel Stress in der Schule.
나는 일 때문에 스트레스가 많다. Ich habe viel Stress wegen meiner Arbeit.

**스트레스를 주는/받는 stressig** → **힘든**
스트레스를 받는 삶을 살다 ein stressiges Leben führen
스트레스를 주는 직업을 가지다 einen stressigen Beruf haben

**스파게티 die Spaghetti**
스파게티를 요리하다 Spaghetti kochen
스파게티를 소금물에 끓이다 die Spaghetti in Salzwasser kochen
우리 집에서는 일요일마다 토마토소스를 얹은 스파게티를 먹는다. Bei uns gibt es jeden Sonntag Spaghetti mit Tomatensoße.

**스푼 der Esslöffel** → **숟가락**

**스피커 장비 die Lautsprecheranlage**
현대적인 스피커 장비 eine moderne Lautsprecheranlage
학교 스피커(장비)를 이용하다 die Lautsprecheranlage der Schule benutzen
무엇을 스피커(장비)를 통해서 알리다 et. über die Lautsprecheranlage bekanntgeben

**슬픈 traurig**
슬픈 얼굴로 mit traurigem Gesicht
그렇게 슬픈 얼굴 하지 마! Mach doch nicht so ein trauriges Gesicht!
오늘 왜 그렇게 슬퍼 보이지? Warum sieht du heute so traurig aus?
작별은 매우 슬펐다. Der Abschied war sehr traurig.
벨로는 슬픈 표정으로 맛있는 소시지를 바라보았다. Bello schaute traurig auf die leckeren Würstchen.

**습득 der Erwerb**
언어습득 der Spracherwerb

**습득하다 erwerben**
나는 독일어 교사 자격증을 습득하였다. Ich habe die Deutschlehrerqualifikation erworben.

**승강기 der Aufzug, der Lift**
승강기를 기다리다 auf den Aufzug warten
승강기를 타다 den Aufzug nehmen
승강기가 고장이 났다. Der Aufzug ist kaputt.

**승리하다 (...를 상대로) (gegen jn./et.) gewinnen**
독일 팀이 프랑스 팀을 상태로 2대1로 승리했다. Die deutsche Mannschaft hat mit zwei zu eins gegen die französische Mannschaft gewonnen.

**시 das Gedicht**
시를 외우다 das Gedicht auswendig lernen
시를 낭송하다 das Gedicht vortragen

**시각 die Sicht, die Perspektive**
이 이야기를 교사의 시각에서 말씀하시오. Erzählen Sie die Geschichte aus der Sicht des Lehrers.

**시골 das Land**
그는 은퇴 후의 삶을 시골에서 보내고 싶어한다. Er möchte seinen Ruhestand auf dem Land verbringen.

**시내 die Stadtmitte**
우리는 시내에서 만난다. Wir treffen uns in der Stadtmitte.
시내에는 종종 데모가 있다. In der Stadtmitte

gibt es oft Demonstrationen.

**시내 중앙 das Stadtzentrum**

시내 중앙으로 가다 ins Stadtzentrum gehen

시내 중앙에 놓여있다 im Stadtzentrum liegen

시내 중앙에 살다 im Stadtzentrum wohnen

**시대 das Zeitalter**

인공지능 시대가 열린 지 벌써 오래다. Das Zeitalter der Künstlichen Intelligenz ist schon längst angebrochen.

**시도하다 versuchen**

나는 장학금을 얻으려고 시도할 것이다. Ich werde versuchen, ein Stipendium zu bekommen.

나는 은행에서 일할 자리를 얻고자 시도했다. Ich habe versucht, eine Stelle bei einer Bank zu bekommen.

**시디 die CD**

BTS의 최신 시디 die neueste CD von BTS

**시디플레이어 der CD-Spieler, der CD-Player**

**시선 der Blick**

그녀가 그에게 사나운/화난 시선을 던졌다. Sie hat ihm einen bösen/wütenden Blick zugeworfen.

그의 시선이 내게 향했다. Sein Blick richtet sich auf mich.

그녀의 시선에 내게 닿았다. Ihr Blick fiel auf mich.

**시월 der Oktober**

내 생일은 시월이다. Ich habe im Oktober Geburtstag.

시월은 수확의 달이다. Der Oktober ist der Monat der Ernte.

**시작하다 anfangen, beginnen**

대학공부를 시작하다 mit dem Studium anfangen

1997년 나는 대학에서 독일어를 공부하기 시작했다. 1997 habe ich angefangen, Deutsch zu studieren.

**시장 der Markt**

전통/재래시장 ein traditioneller Markt

나는 시장에 쇼핑하러 가는 것을 좋아한다. Ich gehe gern auf dem Markt einkaufen.

**시중을 들다 (누구의) jn. bedienen**

그 종업원이 우리의 시중을 잘 들었다. Der Kellner hat uns sehr gut bedient.

**시청 das Rathaus**

구 시청 das alte Rathaus

여권을 갱신하러 시청에 가야 한다. Ich muss aufs Rathaus gehen, um meinen Pass erneuern zu lassen.

**시험에서 떨어지다 in/bei der Prüfung durchfallen**

그 시험에서 떨어지지 않으려면 열심히 공부해야 해. Wenn du nicht bei/in der Prüfung durchfallen möchtest, solltest du fleißig lernen.

**식기 das Geschirr**

식기를 씻다 das Geschirr spülen

**식기 세척기 die Geschirrspülmaschine**

식기를 식기 세척기에 넣다 das Geschirr in die Geschirrspülmaschine stellen

식기 세척기에 그릇을 (채워) 넣다 die Geschirrspülmaschine einräumen

식기 세척기에서 그릇을 (모두) 꺼내다 die Geschirrspülmaschine ausräumen

**식욕 der Appetit**

그는 감기에 걸려 식욕이 없다. Er ist erkältet und hat keinen Appetit.

큰 식욕을 느끼다 großen Appetit haben → 나는 오늘 스파게티가 매우 먹고 싶다. Ich habe heute großen Appetit auf Spaghetti.

**식탁 der Esstisch**

원형 나무 식탁 ein runder Esstisch aus Holz

식탁을 중앙에 놓다 den Esstisch in die Mitte stellen

식탁에 앉다 sich an den Esstisch setzen

그 가족은 매일 저녁 식탁에 모여 앉는다. Die Familie versammelt sich jeden Abend um den Esstisch.

**신(고 있)다 tragen**

신/샌들을 신고 있다 Schuhe/Sandalen tragen

등산화는 단지 1년 신었다. Die Wanderschuhe sind nur ein Jahr getragen.

**신랑 der Bräutigam**

**신랑 신부(를 상징하는) 오리 die Brautente**

**신랑 신부 한 쌍 das Brautpaar**

**신문 die Zeitung**

신문을 읽다 Zeitung lesen

어제 신문 die Zeitung von gestern

일간 신문 die Tageszeitung

경제 신문 die Wirtschaftszeitung

스포츠 신문 die Sportzeitung

**신문 기사 der Zeitungsartikel**

**신문사 die Zeitung, der Zeitungsverlag**

신문사에 지원하다 sich bei einer Zeitung bewerben

한 신문사에서 사진사로 일하다 bei einer Zeitung als Fotograf arbeiten

**신부 die Braut**

**신분증 der Personalausweis**

신분증을 보여주세요. Zeigen Sie bitte Ihren Personalausweis.

**신선한 frisch**

신선한 빵 frisches Brot

신선한 채소 frisches Gemüse

신선한 공기를 마시다 frische Luft atmen

**신이 나서 begeistert**

선생님은 신이 나서(도취하여) 그 성의 역사에 관하여 말씀하셨다. Der Lehrer erzählte begeistert von der Geschichte des Schlosses.

**신청하다 einen Antrag stellen, (et.) beantragen**

장학금을 신청하고 싶다. Ich möchte einen Antrag auf ein Stipendium stellen./Ich möchte ein Stipendium beantragen.

**실망한 enttäuscht**

나는 그가 나를 초대하지 않아서 실망했다. Ich bin enttäuscht, dass er mich nicht eingeladen hat.

**실무 영어 (das) Geschäftsenglisch**

실무 영어 강좌를 듣다 einen Kurs für Geschäftsenglisch besuchen

**실습 das Praktikum**

회사/학교에서 실습하다 ein Praktikum bei einer Firma/Schule machen

Bosch사에서의 6개월간 실습 ein 6-monatiges Praktikum bei BOSCH

**실습 자리 der Praktikumsplatz**

나는 한 소프트웨어 회사의 실습 자리를 신청했다. Ich habe mich um einen Praktikumsplatz bei einer Software-Firma beworben.

**실용적인 praktisch**

실용적인 옷 praktische Kleidung

실용적인 힌트 praktische Tipps

컴퓨터가 이제 책상 오른쪽에 있다. 이것이 더 실용적인 것 같다. Der Computer steht jetzt rechts auf dem Schreibtisch. Das finde ich praktischer.

**실행 die Durchführung**

나는 독일어 캠프 실행을 도왔다. Ich unterstützte die Durchführung des Deutsch-Camps.

**실현하다 verwirklichen**

자기 꿈/계획/희망을 실현하다 seinen Traum/seine Pläne/seinen Wunsch verwirklichen

**심리학 die Psychologie**

나는 심리학 개론 강좌에 등록했다. Ich habe mich für die Veranstaltung „Einführung in die Psychologie" angemeldet.

**심장 das Herz**

우리 할아버지는 심장이 약하다. Mein Großvater hat ein schwaches Herz.

**심지어 sogar, selbst**

심지어 야당도 대통령의 제안을 지지했다. Sogar die Oppositionspartei hat den Vorschlag des Präsidenten unterstützt.

심지어 어린아이도 그것을 이해할 수 있다. Selbst ein kleines Kind kann das verstehen.

**심한/심하게 schwer (부상, 질병)**

심한 머리 상처/손상 eine schwere Kopfverletzung

심한 질병 eine schwere Krankheit

사고로 심하게 다치다 bei einem Unfall schwer verletzt werden

심하게 (기침하다, 비·바람이 불다) stark

그가 기침을 심하게 한다. Er hustet stark.

비가 심하게 내린다. Es regnet stark.

누구/무엇을 심하게 비판하다 jn./et. stark kritisieren

**심화 교육 세미나 das Fortbildungsseminar**

심화 교육을 받다 ein Fortbildungsseminar machen

심화 교육을 제공하다 ein Fortbildungsseminar anbieten

심화 교육에 참여하다 an einem Fortbildungsseminar teilnehmen

**심화하다 vertiefen**

나는 독일어 실력을 더욱 심화하고 싶다. Ich möchte meine Deutschkenntnisse noch weiter vertiefen.

**십오 분/15분 die Viertelstunde**

나는 15분 후에 돌아온다. Ich bin in einer Viertelstunde wieder da/Ich komme ... zurück.

**싸다 packen**

책가방을 싸다 die Schultasche packen

여행 배낭을 싸다 den Rucksack für die Reise packen

나는 가방을 싸야 한다. Ich muss noch meinen Koffer packen.

**싸우다 streiten**

그들은 종종 사소한 문제로 싸웠다. Sie haben oft über Kleinigkeiten gestritten.

나는 너하고 이것에/돈에 관해서 싸우고 싶지 않다. Ich möchte mich nicht mit dir über diese Sache/über Geld streiten.

**싼/싸게 billig**

싼 오디오 eine billige Stereoanlage

이 슈퍼마켓에서는 모든 것을 싸게 살 수 있다. In diesem Supermarkt kann man alles billig kaufen

나는 싼 표를 구할 수 있었다. Ich habe ein billiges Ticket bekommen können.

**쌀로 빚은 술 der Reiswein**

쌀로 빚은 술을 한 병 마시다 eine Flasche Reiswein trinken

쇠고기를 쌀로 빚은 술과 설탕에 재우다 das Rindfleisch in Reiswein und Zucker einlegen

**쌍 das Paar**

그 둘은 벌써 오래전부터 한 쌍이다. Die beiden sind schon lange ein Paar.

사진 속에서 춤추는 한 쌍을 볼 수 있다. Auf dem Foto ist ein tanzendes Paar zu sehen.

**썬 geschnitten**

썬 버섯을 프라이팬에 넣고 구우세요. Braten Sie die geschnittenen Pilze in der Pfanne.

**썰다 schneiden**

빵/고기를 얇게 썰다 das Brot/das Fleisch in dünne Scheiben schneiden

사과를 조각으로 썰다 den Apfel in Stücke schneiden

양파를 동그랗게 썰다 die Zwiebeln in Ringe schneiden

양파를 썰 때 나는 눈물이 난다. Beim Zwiebelschneiden tränen mir die Augen.

양파만 썰면, 나는 눈물을 흘려야 한다. Sobald ich Zwiebeln schneide, muss ich weinen.

**쓰(고있)다 tragen**

밖에서 나는 자주 선글라스를 쓴다. Draußen trage ich oft eine Sonnenbrille.

겨울에 그는 항상 모자를 쓰고 다닌다. Im Winter trägt er immer einen Hut.

**씻다 (물로) spülen**

깨끗한 잔이 없다. 잔을 씻어야 한다. Es gibt keine sauberen Gläser mehr. Ich muss die Gläser spülen.

**아늑한 gemütlich**

아늑한 방 ein gemütliches Zimmer

**(...) 아니라, ... nicht ..., sondern ...**

그는 친절하지 않고, 불친절하다. Er ist nicht freundlich, sondern unfreundlich.

우리는 이제 쉬는 시간에 밖으로 나가야 하지 않고, 교실에 머물러도 된다. Wir müssen jetzt in der Pause nicht mehr nach draußen gehen, sondern dürfen im Klassenzimmer/in der Klasse bleiben.

나는 이제 일주일에 두 번씩 병원에 갈 필요 없고, 한 번만 가면 된다. Ich brauche nicht mehr zweimal pro Woche zum Arzt zu gehen, sondern nur noch einmal.

**아래(에) unten**

아래에 있는 방을 묘사하시오! Beschreiben Sie das Zimmer unten!

오른쪽 아래에 서명하세요. Bitte unterschreiben Sie rechts unten.

**아마도 wahrscheinlich, wohl**

아마도 벨로가 우리 차를 지키고 있을 것이다. Wahrscheinlich passt Bello auf unseren Wagen auf.

그는 아마도 그 약속을 잊어버린 것 같다. Er

hat den Termin wahrscheinlich vergessen.
밸로는 아마도 시내로 간 것 같다. Bello wird wohl in die Stadt gelaufen sein.
그녀가 아마도 금방 올 것 같다. Sie wird wohl gleich kommen.

**아빠 der Papa**
아빠에게 물어봐. Frag mal Papa.
너의 아빠 집에 계시니? Ist dein Papa zu Hause?

**아시아여행 die Asienreise**
아시아여행을 하다 eine Asienreise machen
아시아여행 사진들 die Fotos von der Asienreise
나는 아시아여행에서 많은 것을 보았다/경험했다. Ich habe auf der Asienreise viel gesehen/erlebt.

**아이스하키 das Eishockey**
아이스하키를 하다 Eishockey spielen
아이스하키 훈련 das Eishockey-Training

**아주 멋진/아름다운/좋은 wunderschön, sehr schön**
아주 멋진 원피스 ein wunderschönes Kleid
오늘 날씨가 아주 좋다. Wir haben heute wunderschönes Wetter.

**아주 유리한 supergünstig, sehr günstig**
아주 유리하게 물건을 사다 supergünstig einkaufen
아주 유리한 조건의 (판매) 제안 ein supergünstiges Angebot
아주 유리한 가격 supergünstige Preise

**아침 식사(를 차려 먹을 수 있는) 가능(성) die Frühstücksvorbereitungsmöglichkeit**

**아파트 das Apartment, die Wohnung**
서울에는 고층 아파트(가 들어있는 건물)가 많다. In Seoul gibt es viele Hochhäuser mit Apartments.
그는 고층 아파트에 산다. Er wohnt in einem Apartment-Hochhaus.
우리는 아파트 21층에 산다. Wir wohnen in einem Apartment im 20. Stock.
시내에 있는 한 작은 아파트에서 살다 in einem kleinen Apartment in der Stadtmitte wohnen

**악화하다/나빠지다 sich verschlechtern**
그의 상태가 매우 나빠졌다. Sein Zustand hat sich stark verschlechtert.
코로나 질병으로 인해서 경제 상황이 현저히 나빠졌다. Wegen der Corona-Pandemie hat sich die wirtschaftliche Lage deutlich verschlechtert.

**안내(소) die Information, die Auskunft**
안내(소)가 어디에 있습니까? Wo ist die Information/die Auskunft?

**안내 책자 die Informationsbroschüre → 안내 팸플릿**
학생 교환프로그램에 관한 안내 책자를 요청하다 eine Informationsbroschüre über das Schüleraustauschprogramm anfordern

**안내판 das Hinweisschild**
안내판을 따라가세요. Folgen Sie den Hinweisschildern.

**안내 팸플릿 die Informationsbroschüre → 안내 책자**
가격이 안내 팸플릿에 들어있다. Die Preise stehen in der Informationsbroschüre.
중요한 정보가 모두 우리 안내 책자에 들어있

습니다. Sie finden alle wichtigen Informationen in unserer Informationsbroschüre.

**안락의자 (1인용) der Sessel**

현대적인, 편안한 안락의자 ein moderner, bequemer Sessel

안락의자에 앉다 sich in den Sessel setzen

안락의자에 앉아있다 im Sessel sitzen

**안락한 bequem, gemütlich → 편안한**

안락한 의자 ein bequemer/gemütlicher Sessel

편안한 삶을 누리다 ein bequemes Leben führen/genießen

**안심시키다 (누구를) (jn.) beruhigen**

그 의사가 환자를 안심시킨다. Der Arzt beruhigt den Patienten.

**안정된 stabil**

물가가 지난해 안정된 상태로 머물렀다. Die Preise sind im letzten Jahr stabil geblieben.

이 나라의 정치적 상황이 안정되어 있지 않다. Die politische Lage in diesem Land ist nicht stabil.

**앉다 setzen (sich)**

땅(바닥)에 앉다 sich auf den Boden setzen

테이블에 앉다 sich an den Tisch setzen

소파에 앉다 sich aufs Sofa setzen

안락의자에 앉다 sich in den Sessel setzen

**알(게 되)다 (듣거나 보고) erfahren**

너 그가 장관이 된 것 알았니? Hast du schon erfahren, dass er Minister geworden ist?

**알(아 차리)다 (... 한 사실을 감지하여) bemerken, wahrnehmen → 인식하다**

이 순간 나는 벨로가 없다는 것을 알았다. In diesem Moment habe ich bemerkt, dass Bello fehlt.

나는 그것을 너무 늦게 알았다. Ich habe es zu spät bemerkt.

**알게 되다 (사람, 사물 따위를 새로) kennenlernen**

낯선 문화를 알게 되다 eine fremde Kultur kennenlernen

나라와 국민을 더 잘 알게 되다 Land und Leute besser kennenlernen

문화를 제대로 알게 되다 die Kultur richtig kennenlernen

**알려진 bekannt**

그 이론은 학자들 사이에 잘 알려졌다. Die Theorie ist unter den Wissenschaftlern sehr bekannt.

**알리다 mitteilen**

그 결과를 받자마자 알려드리겠습니다. Sobald ich das Ergebnis bekomme, werde ich es Ihnen mitteilen.

**암벽 기어오르기 das Felsklettern**

**앞에 vorne**

그림/사진 앞쪽 왼쪽에 vorne links auf dem Bild

**애, 애씀 die Mühe**

그는 준비하는 데 애를 많이 썼다. Er hat sich viel Mühe mit der Vorbereitung gegeben.

**애호박 die Zucchini**

**액수 die Summe, der Betrag**

그것은 거액이다. Das ist eine hohe Summe/ein hoher Betrag.

**약 (조금 못 미치는) knapp**

뮌헨의 주민은 약 160만 명이다. München

hat knapp 1,6 Millionen Einwohner.

비행은 약 3시간 걸린다. Der Flug dauert knapp drei Stunden.

**약간 etwas, ein bisschen**

그의 방은 항상 약간 어질러져 있다. Sein Zimmer ist immer etwas unordentlich.

그는 항상 약간 늦게 온다. Er kommt immer ein bisschen zu spät.

**약자 die Abkürzung**

EL은 'Esslöffel'의 약자이다. EL ist die Abkürzung für ‚Esslöffel'.

**얇게 썬 조각 die Scheibe**

고기를 얇게 썰다 das Fleisch in dünne Scheiben schneiden

그는 버터와 치즈를 올린, 두껍게 썬 빵 한 조각을 먹었다. Er aß eine dicke Scheibe Brot mit Butter und Käse.

**얇은 dünn**

얇게 썬 소시지 한 장 eine dünne Scheibe Wurst

사과를 얇게 썰다 den Apfel in dünne Scheiben schneiden

**양념하다 würzen**

채소는 양념해야 한다. Das Gemüse muss noch gewürzt werden.

**양도된 vergeben → 나간**

그 집은 벌써 양도되었다. Die Wohnung ist schon vergeben.

**양모 die Wolle**

양모로 만든 담요 eine Decke aus Wolle

양모 담요 die Wolldecke

**양산 der Sonnenschirm → 파라솔**

양산을 펴다/닫다 den Sonnenschirm aufmachen(aufspannen)/zumachen

**양성 교육 die Ausbildung**

양성 교육을 마친 후에 nach dem Abschluss der Ausbildung

**양탄자 der Teppich**

파란 줄무늬가 있는 둥근 양탄자 ein runder Teppich mit blauen Streifen

크고, 부드러운 양탄자 ein großer, weicher Teppich

양탄자를 방 가운데에 깔다 den Teppich in die Mitte des Zimmers legen

**양파 die Zwiebel**

매운 양파 eine scharfe Zwiebel

양파 껍질을 벗기다 die Zwiebel schälen

양파를 얇은 링/고리 모양으로 썰다 die Zwiebel in dünne Ringe schneiden

양파를 잘게 다지다 die Zwiebel klein hacken

다진 양파를 프라이팬에 넣다 die gehackten Zwiebeln in die Pfanne geben

**애호박 die Zucchini**

애호박을 얇게 썰다 die Zucchini in Scheiben schneiden

**어디에(서)도 (없는) nirgendwo**

그 개는 어디에서도 볼 수 없다. Der Hund ist nirgendwo zu sehen.

나는 내 안경을 어디에서도 찾을 수 없다. Ich kann meine Brille nirgendwo finden.

**어/아서 (...), (그 결과) ... sodass/so dass <종속접속사>**

그가 빨리 말해서 나는 그의 말을 이해할 수 없었다. Er hat schnell gesprochen, sodass ich ihn nicht verstehen konnte.

**어깨끈 der Schulterriemen**

쿠션이 들어있는 어깨끈 gepolsterte Schulterriemen

튼튼한 재료로 만든 어깨 끈 Schulterriemen aus festem Material

**어두운 dunkel**

어두워서 나는 아무것도 볼 수 없었다. Es war dunkel und ich konnte nichts sehen./Es war (sehr) dunkel, sodass ich nichts sehen konnte.

방 안이 어두워서 불을 켰다. Im Zimmer war es dunkel und ich habe das Licht angeschaltet.

겨울에는 날이 일찍 어두워진다. Im Winter wird es früh dunkel.

**어떤 welch-**

어떤 바지가 더 마음에 들어? Welche Hose gefällt dir besser?

어떤 그림이 더 예쁜 것 같아? Welches Bild findest du schöner?

**어떤 것 (셀 수 없는)/(불특정한 그런) 것들 welch- <불특정대명사>**

달걀이 아직 있어? - 응, 몇 개 있어. Haben wir noch Eier? - Ja, wir haben noch welche.

냉장고에 치즈 있어? - 응, 아직 있어. Gibt es noch Käse im Kühlschrank? - Ja, es gibt noch welchen.

**어려움 die Schwierigkeit <보통 복수: -en>**

큰 어려움을 겪다 große Schwierigkeiten haben

어려움이 없다 keine Schwierigkeiten haben

학교에서 어려움을 겪다 Schwierigkeiten in der Schule haben

영어 과목에 어려움을 가지다 Schwierigkeiten in Englisch haben

영어에 어려움을 가지다 Schwierigkeiten im Englischen/mit dem Englischen haben

어려움을 극복하다 die Schwierigkeiten überwinden

**어린이 책 das Kinderbuch**

**어린이 침대 das Kinderbett**

어린이 침대에서 자다 im Kinderbett schlafen

**어릴 때 사진 das Kinderfoto**

누구에게 어릴 때 사진을 보여주다 jm. seine Kinderfotos zeigen

이것은 내 누이의 어릴 때 사진이다. Das ist ein Kinderfoto von meiner Schwester.

**어머니 날 der Muttertag**

**어버이날 der Elterntag**

어버이날에는 부모님 가슴에 카네이션을 달아드린다. Am Elterntag heftet man seinen Eltern eine Nelke an die Brust.

**어수선함 die Hektik → 성급함**

**어시장 der Fischmarkt**

어시장에서 사다 auf dem Fischmarkt einkaufen

부산의 오래된 어시장은 자갈치라고 한다. Der alte Fischmarkt in Busan heißt „Jagalchi“.

어시장은 관광객에게 하나의 명소이다. Der Fischmarkt ist eine Sehenswürdigkeit für Touristen.

**어질러진 unordentlich**

어질러진 방/책상 ein unordentliches Zimmer/unordentlicher Schreibtisch

내 장롱은 항상 어질러져 있다. Mein Schrank ist immer unordentlich.

**어쩐지 (명확히 뭐라고 말할 수는 없지만) irgendwie**
어쩐지 슬프다. Ich bin irgendwie traurig.

**어학시험 die Sprachprüfung**
나는 어학시험을 봐야 한다. Ich muss die Sprachprüfung ablegen.
어학시험에 합격하다 die Sprachprüfung bestehen
어학시험에 떨어지다 in der Sprachprüfung durchfallen

**어학연수 방학 die Sprachferien**
영국에서 어학연수 방학을 보내다 Sprachferien in England machen

**어학/외국어 연수 여행 die Sprachreise**
우리는 성인과 학생을 위한 어학연수 여행을 제공합니다. Wir bieten Sprachreisen für Erwachsene und Schüler an.
아시아 어학연수 여행에 대한 정보자료를 요청하다 Informationsmaterial über Sprachreisen nach Asien anfordern
작년에 나는 미국으로 어학연수 여행을 갔었다. Letztes Jahr habe ich eine Sprachreise in die USA gemacht.

**어학코스를 다니다 einen Sprachkurs machen/besuchen**

**어휘 der Wortschatz**
나는 어휘를 늘려야 한다. Ich muss meinen Wortschatz erweitern.
'크로스워드 퍼즐 풀기'는 어휘를 확장하는 좋은 방식이다. Kreuzworträtzel lösen ist eine gute Methode, um den Wortschatz zu erweitern.

**어휘 학습 die Wortschatzarbeit**
수업에서는 어휘 학습을 별로 하지 않는다. Im Unterricht wird wenig Wortschatzarbeit gemacht.

**언덕 der Hügel**
언덕을 오르다 auf den Hügel steigen
언덕을 내려오다/내려가다 den Hügel herunterkommen/hinuntergehen

**언론(계) die Presse <항상 단수>**

**언론 매체 die Medien <보통 복수>**

**언론인 der Journalist**

**언론학 die Journalistik**
언론학 대학공부/전공 das Studium der Journalistik/das Journalistikstudium
언론학 분야에 정통하다 sich im Bereich Journalistik gut auskennen
그녀는 뮌스터 대학에서 언론학을 공부하고 지금 (프리랜서) 기자로 일하고 있다. 였다. Sie hat an der Universität Münster Journalistik studiert und arbeitet jetzt als (freiberufliche) Journalistin.

**언어지식 die Sprachkenntnis <보통 복수: -se>**
나는 내 언어지식을 더 향상해야 한다. Ich muss meine Sprachkenntnisse noch verbessern.
언어지식은 이력서에서 장점이다. Sprachkenntnisse sind im Lebenslauf ein Pluspunkt.

**언어 테스트 der Sprachtest**
언어 테스트를 하다 einen Sprachtest machen
언어 테스트에 합격하다 den Sprachtest bestehen
언어 테스트에서 떨어지다 beim/im Sprachtest durchfallen

올해 나는 그 언어 테스트를 반복해야 한다. Dieses Jahr muss ich den Sprachtest wiederholen.

**언어학 die Linguistik, die Sprachwissenschaft**

**언어 훈련 das Sprachtraining**

비즈니스맨을 위한 언어 훈련 Sprachtraining für Geschäftsleute

나는 언어훈련이 더 필요하다. Ich brauche noch mehr Sprachtraining.

**언제든지 jederzeit**

이 번호로 언제든지 제게 연락할 수 있습니다. Sie können mich unter dieser Nummer jederzeit erreichen.

**얻다 gewinnen**

이 제안으로 너는 그의 신뢰를 얻을 수 있다. Mit diesem Angebot kannst du sein Vertrauen gewinnen.

이 책으로 그 작가는 명성을 얻었다. Durch dieses Buch hat der Autor an Ansehen gewonnen.

**엄마 die Mama**

엄마가 내게 30유로를 주셨다. Mama hatte mir 30 Euro gegeben.

**업무의 beruflich**

그는 업무상 여행(출장)을 떠났다. Er ist beruflich verreist.

**없다/결여되다 fehlen → 부족하다**

나는 휴가 여행 갈/더 큰 집을 살 돈이 없다. Mir fehlt das Geld für eine Urlaubsreise/für eine größere Wohnung.

모두 다 있었는데, 페터만 없었다. Alle waren da, nur Peter fehlte.

나는 갑자기 벨로가 없다는 것을 알았다. Ich bemerkte plötzlich, dass Bello fehlte.

**없어지다 verschwinden → 사라지다**

**없어진 weg → 사라져버린**

내 지갑이 없어졌다! Mein Geldbeutel ist weg!

**없이 ohne + 4격 목적어**

너 없이는 파티에 가고 싶지 않다. Ich möchte nicht ohne dich zur Party gehen.

**여 über + 수량**

서울은 600여 년 동안 수도이다. Seoul ist schon über 600 Jahre lang Hauptstadt.

그는 벌써 3년여를 미국에서 살고 있다. Er lebt schon über drei Jahre in den USA.

**여가(시간) die Freizeit**

여가(시간)를 많이 가지다 viel Freizeit haben

여가에 스포츠를 하다 in der Freizeit Sport treiben

너는 여가에 무엇을 하니? Was machst du in deiner Freizeit?

고등학교 시절에 나는 여가가 거의 없었다. Während der Oberschulzeit hatte ich kaum Freizeit.

**여권 der Pass**

여권을 신청하다 einen Pass beantragen.

여권을 제시하다/분실하다 seinen Pass vorzeigen/verlieren

여권을 연장하다 den Pass verlängern lassen

여권을 검사하다 den Pass kontrollieren.

나는 새 여권을 발급받아야 한다. Ich muss mir einen neuen Pass ausstellen lassen.

유효기간이 6개월 이상 남은 여권이 필요하다. Man braucht einen Pass mit einer Gültigkeitsdauer von mehr als sechs

Monaten.

**여기까지 soweit**

오늘은 여기까지 하겠습니다. Soweit für heute.

**여러 mehrer-**

여러 사람이 우리 집에 왔다. Mehrere Leute kamen zu uns.

제가 여러 가지 모델을 제공할 수 있습니다. Ich habe mehrere Modelle für Sie./Ich kann Ihnen mehrere Modelle anbieten.

계산대에는 여러 사람이 기다리고 있었다. An der Kasse warteten mehrere Leute.

**여름 강좌 der Sommerkurs**

여름 강좌에 다니다 den Sommerkurs besuchen

여름 강좌에 참여하다 am Sommerkurs teilnehmen

여름 강좌에 등록하다 sich für den Sommerkurs anmelden

**여성 die Dame**

계산대에 있는 여성은 매우 친절했다. Die Dame an der Kasse war sehr nett.

비교적 나이가 많은 여성 ein ältere Dame

**여자고등학교 die Mädchenoberschule**

여자고등학교에 다니다 eine Mädchenoberschule besuchen

여자고등학교로 옮기다 auf eine Mädchenoberschule wechseln

**여자대학(교) die Frauenuniversität**

여자대학에/을 다니다/졸업하다 eine Frauenuniversität besuchen/abschließen

**여자 청소부 die Putzfrau**

여자 청소부를 고용하다 eine Putzfrau beschäftigen

5시에 여자 청소부가 온다. Um 5 Uhr kommt die Putzfrau.

**여행 (차를 타고 가는) die Fahrt**

우리는 7시간 동안 차를 타고 간 후에 (목적지에) 도착했다. Wir sind nach sieben Stunden Fahrt angekommen.

오랫동안 기차를 타는 것은 힘들었다. Die lange Fahrt mit dem Zug war anstrengend.

**여행안내원 der Reiseleiter**

여행안내원으로 일하다 als Reiseleiter arbeiten

**여행자 der Tourist, der Reisende**

**여행자 안내소 die Touristeninformation**

**연구자 der Forscher**

정부는 특히 젊은 연구자를 지원하다. Die Regierung unterstützt vor allem die jungen Forscher.

**연구하다 forschen**

그는 인공지능 분야에서 연구하고 있다. Er forscht auf dem Gebiet der Künstlichen Intelligenz.

**연극 Theater**

연극을 관람하러 가다 ins Theater gehen

**연극 (작품) das Theaterstück**

**연극공연장 das Theater**

서울에는 연극공연장이 많다. In Seoul gibt es viele Theater.

그 연극공연장은 그 도시의 명소에 속한다. Das Theater gehört zu den Sehenswürdigkeiten der Stadt.

**연극학 die Theaterwissenschaft**

**연도별로 제시된 tabellarisch**

연도별로 제시된 이력서를 쓰다/작성하다 einen tabellarischen Lebenslauf schreiben/verfassen

**연락하다 sich melden**

즉시 연락하다 sich sofort melden

그는 아직 내게 연락하지 않았다. Er hat sich noch nicht bei mir gemeldet.

**연립주택 (가족형) das Familienreihenhaus**

**연한 weich**

연한 피부 eine weiche Haut

연한 재료 weiches Material

연한 천 ein weicher Stoff

**열 die Hitze**

채소를 약한 열/불로 삶다 das Gemüse bei schwacher Hitze/bei schwachem Feuer kochen

고기를 중간 열/불로 굽다 das Fleisch bei mittlerer Hitze/bei mittlerem Feuer braten

스테이크를 센 열/불로 굽다 das Steak bei starker Hitze/bei starkem Feuer braten

**열다 aufmachen**

문을 열다 die Tür aufmachen

입을 열다 den Mund aufmachen

그는 수업 중에 절대로 입을 열지 않는다. Er macht im Unterricht nie den Mund auf.

**열리다 stattfinden**

파티가 주말에 페터의 집에서 열린다. Die Party findet am Wochenende bei Peter zu Hause statt.

그 축제는 테레지언 초원에서 열린다. Das Fest findet auf der Theresienwiese statt.

박람회는 1월 13일부터 15일까지 열린다. Die Messe findet vom 13. bis (zum) 15. Januar statt.

**염색하다 färben**

머리를 빨갛게 염색하는 젊은이가 더러 있다. Manche junge Leute färben sich die Haare rot.

**영어영문학 die Anglistik**

영어영문학을 전공하다 Anglistik studieren

영어영문학 수학을 끝마치다 das Anglistik-Studium abschließen

나는 내년에 영어영문학 전공을 시작한다. Ich beginne nächstes Jahr mit dem Studium der Anglistik.

**영역 der Bereich, das Gebiet → 분야**

정보처리학 영역에 좋은 지식을 가지다 gute Kenntnisse im Bereich Informatik haben/besitzen

나는 이 영역을 잘 알지 못한다. Ich kenne mich in diesem Bereich nicht gut aus.

나의 개인적인 영역은 다시 잘 정리되었다. Im privaten Bereich ist bei mir wieder alles in Ordnung.

**영화를 제작하다 einen Film machen**

그녀는 나중에 영화를 제작하고 싶어 한다. Sie möchte später Filme machen/drehen/produzieren.

**영화제 die Filmfestspiele <항상 복수>**

부산영화제 die Busaner Filmfestspiele

영화제를 방문하다 die Filmfestspiele besuchen

칸 국제영화제는 전 세계적으로 가장 중요한 영화제에 속한다. Die internationalen Filmfestspiele von Cannes zählen zu den weltweit bedeutendsten Filmfestspielen.

그 영화는 그 영화제에서 상을 받았다. Der Film hat bei den Filmfestspielen einen Preis bekommen./Der Film wurde bei den Filmfestspielen mit einem Preis ausgezeichnet.

**옆 die Seite**

옆으로 가세요(비키세요). Gehen Sie bitte zur Seite.

**옆에 neben + 3격 목적어**

문 오른쪽 옆에 rechts neben der Tür

**옆(에 앉은) 사람 der Sitznachbar**

내 옆에 앉은 사람은 내내 잤다. Mein Sitznachbar hat die ganze Zeit geschlafen.

비행 중에 나는 옆 사람하고 즐겁게 대화를 나눴다. Während des Flugs habe ich mich nett mit meinem Sitznachbarn unterhalten.

**옆으로/옆에 neben + 4격 목적어**

창문 왼쪽 옆으로 links neben das Fenster

그 안락의자를 창문 왼쪽에 두어라. Stell den Sessel links neben das Fenster.

**옆으로 나란히 nebeneinander**

그들이 벤치에 나란히 앉아있다. Sie sitzen nebeneinander auf der Bank.

**예비학교 die Vorschule**

예비학교에 다니다 die Vorschule besuchen

**예약하다 buchen**

비행기 표는 벌써 예약했니? Hast du schon einen Flug gebucht?

**옛, 예전의 ehemalig-**

나는 어제 옛 고등학교 친구들을 만났다. Ich habe gestern meine ehemaligen Oberschulfreunde getroffen.

**오늘날 heutzutage**

**오디오 기기 die Stereoanlage → 스테레오 음향 기기**

**오른쪽에 rechts**

장롱의 오른쪽 옆에 rechts neben dem Schrank

**오리발 die Schwimmflosse → 물갈퀴**

오리발을 신다 die Schwimmflossen anziehen

**옥토버페스트 (뮌헨의 10월 축제) das Oktoberfest**

**온전한 voll, völlig, vollkommen**

온전한 수강료를 내다 die volle Kursgebühr bezahlen

**올라가다 hinaufgehen, hochsteigen**

계단을 올라가다 die Treppe hinaufgehen

계단 1000개를 올라가다 1000 Stufen hochsteigen

산에 올라가다 den Berg hochsteigen

**옷장 der Kleiderschrank**

가득 찬 옷장 ein voller Kleiderschrank

외투를 옷장에 걸다 den Mantel in den Kleiderschrank hängen

**완성하다 (빈 곳을 채워서) vervollständigen**

문장을 완성하다 den Satz vervollständigen

(건물을) 완성하다 vollenden

그 건축물은 1763년 완성되었다. Der Bau wurde 1763 vollendet.

**왕 der König**

그 왕은 신하들의 존경을 받았다. Der König wurde von seinen Untertanen verehrt.

**왕궁 der Königspalast**

왕궁을 관람하다 den Königspalast besichtigen

서울은 경복궁과 같은 고궁들로 유

명하다. Seoul ist berühmt für seine alten Königspaläste wie den Palast Gyeongbokgung.

**왕릉 das Königsgrab**

그 왕릉을 발굴하면서 많은 보물을 발견했다. Bei der Ausgrabung des Königsgrabs hat man viele Schätze gefunden.

**왜냐하면, ... weil, da <종속접속사>, denn <대등접속사>, (왜냐하면) ...거든/니까 nämlich <부사>**

침대에는 베개와 천으로 만든 동물 인형이 많아. (왜냐하면) 내가 베개와 천으로 만든 동물 인형을 모으거든. Auf dem Bett liegen viele Kissen und Stofftiere. Ich sammle nämlich Kissen und Stofftiere.

**외국 das Ausland <항상 단수>**

외국에서 온 관광객 Touristen aus dem Ausland

외국에서 대학을 다니다 im Ausland studieren

그녀는 외국에서 오래 살았다. Sie hat lange im Ausland gelebt.

많은 학생이 외국어를 배우려고 외국으로 간다. Viele Schüler gehen ins Ausland, um Fremdsprachen zu lernen.

**외국어 die Fremdsprache**

외국어로서의 독일어 사전 ein Wörterbuch für Deutsch als Fremdsprache

그는 외국어 세 개를 유창하게 말한다. Er spricht drei Fremdsprachen fließend.

학교에서 우리는 외국어를 두 개 배워야 한다. In der Schule müssen wir zwei Fremdsprachen lernen.

그녀는 매우 훌륭한 외국어 지식을 가지고 있다. Sie hat/besitzt sehr gute Fremdsprachenkenntnisse.

영어는 한국에서 제1외국어이다. Englisch ist in Korea die erste Fremdsprache.

**외국어 강사 (대학의) der Lektor**

**외국어고등학교 die Fremdsprachenoberschule**

외국어고등학교를 마친 후 대학에서 독일어를 전공했다. Nach dem Abschluss der Fremsprachenoberschule habe ich an der Universität Deutsch studiert.

나는 3년 동안 외국어고등학교에 다녔다. Ich habe drei Jahre lang eine Fremdsprachenoberschule besucht.

**외국의 ausländisch**

외국 기업에서 일하다 bei einem ausländischen Unternehmen arbeiten

여름에는 많은 외국 여행자가 런던으로 온다. Im Sommer kommen viele ausländische Touristen nach London.

**외우다 auswendig lernen**

어휘를 외우다 Vokabeln auswendig lernen

**외워서 auswendig**

시를 외워서 낭송하다 ein Gedicht auswendig vortragen

**외치다 schreien**

아이들이 "정지!"하고 외쳤다. Die Kinder haben „Anhalten!" geschrien.

**왼쪽에 links**

그림 왼쪽에 links auf dem Bild

벽 왼쪽에 links an der Wand

나의 어머니 왼쪽 옆에 아버지께서 앉자 계신다. Links neben meiner Mutter sitzt mein Vater.

**요금 할인 die Gebührenermäßigung**

18세 미만의 학생은 요금할인을 받는다. Schüler unter 18 Jahren bekommen eine Gebührenermäßigung.

**요리법 das Kochrezept, das Rezept**

내가 네게 불고기 요리법을 줄 수 있다. Ich kann dir das Rezept für Bulgogi geben.

나는 그 요리법을 한번 시험해 보고 싶다. Ich möchte das Kochrezept einmal ausprobieren.

**요리 관련 어휘 die Kochvokabel**

**요청하다 anfordern**

안내 책자를 요청하다 Informationsbroschüren anfordern

우리 가입신청서를 다음 주소로 요청하시오. Fordern Sie unsere Anmeldeformulare unter folgender Adresse an: ...

**용감한 mutig**

그것은 용감한 결정이다. Das war eine mutige Entscheidung.

**용기 der Mut**

나는 그녀에게 전화할 용기가 없다. Ich habe keinen Mut, sie anzurufen.

**용돈 das Taschengeld**

나는 한 달에 용돈을 30만 원 받는다. Ich bekomme 300.000 Won Taschengeld im Monat.

나는 내 용돈에서 핸드폰 사용료를 내야 한다. Ich muss die Handygebühren von meinem Taschengeld bezahlen.

**우러나다 (차가) ziehen**

차가 더 우러나야 한다. Der Tee muss noch ziehen.

**우러나게 하다 (차를) ziehen lassen**

너는 그 차를 5분 동안 우러나게 해야 해. Du musst den Tee fünf Minuten ziehen lassen.

**우리 der Käfig**

기니 픽이 자기 우리에 있다. Das Meerschweinchen ist in seinem Käfig.

**우물 der Brunnen**

우물에서 물을 가져오다 Wasser vom Brunnen holen

그들은 우물가에서 만난다. Sie treffen sich am Brunnen.

**우산 der Regenschirm**

우산을 펴다 den Regenschirm aufspannen/öffnen

우산을 접다 den Regenschirm zuklappen/schließen

만약을 위해서 우산을 가지고 가라. Nimm für alle Fälle einen Regenschirm mit.

**우선 erst, zunächst**

우리는 우선 1년간 여행하고, 그다음에 대학에서 공부를 시작하려고 한다. Wir wollen erst ein Jahr reisen und dann mit dem Studium beginnen.

**우선 im Voraus → 미리**

우선 감사드립니다. Vielen Dank im Voraus.

**우스꽝스러운 lustig, komisch**

그는 우스꽝스러운 모자를 쓰고 있다. Er trägt eine lustige Mütze.

**우스운 lustig**

우스운 이야기 eine lustige Geschichte

우스운 생각 ein lustiger Einfall

**우연히 발견하다/마주치다**

나는 우연히 그 작가를 발견했다/그 작가와 마주쳤다. Ich bin zufällig auf diesen

Schriftsteller gestoßen.

**우편엽서 die Postkarte**

그가 태국에서 내게 우편엽서 한 장을 보냈다. Er hat mir eine Postkarte aus Thailand geschickt.

**운전면허시험 die Führerscheinprüfung**

졸업시험 직후에 나는 운전면허시험을 봤다. Direkt nach der Abschlussprüfung habe ich die Führerscheinprüfung gemacht.

유감스럽게도 나는 운전면허시험에 합격하지 못했다. Leider habe ich die Führerscheinprüfung nicht bestanden.

**울다 weinen**

그 영화가 너무 슬퍼서 나는 울지 않을 수 없었다. Der Film war so traurig, dass ich weinen musste.

그녀는 자전거가 고장이 나서 울었다. Sie weinte, weil das Fahrrad kaputt war.

서럽게 울다 bitterlich weinen

**원룸 아파트 das Einzimmerapartment, die Einzimmerwohnung**

나는 지하철역 근처의 좋은 원룸 아파트를 찾고 있다. Ich suche ein nettes Einzimmerapartment in der Nähe der U-Bahnstation.

**웹사이트 die Webseite**

다음 웹사이트로 가세요. Gehen Sie auf folgende Webseite: ...

우리 웹사이트에 필요한 모든 정보가 있습니다. Sie finden alle notwendigen Informationen auf unserer Webseite.

**위 oben**

그림 가운데 가장 위에 ganz oben in der Mitte des Bildes

**위(의) obig-**

위의 주소로 글을 쓰다 an die obige Adresse schreiben

서류를 위의 주소로 보내시오. Schicken Sie die Unterlagen an die obige Adresse.

**위성도시 die Satellitenstadt**

분당은 서울의 한 위성도시이다. Bundang ist eine Satellitenstadt Seouls.

서울 둘레에는 위성도시가 많다. Um Seoul herum gibt es viele Satellitenstädte.

**위치, 입지 der Standort, der Aufenthaltsort → 소재지**

베를린은 인공지능 회사에 좋은 위치이다. Berlin ist ein guter Standort für KI-Firmen.

경찰이 그의 위치(소재지)를 알아낼 수 없었다. Die Polizei konnte seinen Aufenthaltsort nicht herausfinden/ermitteln.

**위치하다, 있다 sich befinden → 있다**

시청은 플라자 호텔 건너편에 있다. Das Rathaus befindet sich gegenüber dem Hotel Plaza.

**유감스럽다, 유감이다 (es) tut mir leid**

내가 너무 늦게 와서 유감이다. Es tut mir leid, dass ich zu spät komme.

**유래하다 (...에서) stammen (aus) → 출신이다**

우리 선조는 중국에서 유래한다. Meine Vorfahren stammen aus China.

**유럽의 europäisch**

**유리 das Glas**

유리로 만든 테이블 ein Tisch aus Glas

유리로 만든 대접/사발 eine Schüssel aus Glas

**유리잔 das Glas**

맥주 한잔할래? Möchtest du ein Glas Bier?

유리잔이 깨졌다. Das Glas ist zerbrochen.

**유리한/좋은 günstig → 가성비가 좋은**

유리한 제공 ein günstiges Angebot

유리한 조건 günstige Bedingungen

오늘은 이 제품을 특히 유리한/좋은 가격에 살 수 있습니다. Heute können Sie dieses Produkt zu einem besonders günstigen Preis kaufen.

나는 이 가방을 벼룩시장에서 유리한 가격에 샀다. Diese Tasche habe ich günstig auf dem Flohmarkt gekauft.

우리는 이 집을 유리한 조건에 빌릴 수 있었다. Wir konnten die Wohnung zu günstigen Bedingungen mieten.

**유명상표/명품 옷 die Markenkleidung**

그는 명품 옷만 입는다. Er trägt nur Markenkleidung.

**유용한 nützlich**

커피메이커는 매우 유용한 선물이다. Eine Kaffeemaschine ist ein sehr nützliches Geschenk.

**유익한 nützlich, vorteilhaft**

유익한 정보 eine nützliche Information

**유창한 fließend**

그는 독일어를 유창하게 말한다. Er spricht fließend Deutsch.

**유치원 der Kindergarten**

내 딸이 3월부터 유치원에 다닌다. Meine Tochter geht seit März in den Kindergarten.

내 아이는 유치원이 문을 닫아서 오늘 집에 있다. Mein Kind bleibt heute zu Hause, weil der Kindergarten geschlossen ist.

**유치원 시절 die Kindergartenzeit**

유치원 시절의 사진 ein Foto aus der Kindergartenzeit

**육 주간의 sechswöchig, 6-wöchig**

6주간의 여름방학이 시작되었다. Die sechswöchigen Sommerferien haben begonnen.

**은 das Silber**

순은 echtes Silber

은(으로 만든) 단추 Knöpfe aus Silber

**음식 die Küche → 요리**

한국 음식은 이제 독일에도 알려져 있다. Die koreanische Küche ist mittlerweile auch in Deutschland bekannt.

**음식점 das Lokal, das Restaurant**

이번 주에 음식점은 밤 9시면 문을 닫아야 한다. In dieser Woche müssen die Restaurants und Lokale schon um 21.00 Uhr schließen.

**음악 (전문)대학 die Musikhochschule**

**음악 행사 die Musikveranstaltung**

**응모 메일 die Bewerbungsmail**

**응모(서류) die Bewerbung, die Bewerbungsunterlagen**

나는 내 응모(서류)를 회사로 보냈다. Ich habe meine Bewerbung an die Firma geschickt.

**응모자 der Bewerber**

**응모하다 sich bewerben**

장학금에 응모하다/신청하다 sich um ein Stipendium bewerben

라디오 방송국 일자리에 응모하다 sich um eine Stelle beim Radio bewerben

**의미가 있다 sich lohnen**

새 자동차를 사는 것이 의미가 있을까? Lohnt sich die Anschaffung eines neuen Wagens?

다시 한번 해보는 것이 의미가 있을까? Lohnt es sich, es noch einmal zu versuchen?

그 기기를 수리 맡기는 것이 의미가 있을까? Lohnt es sich, das Gerät noch reparieren zu lassen?

**의미 있는 sinnvoll**

의미 있는 일/작업 eine sinnvolle Arbeit

**의욕 die Lust → ...하고 싶은 생각**

스키 타고 싶은 생각이 없니? Hast du keine Lust, Ski zu fahren?

아이스크림을 먹고 싶은 생각 있니? Hast du Lust auf ein Eis?

**의향 die Lust**

Hast du keine Lust, bei unserem Projekt mitzumachen? 우리 프로젝트에 참여할 의향 없니?

**의자 der Stuhl**

편안한 의자 ein bequemer Stuhl

의자에 앉다 sich auf den Stuhl setzen

이 의자에 앉으세요. Nehmen Sie bitte auf diesem Stuhl Platz.

**의학 die Medizin**

의학을 공부하다 Medizin studieren

**이국적인 exotisch**

여기는 이국적인 분위기다. Hier herrscht eine exotische Atmosphäre.

**이기다 gewinnen → 승리하다**

**이다 (말의 형태 또는 내용이 ...) lauten**

그의 답이 무엇이지? Wie lautet seine Antwort?

Wort의 복수형이 뭐지? Wie lautet der Plural von *Wort*?

**이동전화 das Mobilfon, Mobiltelefon, das Handy → 핸디**

이동전화가 없다 kein Mobilfon haben

누구를 이동전화로 전화하다 jn. übers Mobilfon anrufen

이동전화번호 die Mobilfonnummer (M.P.)

**이동 중인 unterwegs**

밤새 이동 중이다 die ganze Nacht unterwegs sein

나는 지금 함부르크로 이동 중이다/가는 중이다. Ich bin gerade unterwegs nach Hamburg.

**이력서 der Lebenslauf**

도표 식 이력서 ein tabellarischer Lebenslauf

나는 이력서를 영문으로 작성해야 한다. Ich muss meinen Lebenslauf auf Englisch schreiben/verfassen.

**이로써 hiermit**

이로써 우리는 귀하께 학생 라디오 방송국을 허락해주실 것을 부탁드리고자 합니다. Hiermit möchten wir Sie um die Erlaubnis für ein Schülerradio bitten.

이로써 프로젝트 여자 보조원의 일자리에 지원합니다. Hiermit bewerbe ich mich um die Stelle als Projekt-Assistentin.

**이를 통해서 dadurch**

모든 학생이 함께할 수 있다. 이를 통해서 '우리'라는 감정이 강화될 것이다. Alle Schüler können mitmachen. Dadurch wird das Wir-Gefühl stärker.

**이리저리 (뛰어) 돌아다니다 herumlaufen**

아이들이 놀이터에서 이리저리 돌아다닌다. Die Kinder laufen auf dem Spielplatz herum.

**이미 bereits**

그는 이미 떠났다. Er ist bereits abgefahren/abgereist.

**이번에 diesmal**

지난해 우리는 노이슈반슈타인 성을 관람했다. 이번에는 우리가 호헨슈타인 성으로 간다. Im letzten Jahr haben wir Schloss Neuschwanstein besichtigt. Diesmal fahren wir zum Schloss Hohenstein.

**이불 die Decke**

따뜻한/가벼운 이불 eine warme/leichte Decke

누구에게 이불을 덮어주다 jn. mit einer Decke zudecken

누비이불 eine Steppdecke

솜이불 eine gefütterte Decke

오리털 이불 eine Daunendecke

**이사 der Umzug**

**이사하다 ziehen, umziehen**

서울로/도시로/시골로 이사하다 nach Seoul/in die Stadt/aufs Land ziehen/umziehen

더/비교적 큰 집으로 이사하다 in eine größere Wohnung ziehen/umziehen

**이사 나가다 ausziehen**

**이사 들어오다 einziehen**

**이상 (...) über, mehr als ... → 넘는 (...이)**

**이상적인 친구 der Traumfreund**

자기의 이상적인 친구를 알게 되다 seinen Traumfreund kennenlernen

**이상한 komisch, seltsam**

이상한 사람 ein komischer Mensch

이상한 느낌이 들다 ein komisches Gefühl haben

그 여자는 이상한 옷을 입고 있다. Die Frau trägt komische Kleider.

**이성적인/합리적인 vernünftig, rational**

이성적인 결정을 하다 eine vernünftige Entscheidung treffen

**이웃 der Nachbar**

옆에 새 이웃이 이사 들어왔다. Nebenan ist ein neuer Nachbar eingezogen.

**이유 der Grund**

어떤 이유에서 그가 그것을 했지? Aus welchem Grund hat er das getan?

너 그가 왜 그러는지 알아? Kennst du den Grund, warum er sich so verhält?

**이층침대 das Etagenbett**

내 동생과 나는 이층침대에서 잔다. 나는 위에서, 그는 아래에서 잔다. Mein Bruder und ich schlafen in einem Etagenbett. Ich schlafe oben und er unten.

**이탈리아어 (das) Italienisch**

**이혼한 geschieden**

혼인 여부: 이혼 Familienstand: geschieden

이혼한 남자 ein geschiedener Mann

3년 전부터 이혼한 상태이다 seit drei Jahren geschieden sein

그녀는 이혼남과 결혼했다. Sie hat einen geschiedenen Mann geheiratet.

**인공지능 die Künstliche Intelligenz (KI)**

인공지능 시대는 이미 오래전에 시작되었다. Das Zeitalter der Künstlichen Intelligenz hat schon lange begonnen.

**인도 (das) Indien**

**인상 der Eindruck**

나는 공부가 네게 별로 재미없다는 인상을 받는다. Ich habe den Eindruck, dass dir das Studium nicht so viel Spaß macht.

**인생역정 der Lebenslauf**

모험적인 인생역정을 가지다 einen abenteuerlichen Lebenslauf haben

**인식하다 (존재를) bemerken, wahrnehmen → 알아차리다**

모두가 "멈춰!"라고 소리를 질렀을 때에서야 비로소 나는 그 소년을 인식했다. Erst als alle „Halt!" geschrien haben, habe ich den Jungen bemerkt.

**인적사항 persönliche Daten, die Personalien**

우리는 귀하의 인적사항도 필요합니다. Wir brauchen noch Ihre Personalien.

**인증서 das Zertifikat (공적 문서), die Bescheinigung**

누구에게 인증서를 발행하다 jm. ein Zertifikat/eine Bescheinigung ausstellen

인증서를 제시하다 ein Zertifikat/eine Bescheinigung vorweisen/vorlegen

**인지 언어학 (die) Kognitive Linguistik**

**인지의 kognitiv**

**인터넷 사이트 die Internetseite**

**인형 die Puppe**

인형을 가지고 놀다 mit Puppen spielen

인형 옷을 만들다 Kleider für die Puppe machen

**일 die Angelegenheit → 사안**

이 일을 담당하는 사람이 누구입니까? Wer ist für diese Angelegenheit zuständig?

이것은 내 개인적인 일이야. 참견하지 마. Das ist meine eigene Angelegenheit. Bitte misch dich nicht ein.

**일간 신문 die Tageszeitung**

일간 신문을 구독하다 eine Tageszeitung abonnieren

일간 신문에 무슨 기사가 났지? Was steht heute in der Tageszeitung?

**일당으로 tageweise → 하루 단위로**

그 집을 일당으로 빌릴 수 있다. Man kann die Wohnung tageweise mieten.

**일반적인 üblich, allgemein → 흔한**

그 교수님은 내게 일반적인 질문을 했다. Der Professor hat mir die üblichen Fragen gestellt.

**일본 (das) Japan**

**일본어 (das) Japanisch**

**일 동안/간의 (...) -tägig**

우리는 14일간의 여행을 했다. Wir haben eine 14-tägige Reise gemacht.

**일어나다 (사건이) passieren, geschehen, sich ereignen → 발생하다**

**일 인실 방 das Einzelzimmer**

나는 시내에 있는 1인실 방을 찾고 있다. Ich suche ein Einzelzimmer in der Innenstadt.

**일자리 die Stelle**

보수가 안 좋은 일자리 eine schlecht bezahlte Stelle

좋은 일자리를 구하다/얻다/포기하다/발견하다 eine gute Stelle suchen/bekommen/aufgeben/finden

정보처리사의 일자리에 응모하다 sich um eine Stelle als Informatiker bewerben

**일과 삼 분의 일 eineindrittel**

**일과 이 분의 일 eineinhalb**

**일자리 광고 die Stellenanzeige**

나는 인터넷에서 흥미로운 일자리 광고를 보았다. Ich habe eine interessante Stellenanzeige im Internet gesehen.

**일주 여행 die Rundreise**

나는 유럽에서 3주간의 일주 여행을 했다. Ich habe eine dreiwöchige Rundreise in Europa gemacht.

나는 아시아 일주 여행 중에 서울과 도쿄도 방문했다. Auf meiner Rundreise durch Asien habe ich auch Seoul und Tokio besucht.

**일주일(동안)의 einwöchig-**

나는 일주일간의 세미나에 참석했다. Ich habe an einem einwöchigen Seminar teilgenommen.

**잃다 verlieren**

나는 지갑을 버스에서 잃어버렸다. Ich habe meinen Geldbeutel im Bus verloren

그는 주식에서 돈을 많이 잃었다. Er hat an der Börse viel Geld verloren.

**입(고 있)다 tragen**

그는 긴 코트를 입고 있다. Er trägt einen langen Mantel.

**입주하다 einziehen**

제가 이 집에 언제 입주할 수 있습니까? Wann kann ich in die Wohnung einziehen?

**입지 der Standort → 소재지**

**입학시험 die Aufnahmeprüfung**

입학시험을 보다/합격하다/망치다 die Aufnahmeprüfung machen/bestehen/<구어> vermasseln

입학시험에서 떨어지다 in der Aufnahmeprüfung durchfallen/durch die Aufnahmeprüfung fallen

**입학(등록)신청서 das Anmeldeformular**

대학에 입학신청서를 보내다 das Anmeldeformular an die Universität schicken

**입학(원서)신청서 das Antragsformular**

입학신청서를 작성하다 das Antragsformular ausfüllen

**입학허가(서) die Zulassung**

의대 입학허가서를 받다 die Zulassung für das Medizinstudium erhalten

**입학허가신청서 der Zulassungsantrag**

입학허가신청서를 제출하다 einen Zulassungsantrag stellen

내 입학허가신청서가 승인되었다/거부되었다. Mein Zulassungsantrag wurde angenommen/abgelehnt.

**있다 (위치해) sich befinden**

주민신고소가 어디 있지? Wo befindet sich das Einwohnermeldeamt?

**자격 die Qualifikation**

이 일을 하는 데 특별한 자격이 필요 없다. Für diese Tätigkeit braucht man keine besondere Qualifikation.

**자동차 der Wagen**

빠른 자동차 ein schneller Wagen

자동차를 호텔 앞에 주차하다 den Wagen vor dem Hotel parken

나는 내 자동차를 수리 맡겼다. Ich habe meinen Wagen reparieren lassen.

**자동차 회사 die Autofirma**

한 한국 자동차 회사에서 일하다 bei einer

koreanischen Autofirma arbeiten

**자료 das Material**

나는 박사 논문 자료를 수집하기 위하여 독일에 간다. Ich fliege nach Deutschland, um Material für meine Doktorarbeit zu sammeln.

독일에서 모은 자료가 매우 유용했다. Das Material, das ich in Deutschland gesammelt habe, war sehr nützlich.

**자르다 (긴 물건 따위를) schneiden**

나는 손톱/발톱을 잘라야 한다. Ich muss mir die Fingernägel/Fußnägel schneiden.

나는 머리카락을 잘라야 한다. Ich muss mir die Haare schneiden lassen.

**자르다 (누구의 말을) abschneiden**

누구의 말을 자르다 jm. das Wort abschneiden

**자리 der Platz**

여기 이 자리 아직 비었습니까? Ist der Platz hier noch frei?

그 자리는 이미 주인이 있습니다. Der Platz ist schon besetzt.

**자명종 시계 der Wecker**

나는 자명종 시계를 7시에 맞췄다. Ich habe den Wecker auf sieben Uhr gestellt.

**자밤 (두세 손가락에 집히는 양) die Prise → 꼬집**

소금 한 자밤을 넣다 eine Prise Salz hinzugeben

**자신의 eigen**

마침내 내 (자신의) 방을 갖게 되었다! Endlich habe ich ein eigenes Zimmer!

너는 아직 너만의 집이 없니? Hast du immer noch keine eigene Wohnung?

**자연경관 die Landschaft → 산천**

그림같이 아름다운 자연경관 eine malerisch schöne Landschaft

**자연과학의 naturwissenschaftlich**

자연과학 중심 고등학교 die naturwissenschaftliche Oberschule

자연과학 중심 김나지움에 가다 auf ein naturwissenschaftliches Gymnasium gehen

**자원봉사자 der Freiwillige, der freiwillige Helfer, ein Freiwilliger, ein freiwilliger Helfer**

자원봉사자를 모집하다 freiwillige Helfer rekrutieren

자원봉사자로 지원하다 sich als freiwilliger Helfer melden/zur Verfügung steller

**자유로운 frei**

18시부터는 내가 자유롭다. Ab 18.00 Uhr bin ich frei.

많은 사람이 자유로운 출국, 자유 선거 그리고 자유 경제를 요구하였다. Viele Menschen forderten freie Ausreise, freie Wahlen und freie Wirtschaft.

**자유시간 die Freizeit**

자유시간이 별로 없다 wenig Freizeit haben

나는 자유시간에 종종 영화를 보러 간다. Ich gehe in meiner Freizeit oft ins Kino.

**작가 der Schriftsteller**

유명한 작가 ein berühmter Schriftsteller

**작동하다 funktionieren**

이 기기가 어떻게 작동하는지 아니? Weißt du, wie dieses Gerät funktioniert?

프린터가 더는 작동하지 않는다. Der

Drucker funktioniert nicht mehr.

**작은 새 das Vöglein**

내가 작은 새라면 wenn ich ein Vöglein wär'

**작은 소시지 das Würstchen**

**잔 das Glas**

나는 포도주를 한 잔 주문했다. Ich habe ein Glas Wein bestellt.

나는 맥주를 항상 잔으로 마시지, 병 채로 마시지는 않는다. Ich trinke Bier immer aus dem Glas, nie aus der Flasche.

신랑 신부를 위하여 잔을 듭시다. Erheben wir das Glas auf das Brautpaar!/Lassen Sie uns das Glas auf das Brautpaar erheben.

**잔디 (인위적으로 가꾼 풀밭) der Rasen**

잔디 출입 금지! Rasen betreten verboten!

공원 잔디밭에서 놀다 auf dem Rasen im Park spielen

**잔해 die Ruine → 폐허**

시내가 폭격으로 파괴되었다. 잔해만 남았다. Die Innenstadt wurde durch den Bombenangriff zerstört. Es blieben nur Ruinen übrig.

**잖아/는데 (...) doch**

엄마가 내게 10유로를 주셨잖아! Mama hatte mir doch zehn Euro gegeben!

**잘 알다, 정통하다 sich (in/mit ...) auskennen**

나는 베를린을 잘 안다. Ich kenne mich in Berlin gut aus.

너 이 프로그램 잘 (사용할 줄) 아니? Kennst du dich mit diesem Programm gut aus?

**잘못 die Schuld**

사고는 내 잘못이야! Der Unfall ist meine Schuld!

자신의 잘못을 시인/인정하다 seine Schuld eingestehen/zugeben

**잘 알려진 bekannt**

뮌헨은 좋은 맥주로 잘 알려져 있다. München ist bekannt für sein gutes Bier.

이 가수는 좋은 목소리로 잘 알려져 있다. Dieser Sänger ist bekannt für seine gute Stimme.

**잠금장치 der Verschluss**

그 배낭에는 금속 잠금장치가 있다. Der Rucksack hat Verschlüsse aus Metall.

**잠깐 einen Moment**

잠깐 기다리다 einen Moment warten

내게 잠깐 시간 좀 내줄 수 있어? Hast du einen Moment Zeit für mich?

나는 피곤해. 잠깐 누워야겠어. Ich bin müde. Ich muss mich einen Moment hinlegen.

음식이 곧 다됩니다. 잠깐만 있으면 돼요. Das Essen ist bald fertig. Es dauert nur noch einen Moment

**잠수복 der Taucheranzug**

고급 소재로 만든 잠수복 ein Taucheranzug aus hochwertigem Material

**잠수부 der Taucher**

**잠수장비 die Taucherausrüstung**

자기 잠수장비를 팔다 seine Taucherausrüstung verkaufen

**잠수하다 tauchen**

바다에서 잠수하다 im Meer tauchen

이곳은 잠수가 금지되어 있다. An dieser Stelle ist Tauchen verboten.

**잠시 후 kurz darauf**

내가 막 집에 도착했었다. 잠시 후 빗방울

이 세게 내리기 시작했다. Ich war gerade zu Hause angekommen. Kurz darauf hat es angefangen, stark zu regnen.

**잠자는 숲속의 공주 (das) Dornröschen**

잠자는 숲속의 공주라는 동화를 아니? Kennst du das Märchen von Dornröschen?

**잡지 die Zeitschrift**

컴퓨터 잡지를 구독하다 eine Computer-Zeitschrift abonnieren

테이블 위에 잡지가 많이 놓여있다. Auf dem Tisch liegen viele Zeitschriften.

나는 그 광고를 한 잡지에서 보았다. Ich habe die Anzeige in einer Zeitschrift gesehen.

**장난감 die Spielsachen <항상 복수>, das Spielzeug <항상 단수>**

장난감이 많다 viele Spielsachen/viel Spielzeug haben

더는 장난감을 가지고 놀지 않다 nicht mehr mit Spielsachen spielen

라이터는 장난감이 아니다. Ein Feuerzeug ist kein Spielzeug.

장난감을 치우다 die Spielsachen aufräumen

아이들은 요즘 장난감보다 컴퓨터를 가지고 놀기를 더 좋아한다. Die Kinder spielen heutzutage lieber mit dem Computer als mit Spielsachen.

**장례식(에서 땅에 묻음) die Beerdigung**

그의 장례식에 갔었니? Warst du auf seiner Beerdigung?

**장롱문 die Schranktür**

장롱문을 열다/닫다 die Schranktür öffnen/schließen

포스터를 장롱문에 붙이다 ein Poster an die Schranktür kleben

**장보다 kaufen, einkaufen → 사다**

**재료 das Material**

이 가방은 튼튼한 재료로 만들었다. Dieser Koffer ist aus stabilem Material.

**재료 (음식의) die Zutat**

소스 재료를 잘 섞다 die Zutaten für die Soße gut mischen

이 요리법에는 재료가 많이 필요하다. Für dieses Rezept braucht man viele Zutaten.

**재미있는 (흥미를 끌면서) interessant**

재미있는 이야기 하나 해주세요. Erzählen Sie mir eine interessante Geschichte.

**재미있는 (웃음을 자아내며) lustig**

재미있는 파티 eine lustige Party

그는 재미있는 녀석이야. Er ist ein lustiger Kerl.

그녀는 항상 재미있다. Sie ist immer lustig.

**재수하다 die (Universitätsaufnahme-) Prüfung wiederholen**

**재우다 (양념에) einlegen, marinieren**

고기를 청주에 재우다 das Fleisch in Reiswein einlegen

**재운 (양념에) eingelegt**

양념에 재운 고기를 한 시간 동안 양념이 배도록 두세요. Lassen Sie das eingelegte Fleisch eine Stunde ziehen.

**저택 die Residenz**

총리/대사의 저택 die Residenz des Kanzlers/des Botschafters

**적다 aufschreiben**

나는 그 요리법을 적었다. Ich habe mir das Rezept aufgeschrieben.

**적당한 angemessen**

적당한 조치 eine angemessene Maßnahme

홀 안의 온도는 적당했다. In der Halle herrschte eine angemessene Temperatur.

**전개되다 sich abspielen**

그 사고가 어떻게 전개되었지? Wie hat sich der Unfall abgespielt?

**전문가 der Experte**

전문가를 찾아가는 것이 제일 좋습니다. Am besten wenden Sie sich an einen Experten.

**전문 개념 der Fachbegriff**

**전문용어 der Fachausdruck, der Fachterminus**

**전문어 das Fachwort**

**전문어 사전 das Fachwörterbuch**

**전문학교 die Fachhochschule**

미술 전문학교에 다니다 eine Kunst-Fachhochschule besuchen

**전부 insgesamt → 총**

전부 얼마입니까? Wie viel kostet/macht das insgesamt?

**전부(의) voll, vollständig, ganz**

사실을 전부 말하세요. Sagen Sie die volle/vollständige Wahrheit.

나는 그의 말을 전부 다 이해하지는 못했다. Ich habe seine Worte nicht ganz/vollständig verstanden.

그가 말한 것이 사실의 전부는 아니다. Was er gesagt hat, ist nicht die ganze Wahrheit.

**전수하다 vermitteln**

지식/인생 경험을 전수하다 Wissen/Lebenserfahrung vermitteln

**전시회 die Ausstellung**

전시회를 방문하다 eine Ausstellung besuchen

전시회는 9월에 열린다. Die Ausstellung findet im September statt.

한국 현대 미술 전시회가 토요일에 개막된다. 8월 21일까지 열린다. Die Ausstellung über moderne koreanische Kunst wird am Samstag eröffnet. Sie dauert bis zum 21. August.

**전에 bevor <종속접속사>**

Thomas G.는 길로 뛰어가기 전에 좌우를 살피지 않았다. Thomas G. hat nicht nach links und rechts geschaut, bevor er auf die Straße lief.

**전입신고서, 가입/입학신청서 das Anmeldeformular**

전입신고서를 작성하다/서명하다 das Anmeldeformular ausfüllen/unterschreiben

대학에 입학신청서를 보내다 das Anmeldeformular an die Universität schicken

**전자의 elektronisch**

전자 데이터 처리 Elektronische Datenverarbeitung (EDV)

**전학 der Schulwechsel**

남학교에서 남녀공학으로의 전학은 그에게 쉽지 않았다. Der Wechsel von einer Jungenschule auf eine gemischte Schule war nicht einfach für ihn.

**전혀 ... 아닌 gar nicht, überhaupt nicht**

전학은 그에게 전혀 쉽지가 않았다. Der Schulwechsel war gar nicht leicht für ihn.

그는 내 말에 전혀 귀를 기울이지 않았다. Er hat mir gar nicht zugehört.

네 아이디어가 전혀 나쁘지 않다. Deine Idee

ist gar nicht schlecht.

그것은 전혀 사실이 아니다. Das ist gar nicht wahr.

**전화 der Anruf**

전화를 받다 einen Anruf bekommen

전화를 (일부러) 받지 않다 einen Anruf nicht annehmen/entgegennehmen

어제 나는 종일 너의 전화를 기다렸다. Gestern habe ich den ganzen Tag auf deinen Anruf gewartet.

**절반 die Hälfte**

올해 절반이 벌써 지났다. Die Hälfe dieses Jahres ist schon vorbei.

그 학급의 절반이 수업에 나타나지 않았다. Die Hälfte der Klasse ist nicht zum Unterricht erschienen.

**절반 정도로 익힌 medium**

고기를 절반 정도로 익히다 das Fleisch medium braten

스테이크를 절반 정도로 익혀서 주십시오. Ich hätte das Steak gerne medium.

**절약하다 sparen**

시간/돈을 절약하다 Zeit/Geld sparen

**절이다 (소금에) einlegen**

배추를 소금물에 절인다. Der Chinakohl wird in Salzwasser eingelegt.

**점수 der Punkt, die Punktzahl**

충분한 점수를 얻다 genügend Punkte bekommen

나는 대학 입학시험에 278점이 필요하다. Ich brauche 278 Punkte in der Uniaufnahmeprüfung.

나는 수학 시험에서 수를 받는 데 2점이 모자란다. Mir fehlen in der Mathearbeit zwei Punkte für eine Eins.

**점심 (식사) das Mittagessen**

점심을 먹다 zu Mittag essen

나는 점심 약속이 있다. Ich habe eine Verabredung zum Mittagessen.

나는 김 씨와 점심 약속이 있다. Ich bin mit Herrn Kim zum Mittagessen verabredet.

**접촉 der Kontakt**

나는 그와의 접촉을 모두 피한다. Ich vermeide jeden Kontakt mit ihm.

코로나 범유행 기간에는 모든 직접 접촉을 피해야 했다. Während der Corona-Pandemie musste jeder direkte Kontakt vermieden werden.

**접촉하기 die Kontaktaufnahme**

**젓다/휘젓다 umrühren**

죽을 젓다 die Suppe umrühren

소스를 잘 저으세요. Rühren Sie die Soße gut um.

**정돈 die Ordnung**

우리 집은 정돈이 잘 되어 있다. Bei uns herrscht Ordnung.

**정류장 die Haltestelle**

정류장은 박물관 건너편에 있다. Die Haltestelle ist gegenüber dem Museum.

정류장에서 만나자! Treffen wir uns an der Haltestelle!

**정리정돈이 잘 된 ordentlich**

그는 정리정돈을 잘 한다. Er ist sehr ordentlich.

그의 책상은 항상 잘 정리정돈 되어 있다. Sein Schreibtisch ist immer ordentlich.

**정리정돈을 잘 못하는/안 된 unordentlich**

정리정돈을 잘 못하는 사람 ein unordentlicher Mensch

그의 방은 정리정돈이 잘 안 되어 있다. Das Zimmer ist unordentlich.

**정리하다 aufräumen**

나는 방을 정리해야 한다. Ich muss mein Zimmer aufräumen.

책상을 정리해라! Räum den Schreibtisch auf!

**정말로 tatsächlich**

정말로! 거기에 벨로가 있었다! Tatsächlich! Da war Bello!

그가 정말로 그 말을 했느냐? Hat er das tatsächlich gesagt?

그가 정말로 네게 키스했니? Hat er dich tatsächlich geküsst?

**정보 die Information, die Auskunft, die Angabe**

더 많은 정보가 필요하다 mehr Informationen brauchen

인터넷에서 정보를 찾다 Informationen im Internet suchen

많은 정보를 얻다 viele Informationen bekommen

경찰은 이 사건에 대해서 더 자세한 정보를 제공하려고 하지 않았다. Die Polizei wollte keine näheren Angaben zu diesem Fall machen.

**정보를 얻다 (무엇에 대하여) sich über et. informieren**

어떤 도시에 대해서 정보를 얻다 sich über eine Stadt informieren

교환 프로그램에 대해서 정보를 얻다 sich über ein Austauschprogramm informieren

이 일자리에 대해서 더 자세한 정보를 얻고 싶다. Ich möchte mich näher über diese Stelle informieren.

**정보를 주다 (누구에게 무엇에 대하여) jn. über et. informieren**

학생들에게 언어 테스트에 관하여 정보를 주다 die Schüler über den Sprachtest informieren

**정보자료 das Informationsmaterial**

정보자료를 요청하다 Informationsmaterial anfordern

어학연수 여행에 대한 정보자료를 구하다 Informationamaterial über Sprachreisen suchen

**정보처리사 der Informatiker**

정보처리사로 일자리를 구하다 eine Stelle als Informatiker suchen

오늘날 사방에서 정보처리사를 찾고 있다. Informatiker werden heutzutage überall gesucht.

**정보처리학 die Informatik**

대학에서 정보처리학을 공부하다 Informatik studieren

**정부 die Regierung**

많은 국민이 정부 정책을 비판했다. Viele Bürger haben die Politik der Regierung kritisiert.

**정서 die Gefühle <das Gefühl의 복수형>**

나는 그의 정서를 잘 이해할 수 있다. Ich kann seine Gefühle sehr gut verstehen/nachempfinden.

**정신없이/몹시 바쁜 hektisch**

나는 매우 정신없이 바쁜 하루를 보냈다. Ich habe einen sehr hektischen Tag hinter mir.

일상생활이 점점 더 정신없이 바빠진다. Das Alltagsleben wird immer hektischer.

정신없이 바쁜 생활을 하다 ein hektisches Leben führen

이곳의 삶이 서울에서만큼 정신없이 바쁘지는 않다. Das Leben hier ist nicht so hektisch wie in Seoul.

**정치 die Politik**

젊은이들은 정치, 문화 및 사회에 더욱 관심을 가져야 한다. Die jungen Leute sollten sich mehr für Politik, Kultur und Gesellschaft interessieren.

**정치인 der Politiker**

유명한/영향력 있는/믿을 만한 정치인/부패한 ein berühmter/einflussreicher/glaubwürdiger/korrupter Politiker

**정하다 (약속 시각을) (einen Termin) ausmachen**

나는 그와 목요일 14시로 약속 시각을 정했다. Ich habe mit ihm einen Termin für Donnerstag um 14.00 Uhr ausgemacht.

약속 시각을 정하자. Lass uns einen Termin ausmachen.

**정확히 genau**

우리가 서로 알게 된 지 정확히 일 년 되었다. Es ist genau ein Jahr her, dass wir uns kennengelernt haben.

그것이 정확히 내가 말하려고 한 것이다. Das ist genau das, was ich sagen wollte.

**정확히 말해서 genauer gesagt, nämlich, und zwar**

나는 내년에, 정확히 말해서 3월에, 독일에 간다. Ich fliege nächstes Jahr, genauer gesagt/nämlich/und zwar im März, nach Deutschland.

**제공 das Angebot**

유리한 제공 ein günstiges Angebot

누구에게 좋은 제공을 하다 jm. ein gutes Angebot machen

**제공하다 bieten, anbieten, ein Angebot machen**

우리는 모든 것을 제공합니다. 초보자를 위한 강좌부터 상급자를 위한 강좌까지. Wir bieten alles: von Kursen für Anfänger bis zu Kursen für Fortgeschrittene.

일본어 초급강좌를 제공하다 Anfängerkurse für Japanisch anbieten

**제과점 die Bäckerei**

나는 항상 제과점에서 빵을 사고, 슈퍼마켓에서는 사지 않는다. Ich kaufe Brot immer in der Bäckerei und nicht im Supermarkt.

**제때에 rechtzeitig**

그 버스운전사는 이미 제때에 멈춰 설 수 없었다. Der Busfahrer konnte nicht mehr rechtzeitig anhalten.

제때에 와라. Komm bitte rechtzeitig.

**제목 der Titel**

그 책 제목이 뭐지? Wie lautet der Titel des Buches?

**제안 das Angebot**

그가 내게 좋은 제안을 했다. Er hat mir ein günstiges Angebot gemacht.

**제안하다 vorschlagen**

"영화관에 가자."라고 그녀가 제안했다.

„Gehen wir doch ins Kino", schlug sie vor.

**제출하다 abgeben**

나는 보고서를 제출했다. Ich habe meinen Bericht abgegeben.

그 서류를 사무실에 제출하시오. Geben Sie die Unterlagen im Büro ab.

**조교 (연구소, 학과 등의) die Hilfskraft**

**조금 etwas**

서울은 가끔 조금 정신없이 바쁘게 돌아간다. In Seoul ist es manchmal etwas hektisch.

내게 돈을 조금 빌려줄 수 있어? Kannst du mir etwas Geld leihen?

시간 좀 내줄 수 있어? Hast du etwas Zeit für mich?

나는 한국에서 독일어를 조금 배웠다. In Korea habe ich etwas Deutsch gelernt.

**조사하다 prüfen, untersuchen**

경찰은 운전사가 술을 마셨는지를 조사한다. Die Polizei prüft/untersucht, ob der Fahrer getrunken hat.

**조용한 leise**

조용한 음악 leise Musik

**조언 der Rat**

그는 내 조언을 받아들이지 않았다. Er hat meinen Rat nicht angenommen.

누구에게 조언하다 jm. einen Rat geben

**조직하다 organisieren**

어학연수 여행을 조직하다 Sprachreisen organisieren

작업팀을 조직하다 eine Arbeitsgruppe organisieren

**조차 sogar ...**

다섯 살짜리 어린아이조차 그것을 이해할 수 있다. Sogar ein fünfjähriges Kind kann das verstehen.

**조카 (남자) der Neffe, (여자) die Nichte**

**조형예술 die bildende Kunst**

**존경하는 geehrt <ehren의 과거분사>**

존경하는 참석자/참가자/귀빈 여러분/ Sehr geehrte Anwesende/Teilnehmer/ Gäste

**존재하다 existieren**

옛것과 새것이 나란히 존재한다. Altes und Neues existieren nebeneinander.

그의 생가가 이제는 존재하지 않는다. Sein Geburtshaus existiert nicht mehr.

**졸업 der Abschluss**

고등학교 졸업 후 nach dem Abschluss der Oberschule

대학교 졸업을 준비하다 sich auf den Abschluss des Studiums vorbereiten

**졸업성적 die Abschlussnote**

**졸업시험 die Abschlussprüfung**

**졸업하다 (학교 따위를) abschließen**

중학교를 졸업하다 die Mittelschule abschließen

대학교를 성공적으로 졸업하다 das Studium erfolgreich abschließen

**좀 ...(해) doch <권유를 뜻하는 어조사>**

우리 집에 좀 들러. Komm doch mal bei uns vorbei.

**종강 das Kursende**

**종결 der Abschluss**

학업 종결 der Abschluss des Studiums

**종업원 die Bedienung**

이 식당의 종업원이 매우 친절하다. Die

Bedienung in diesem Restaurant ist sehr freundlich.

**좋겠다 (...면) hoffen, hoffentlich**

그와 다시는 절대 마주치지 않았으면 좋겠다. Ich hoffe, dass ich ihm nie wieder begegne./Hoffentlich begegne ich ihm nie wieder.

**좋아하는 스타 der Lieblingsstar**

내가 좋아하는 스타의 포스터 ein Poster von meinem Lieblingsstar

**좋아하다 mögen**

나는 잘난 체하는 사람을 좋아하지 않는다. Ich mag keine Angeber.

나의 부모님은 고양이를 좋아하지 않는다. Meine Eltern mögen keine Katzen.

나는 면을 좋아하지 않는다. Ich mag keine Nudeln.

**주거 면적 die Wohnfläche**

우리 집 주거면적은 130㎡이다. Die Wohnfläche meiner Wohnung beträgt 130㎡.

**주년 (...) -jährig**

결혼 30주년을 어떻게 기념할 생각인가요? Wie wollt ihr euer 30-jähriges Hochzeitsjubiläum feiern?

**주다 (누구에게 무엇을) jm. et. geben/anbieten**

내가 그에게 내 주소를 주었다. Ich habe ihm meine Adresse gegeben.

마실 것으로 무엇을 드릴까요? Was darf ich Ihnen zu trinken anbieten?

**주당으로 wochenweise**

그 방을 주당으로 빌릴 수 있습니까? Kann ich das Zimmer wochenweise mieten?

**주머니 die Tasche**

나는 지갑을 바지 주머니에 넣었다. Ich habe meinen Geldbeutel in die Tasche gesteckt.

주머니에서 손 좀 빼라. Nimm doch die Hände aus der Tasche.

**주문하다 bestellen**

커피 한 잔을 주문하다 eine Tasse Kaffee bestellen

나는 포도주 한 잔 시켜줘. Bestell bitte ein Glas Wein für mich.

**주민 der Einwohner**

7백만 명의 주민이 사는 도시 eine Stadt mit sieben Millionen Einwohnern

서울에는 1,000만 명 이상의 주민이 산다. Seoul hat mehr als zehn Millionen Einwohner.

**주사위 der Würfel**

주사위는 던져졌다. Die Würfel sind gefallen.

사과를 주사위 모양으로 자르다 den Apfel in Würfel schneiden

**주의 (몇) -wöchig**

6주의 6-wöchig

나는 지멘스사에서 4주간의 실습을 했다. Ich habe ein vierwöchiges Praktikum bei Siemens gemacht.

**주의하다 (...에) auf et. achten, aufpassen**

교통상황에 주의하다 auf den Verkehr achten

건강에 주의해라. Achte auf deine Gesundheit.

주의해! 저기 차가 온다. Pass auf! Da kommt ein Auto.

**주인 der Besitzer**

호텔 주인이 바뀌었다. Der Besitzer des Hotels hat gewechselt.

**주차 가능성 die Parkmöglichkeit**

병원 앞에 주차 가능성이 있습니까? Gibt es vor der Arztpraxis eine Parkmöglichkeit?

**주차장 der Parkplatz**

공을 주차장에 던지다 den Ball auf den Parkplatz werfen

주차장은 놀이터 옆에 있다. Der Parkplatz liegt neben dem Spielplatz.

너는 은행 뒤 주차장에 주차할 수 있다. Du kannst auf dem Parkplatz hinter der Bank parken.

주차장이 가득 찼다. Der Parkplatz ist voll.

**주차하다 parken**

여기 주차하면 안 돼요. Hier dürfen Sie nicht parken.

**죽다 sterben**

나의 할머니는 작년에 돌아가셨다. Meine Großmutter ist letztes Jahr gestorben.

전쟁 중에 많은 사람이 기아와 추위로 죽었다. Im Krieg sind viele vor Hunger und Kälte gestorben.

나는 무서워서 죽을 뻔했다! Ich bin fast gestorben vor Angst!

**준비강좌 der Vorbereitungskurs**

우리는 토플 준비강좌도 열고 있습니다. Wir bieten auch Vorbereitungskurse für TOEFL an.

**준비하다 sich auf et. vorbereiten**

대학입학시험을 준비하다 sich auf die Universitätsaufnahmeprüfung vorbereiten

아비투어를 준비하다 sich aufs Abitur vorbereiten

전시회를 준비하다 eine Ausstellung vorbereiten/organisieren

**준비하다 (주최자로서 행사를) organisieren**

연주회를 준비하다 ein Konzert organisieren

학회를 준비하다 die Tagung/die Konferenz organisieren

**준비하다 (식사나 음식을) vorbereiten**

저녁을 준비하다 das Abendessen vorbereiten

소풍을 위해서 내가 샌드위치를 준비하겠다. Für das Picknick werde ich Sandwiches vorbereiten.

**줄무늬 der Streifen**

좌우에 빨간 줄무늬가 있는 원피스/잠수복 ein schwarzes Kleid/ein Taucheranzug mit roten Streifen rechts und links

**줄어들다 (수치가) zurückgehen, sinken**

정부의 가족 친화 정책에도 불구하고 출산율이 계속 줄어들고 있다. Trotz der familienfreundlichen Politik der Regierung geht die Geburtenrate weiter zurück.

**중간에 zwischendurch**

그는 중간에 내게 전화했다. Er hat mich zwischendurch angerufen.

**중간(중간)에 이따금 zwischendurch (immer mal wieder)**

중간에 우리는 이따금 다시 보았다. Wir haben uns zwischendurch immer mal wieder gesehen.

**중간의 mittler-**

고기를 중간 불/열로 굽다 das Fleisch bei mittlerer Hitze braten

**중간 정도로 익힌/미디엄 medium**

중간 정도로 익힌 스테이크 ein medium gebratenes Steak

**중간 크기의 mittelgroß**

**중국어 (das) Chinesisch**

**중급 강좌 der Mittelstufenkurs**

나는 독일문화원의 독일어 중급강좌를 수강하였다. Ich habe den Mittelstufenkurs Deutsch im Goethe-Institut besucht.

**중단하다 aufhören**

아버지는 담배를 끊으셨다. Mein Vater hat mit dem Rauchen aufgehört.

의사가 나에게 음주를 중단하라고 했다. Der Arzt sagte mir, ich soll mit dem Trinken aufhören.

나는 매일 컴퓨터게임 하는 것을 중단했다. Ich habe aufgehört, jeden Tag Computerspiele zu spielen.

**중부 독일 (das) Mitteldeutschland**

내 펜팔 친구는 중부 독일의 한 작은 도시에 살고 있다. Mein Brieffreund lebt in einer kleinen Stadt in Mitteldeutschland.

**중앙역 der Hauptbahnhof**

중앙역으로 (차를 타고) 가다 zum Hauptbahnhof fahren

중앙역에 도착하다 am Hauptbahnhof ankommen

중앙역으로 나를 마중 나올 수 있니? Kannst du mich am Hauptbahnhof abholen?

**중학교 die Mittelschule**

중학교에 다니다 die Mittelschule besuchen

H 중학교에 가다/다니다 auf die H-Mittelschule gehen

**중학교 시절 die Mittelschulzeit**

나는 중학교 시절에 많이 배우지 않았다/공부를 많이 하지 않았다. Ich habe während der Mittelschulzeit nicht viel gelernt.

**즉시 gleich, direkt, sofort**

나는 아비투어 후에 즉시 대학공부를 시작할 것이다. Ich werde gleich nach dem Abitur mit dem Studium beginnen.

나는 식사 후에 즉시 숙제를 한다. Ich mache gleich nach dem Essen Hausaufgaben.

**즐거운 lustig → 재미있는, 흥이 나는**

**즐거운 시간을 만들어주다 unterhalten**

학생 라디오 방송은 학생들에게 즐거운 시간을 만들어주기 위한 것이다. Das Schülerradio soll die Schüler unterhalten.

**지금 jetzt, zurzeit, derzeit → 현재**

**지나버린 vorbei**

더운 여름이 지났다. Der heiße Sommer ist vorbei.

**지난 letzt-, vorig-**

지난달 나는 할머니 댁에 있었다. Im letzten Monat war ich bei meiner Oma.

지난 세기에 두 번의 세계 대전이 있었다. Im letzten Jahrhundert gab es zwei Weltkriege.

**지루함 die Langeweile**

나는 파티에서 지루해(→지루함 때문에) 죽을 뻔했다. Ich bin auf der Party vor Langeweile fast gestorben.

**지루해하다 sich langweilen**

수업시간/쉬는 시간에 지루해하다 sich im Unterricht/in der Pause langweilen

나는 지루해서 죽을 뻔했다. Ich habe mich zu Tode/schrecklich gelangweilt.

**(...)지만, 그런데도 <종속접속사> obwohl**

비가 내렸지만, 나는 산책하러 갔다. Obwohl es geregnet hat, bin ich spazieren gegangen.

**(...)지만, (그러나) zwar (..., aber)**

그가 키는 작지만, 힘이 세다. Er ist zwar klein, aber sehr stark.

**지방 die Provinz**

지방에서 살다 in der Provinz leben

**지방 도시 die Provinzstadt**

그는 작은 지방 도시 출신이다. Er stammt aus einer kleinen Provinzstadt.

**지방분이 많은/기름진 fett**

맛있고, 지방분이 많은 소시지 ein leckeres, fettes Würstchen

지방분이 많은 고기 fettes Fleisch

기름진 고기를 많이 먹으면 안 된다. Man sollte nicht viel fettes Fleisch essen.

**지속하다 fortsetzen**

재정적인 이유에서 그 사업을 지속할 수 없었다. Aus finanziellen Gründen konnten wir das Projekt nicht fortsetzen.

**지속해서 dauernd**

그가 일하는 데 나를 지속해서 방해했다. Er hat mich bei der Arbeit dauernd gestört.

휴가 중에 지속해서 비가 내렸다. Während des Urlaubs hat es dauernd geregnet.

**지식 die Kenntnis <보통 복수: -se>**

전자 데이터 처리에 대한 풍부한 지식을 가지다 gute EDV-Kenntnisse haben

그는 경제학 영역에 풍부한 지식을 가지고 있다. Er besitzt umfangreiche Kenntnisse im Bereich der Wirtschaftswissenschaften.

그녀는 영어와 프랑스에 뛰어난 지식을 가지고 있다. Sie verfügt über (= besitzt) hervorragende Kenntnisse in Englisch und Französisch.

**지역 das Viertel, die Gegend, das Gebiet**

이 지역은 커피숍과 바 등으로 유명하다. Dieses Viertel ist bekannt für seine Cafés und Bars.

이 지역에 고층 아파트가 많이 건설된다. In diesem Gebiet werden viele Wohnhochhäuser gebaut.

이 지역은 와본 적이 없다. In dieser Gegend bin ich noch nie gewesen.

**지역학 die Regionalwissenschaft**

**지원 die Unterstützung**

지원해주셔서 감사합니다. Ich bin dankbar für Ihre Unterstützung.

**지원 메일 die Bewerbungsmail**

**지원(서) die Bewerbung, die Bewerbungsunterlagen <보통 복수>**

지원서를 쓰다 eine Bewerbung schreiben

지원서를 위 주소로 보내시오. Schicken Sie Ihre Bewerbung an die obige Adresse.

**지원자 der Bewerber**

**지원하다 sich bewerben**

나는 그 회사의 그 일자리에 지원했다. Ich habe mich bei der Firma auf/für/um die Stelle beworben.

**지인 der/die Bekannte**

내가 네게 나의 친한 오래된 지인 중의 한 사람인 엘케를 소개하고 싶다. Ich möchte dir Elke, eine gute und alte Bekannte von mir, vorstellen.

**지지난 vorletzt-**

지지난해 이후 나는 독일에 가지 않았다. Seit vorletztem Jahr bin ich nicht mehr in Deutschland gewesen.

그는 지지난해 여름에 학업을 마쳤다. Er hat sein Studium im vorletzten Sommer abgeschlossen.

**지치게 하다 fertig machen, fix und fertig machen**

이 일이 나를 정말로 지치게 한다. Diese Arbeit macht mich wirklich (fix und) fertig.

**지키다 (무엇을) (auf et.) aufpassen**

우리 개가 자동차를 지킨다. Unser Hund passt auf das Auto auf.

**지퍼 der Reißverschluss**

튼튼한 지퍼 ein stabiler Reißverschluss

지퍼를 열다/잠그다 den Reißverschluss öffnen/schließen

**지하철 die U-Bahn**

지하철을 타고 가다 mit der U-Bahn fahren

지하철을 타다 die U-Bahn nehmen

지하철에서 내리다 aus der U-Bahn aussteigen

지하철을 놓치다 die U-Bahn verpassen

**지하철 표 die U-Bahnkarte**

지하철 표를 자동판매기에서 뽑다/사다 sich eine U-Bahnkarte am Automaten ziehen/kaufen.

**직업교육 die Ausbildung, die Berufsausbildung**

3년간의 직업교육을 받다 eine 3-jährige Ausbildung/Berufsausbildung machen

제빵 기술자를 위한 직업교육을 이수하다 eine Ausbildung zum Bäcker machen

직업교육을 성공적으로 마치다 die Ausbildung mit Erfolg abschließen

**직업상의 beruflich**

직업(상의) 경험이 있습니까? Haben Sie berufliche Erfahrung?

나 자신의 직업 경험에서 나는 번역이 그렇게 간단하지 않다는 것을 알고 있다. Aus meiner eigenen beruflichen Erfahrung weiß ich, dass das Übersetzen nicht so einfach ist.

**직업 생활 das Berufsleben**

나는 내 직업 생활에서 많은 것을 경험했다. Ich habe in meinem Berufsleben viel erlebt.

직업 생활에 들어서기가 항상 쉽지만은 않다. Der Einstieg ins Berufsleben ist nicht immer einfach.

**직원 der Mitarbeiter**

우리는 수출 부서에서 일할 새 직원을 찾고 있다. Wir suchen einen neuen Mitarbeiter für die Exportabteilung.

**직접의**

이 문장을 직접화법에서 간접화법으로 옮기시오. Setzen Sie den Satz aus der direkten Rede in die indirekte Rede.

**진보된 fortgeschritten**

이 회사는 진보된 기술을 개발한다. Diese Firma entwickelt fortgeschrittene Technologie.

**진술 die Angabe**

인적사항 진술을 하다 Angaben zu Person machen

인적사항 진술이 맞지 않다. Die Angaben zur Person stimmen nicht.

**진정시키다 beruhigen**

진정하세요! Beruhigen Sie sich bitte!

그녀는 우는 아이를 진정시키려고 한다. Sie versucht, das weinende Kind zu beruhigen.

**진짜의 echt**

진짜 가죽으로 만든 핸드백 eine Handtasche aus echtem Leder

그는 진짜 서울 사람이다. Er ist ein echter Seouler.

이것이 진짜 다이아몬드이냐? Ist das ein echter Diamant?

**진행 과정 der Vorgang, der Prozess**

요리의 진행 과정을 기술하시오. Beschreiben Sie den Vorgang des Kochens.

**질긴 fest**

질긴 천으로 만든 배낭 ein Rucksack aus festem Stoff

**질문 die Frage**

또 질문 있습니까? Haben Sie noch Fragen?

**질문을 (구성)하다 eine Frage stellen**

1인칭 관점에서 질문하시오. Stellen Sie die Fragen aus der Ich-Perspektive.

**질서 die Ordnung**

경찰이 현장에서 신속하게 다시 질서를 세웠다. Die Polizei hat vor Ort die Ordnung schnell wieder hergestellt.

**짐 das Gepäck**

짐을 방으로 나르다 das Gepäck aufs Zimmer tragen

짐이 매우 무겁다. Das Gepäck ist sehr schwer.

**짐 (낱개의) das Gepäckstück**

짐을 몇 개 가지고 계십니까? Wie viele Gepäckstücke haben Sie dabei?

**집 광고 die Wohnungsanzeige, das Wohnungsinserat**

집 광고를 내(도록 신청하)다 eine Wohnungsanzeige aufgeben

**집 구하기 die Wohnungssuche**

나는 아직도 집을 구하고 있다. Ich bin immer noch auf (der) Wohnungssuche.

**집어넣다 (무엇을 어디에) et. in et. stecken**

손을 바지 주머니에 집어넣다 die Hände in die Hosentaschen stecken

차표/지폐를 지갑에 집어넣다 die Fahrkarten/die Geldscheine in den Geldbeutel stecken

그가 돈을 지갑에 집어넣었다. Er steckte das Geld in seinen Geldbeutel.

**집중강좌 der Intensivkurs**

나는 비즈니스맨을 위한 영어 집중강좌에 다니고 싶다. Ich möchte den Intensivkurs Englisch für Geschäftsleute besuchen.

**집중적인 intensiv**

이 강좌는 집중적인 언어훈련을 제공한다. Dieser Kurs bietet intensives Sprachtraining.

방학 중 나는 독일어 문법을 집중적으로 공부했다(→ 에 몰두했다). In den Ferien habe ich mich intensiv mit der deutschen Grammatik beschäftigt.

**집중훈련 das Intensivtraining**

나는 집중훈련을 통해서 내 독일어를 개선하였다. Ich habe mein Deutsch durch ein Intensivtraining verbessert.

**짖다 (개가) bellen**

나는 개가 짖는 소리를 들었다. Ich hörte einen Hund bellen.

**짙은 dunkel-**

짙은 초록색의 dunkelgrün

짙은 빨간색의 dunkelrot

**짝꿍 der Sitznachbar** → 옆 사람

**쪽지 (메모) der Zettel**

나는 오늘 학교에서 그 쪽지를 게시판에 붙였다. Ich habe den Zettel heute in der Schule ans Schwarze Brett gehängt.

**차를 타고 가기 (여행) die Fahrt**

우리는 7시간 동안 차를 타고 간 후에 (목적지에) 도착했다. Wir sind nach sieben Stunden Fahrt angekommen.

오랫동안 기차 타는 것이 힘들었다. Die lange Fahrt mit dem Zug war anstrengend.

**차리다/만들다 (음식을) zubereiten**

이 요리는 맛있지만 차리기 쉽지 않다. 네가 직접 만들었니? Dieses Gericht ist lecker, aber nicht einfach zuzubereiten. Hast du es selber zubereitet?

**차표 die Fahrkarte**

차표를 차표 자동판매기에서 사다 eine Fahrkarte am Fahrkartenautomaten kaufen

버스·기차표를 차표 자동판매기에서 뽑을 수 있습니다. Bus- und Bahnfahrkarten können Sie am Ticketautomaten ziehen.

**참가 die Teilnahme**

'비즈니스영어' 여름 강좌 참가 Teilnahme am Sommerkurs Business English

이 강좌에 참가하는 데 어떤 조건이 있습니까? Welche Bedingungen gibt es für die Teilnahme an diesem Kurs?

**참가신청서 das Anmeldeformular**

참가신청서를 요청하다 Anmeldeformulare anfordern

참가신청서를 작성하다/서명하다 das Anmeldeformular ausfüllen/unterschreiben

참가신청서를 그 회사로 보내다 das Anmeldeformular an die Firma schicken

**참기름 das Sesamöl**

참기름 한 숟가락을 치다 einen Esslöffel Sesamöl hinzugeben

**참여하고 있다 beteiligt sein**

누가 이 사업에 참여하고 있지? Wer ist an diesem Projekt beteiligt?

**참여하다 sich beteiligen**

나는 데모/파업/프로젝트에 참여하고 싶지 않다. Ich möchte mich nicht an der Demonstration/dem Streik/dem Projekt beteiligen.

**창구 der Schalter**

3번 창구로 가십시오. Gehen Sie zu Schalter 3.

차표는 저기 건너편 창구에서 살 수 있습니다. Sie können die Fahrkarten am Schalter dort drüben kaufen.

**창문 das Fenster**

창문을 열다 das Fenster öffnen/aufmachen

창문을 닫다 das Fenster schließen/zumachen

창문을 닦다 das Fenster putzen

**창문 청소부 der Fensterputzer**

나는 한 달에 한 번씩 창문 청소부에게 창문을 청소하게 한다. Ich lasse die Fenster einmal im Monat von einem Fensterputzer putzen.

**창업 die Geschäftsgründung, die Firmengründung, das Start-up (소자본의 혁신적인 창업)**

**창업하다 ein Geschäft gründen/starten, ein Start-up gründen**

**창의적인 kreativ**

창업하려면, 무엇보다 창의적인 생각이 필요하다. Wenn man ein Geschäft gründen will, braucht man vor allem kreative Ideen.

**찾기 die Suche**

나는 집을 찾는 중이다. Ich bin auf der Suche nach einer Wohnung.

**책상 der Schreibtisch**

큰/튼튼한 철제/나무 책상 ein großer/stabiler Schreibtisch aus Metall/Holz

**책임 있는 (무엇에) für et. verantwortlich**

누가 기획/재정에 책임이 있지? Wer ist für die Planung/die Finanzen verantwortlich?

**처음 만나다 kennenlernen → 사귀다**

너희들 어디서 처음 만났니? Wo habt ihr euch kennengelernt?

**천 der Stoff**

이것이 어떤 천이지? Was für ein Stoff ist das?

이 원피스는 어떤 천으로 만든 거지? Aus welchem Stoff ist das Kleid?

**천으로 만든 동물 인형 das Stofftier**

천으로 만든 동물 인형을 모으다 Stofftiere sammeln

**철학자 der Philosoph**

**첨가물 die Zutat**

**첨가하다 hinzugeben**

후추 한 자밤을 첨가하다 eine Prise Pfeffer hinzugeben

달걀 하나를 첨가하다 ein Ei hinzugeben

우유를 약간 첨가하여 젓다 etwas Milch hinzugeben und umrühren

샐러드유를 약간 첨가하고, 소스를 잘 저으시오. Geben Sie etwas Salatöl hinzu und rühren Sie die Soße gut um.

**첨부(하는) 문건 der Anhang**

자세한 정보는 첨부(하는) 문건을 참조하시오. Weitere Informationen finden Sie im Anhang.

**첨부하다 et. als Anhang beifügen**

이력서를 첨부했습니다. Ich habe meinen Lebenslauf als Anhang beigefügt.

참조하실 수 있도록 기숙사 목록을 첨부합니다. Zu Ihrer Information füge ich als Anhang eine Wohnheimliste bei.

**첫 번째의 erst-**

김나지움의 첫 번째 학년 die erste Klasse des Gymnasiums

**첫째로 erstens**

**청소년 der/die Jugendliche**

**청소년의 jugendlich**

**청소하다 putzen**

부엌을 청소하다 die Küche putzen

**청첩장 die Hochzeitseinladung**

**체류 der Aufenthalt**

나는 나의 미국 체류를 연장하고 싶다. Ich möchte meinen Aufenthalt in den USA verlängern.

독일에 체류하는 동안에 무엇을 하려고 합니까? Was wollen Sie während Ihres Aufenthalts in Deutschland machen?

**체류 기간 die Aufenthaltsdauer**

무비자 체류 기간은 3개월로 제한되어 있다. Die Aufenthaltsdauer ohne Visum ist auf drei Monate beschränkt.

**체류 허가 die Aufenthaltserlaubnis**

내 체류 허가가 5월에 종료된다. 곧 연장해

야 한다. Meine Aufenthaltserlaubnis läuft im Mai ab. Ich muss sie bald verlängern lassen.

**체험 das Erlebnis**

아름다운/끔찍한 체험 ein schönes/schreckliches Erlebnis

어린 시절의 체험 ein Erlebnis aus der Kindheit

할아버지는 종종 전쟁 때 경험을 이야기하신다. Opa erzählt oft seine Erlebnisse aus der Kriegszeit.

그것은 잊지 못하는 경험이었다. Das war ein Erlebnis, das man nicht vergisst!

**체험하다 erleben**

1년간의 독일 체류 동안에 무엇을 체험했니? Was hast du während deines einjährigen Deutschlandaufenthalts erlebt?

**쳐다보다 anschauen, <구어> angucken → 바라보다**

왜 그렇게 화난 얼굴로 나를 쳐다보니? Warum schaust du mich so wütend an?

**초 die Sekunde**

나는 100m를 13초에 달릴 수 있다. Ich kann 100 Meter in 13 Sekunden laufen.

**초등학교 die Grundschule**

초등학교에 다니다 die Grundschule besuchen

나는 5살에 벌써 초등학교에 입학했다. Ich bin schon mit fünf Jahren in die Grundschule gekommen.

**초등학교 시절 die Grundschulzeit**

4년간의 초등학교 시절 die vierjährige Grundschulzeit

**초보자 강좌 der Anfängerkurs**

초보자 강좌에 다니다 einen Anfängerkurs besuchen

프랑스어 초보자 강좌에 등록하다 sich für den Anfängerkurs (für) Französisch einschreiben/anmelden

**초원 die Wiese**

**초조한 nervös**

시험 전에 나는 항상 초조하다. Vor einer Prüfung bin ich immer nervös.

**초·중등학교 교육 die Schulbildung**

**초·중등학교의 schulisch**

**총 (합계의) insgesamt → 전부**

총 50명 정도가 왔다. Insgesamt sind etwa 50 Leute gekommen.

그 세미나는 총 60시간이다. Das Seminar umfasst insgesamt 60 Stunden.

**최상의 위치 die Toplage**

나는 최상의 위치에 있는 집을 구하고 있다. Ich suche eine Wohnung in Toplage.

**최선을 다하다 sein Bestes geben/tun**

항상 최선을 다하도록 노력해라! Versuche immer, dein Bestes zu geben!

**최적화 die Optimierung**

**추가 교육 die Zusatzausbildung**

**추가교육/심화교육/연수 die Weiterbildung**

지난여름 나는 삼성 코닝에서 추가교육을 받았다. Im letzten Sommer habe ich bei Samsung Corning eine Weiterbildung gemacht.

**추가교육 프로그램 das Weiterbildungsprogramm**

**추가하다 hinzugeben**

물 반 리터를 추가하다 einen halben Liter

Wasser hinzugeben

**추리소설 der Kriminalroman, der Krimi**

나는 추리소설을 좋아한다. Ich lese gern Krimis.

**추가적인 weiter-**

또 추가적인 질문이 있습니까? Haben Sie noch weitere Fragen?

**추위 die Kälte**

나는 추위를 잘 견디지 못한다. Ich kann schlecht Kälte ertragen.

**추천 die Empfehlung**

교수님의 추천으로 auf Empfehlung meines Professors

추천서를 써주실 수 있겠습니까? Können Sie mir eine Empfehlung schreiben?

**추천서 das Empfehlungschreiben**

**추천하다 empfehlen**

시내에 있는 좋은 호텔을 하나 추천해주실 수 있겠습니까? Können Sie mir ein gutes Hotel in der Stadtmitte empfehlen?

**추측 die Vermutung**

너의 추측은 맞다. Deine Vermutung ist richtig.

**추측하다 vermuten**

그가 오늘 우리 모임에 오지 않았다. 나는 그가 매우 바쁘다고 추측한다. Er ist heute nicht zu unserem Treffen gekommen. Ich vermute, dass er sehr beschäftigt ist.

**축구선수 der Fußballspieler**

그는 유명한 축구선수이다. Er ist ein berühmter Fußballspieler.

**축구팀 die Fußballmannschaft**

**출발하다 losfahren**

우리 언제 출발해야 하지? Wann müssen wir losfahren?

우리는 아침 6시에 벌써 출발해야 해. Wir müssen schon um sechs Uhr morgens losfahren.

**출산율 die Geburtenrate**

한국은 벌써 수십 년 전부터 출산율이 줄어들고 있다. In Korea geht die Geburtenrate schon seit Jahrzehten zurück.

**출생 알림 die Geburtsanzeige**

**출신이다 stammen (aus) → 유래하다**

그는 남부 독일 출신이다. Er stammt aus Süddeutschland.

그녀는 부잣집에서 태어났다. Sie stammt aus einer reichen Familie.

**춤추다 tanzen**

춤을 잘 추다 gut tanzen können

춤추기를 좋아하다 gerne tanzen

우리는 종종 춤추러 간다. Wir gehen oft tanzen.

**충분하다 (...에) für et. ausreichen**

커피 한 잔 마시기에 시간이 충분한가? Reicht die Zeit noch für eine Tasse Kaffee aus?

**충분한 genügend**

나는 유감스럽게도 이 번역을 할 시간이 충분하지 않다. Ich habe leider nicht genügend Zeit für diese Übersetzung.

영화관 표 살 돈이 충분히 있어? Hast du genügend Geld für die Kinokarten?

**취득하다 erwerben**

나는 독일어 교사 자격을 취득하였다. Ich habe die Deutschlehrerqualifikation erworben.

**측면 die Seite**

**층 der Stock, die Etage, (건축물 구조의 층) das Stockwerk**

나는 30층에 산다. Ich wohne im 29. Stock.

이 집들은 모두 30층 이상이다. Die Häuser sind alle über 30 Stockwerke hoch.

**치다 (누구를 차로) anfahren**

술에 취한 운전자가 행인을 치었다. Ein betrunkener Autofahrer hat einen Passanten angefahren.

그 아이는 차에 치였다. Das Kind wurde von dem Wagen angefahren.

**치르다 (시험을) (die Prüfung) ablegen**

언제까지 그 시험을 치러야 합니까? Bis wann muss man die Prüfung ablegen?

**치우다 (다른 곳으로 옮겨) wegbringen**

쓰레기를 치워라. Bring bitte den Müll weg.

**친해지다 sich anfreunden**

우리는 벌써 친해졌다. Wir haben uns schon angefreundet.

**침구 세트 die Bettwäsche**

나는 침구 세트를 바꿔야 한다. Ich muss die Bettwäsche wechseln.

**침대 das Bett**

나는 침대에서 자지 않고, 바닥에서 잔다. Ich schlafe nicht im Bett, sondern auf dem Boden.

침대 커버를 씌우다 das Bett beziehen

**카탈로그 der Katalog**

우리의 무료 카탈로그를 요청하시오! Fordern Sie unseren kostenlosen Katalog an!

**카펫 der Teppich → 양탄자**

**캐나다 (das) Kanada**

**캠핑카 der Wohnwagen**

우리는 캠핑카를 타고 스칸디나비아를 여행했다. Wir sind mit dem Wohnwagen durch Skandinavien gereist.

**커튼 der Vorhang**

커튼을 닫다/열다 die Vorhänge zuziehen/aufziehen

창문을 걷어라! 아주 어두워. Zieh die Vorhänge auf! Es ist so dunkel.

창문에는 흰색 선 무늬가 있는 파란색 커튼이 걸려있다. Am Fenster hängen blaue Vorhänge mit weißen Streifen.

**켤레 das Paar**

신발/양말/스타킹 한 켤레 ein Paar Schuhe/Socken/Strümpfe

**코로나바이러스 das Coronavirus**

그는 코로나바이러스에 감염되었다. Er hat sich mit dem Coronavirus infiziert.

**코스 der Kurs**

그 코스는 매일 수요일 9시에서 11시 사이에 열린다. Der Kurs findet jeden Mittwoch von neun bis elf statt.

**코스 지도자 der Kursleiter**

**콜라 캔/깡통 die Coladose**

콜라 캔/깡통을 모으다 Coladosen sammeln

**콩나물 der Sojaspross <보통 복수: -en>**

콩나물은 잘 씻어야 한다. Die Sojasprossen müssen gut gewaschen werden.

**콩나물국 die Sojasprossensuppe**

콩나물국을 끓이다 eine Sojasprossensuppe kochen

**쾌적한 angenehm**

그는 자기 고향에서 쾌적한 삶을 누리고 있다. Er führt ein angenehmes Leben in seinem Heimatort.

**쿠션 das Kissen**

소파 쿠션 das Sofakissen

**쿠션이/스펀지가 있는 gepolstert**

쿠션이 있는 어깨끈 gepolsterte Schulterriemen

**크리스마스 바자(회) der Weihnachtsbasar**

크리스마스 바자(회)를 열다/준비하다 einen Weihnachtsbasar machen/organisieren

도시의 한 지역 전체를 크리스마스 바자(회)에 초대하다 den ganzen Stadtteil/das ganze Stadtviertel zum Weihnachtsbasar einladen

**크리스마스 분위기 die Weihnachtsstimmung**

시내는 11월 말에 벌써 크리스마스 분위기다. In der Innenstadt herrscht schon Ende November Weihnachtsstimmung.

**키스하다 küssen**

그는 인사로 항상 내 볼에 키스한다. Er küsst mich zur Begrüßung immer auf die Wange.

**타다 (차에 올라) einsteigen**

버스에/택시에/지하철에 올라타다 in den Bus/ins Taxi/in die U-Bahn einsteigen

**탈진 die Erschöpfung**

그녀는 탈진하여 쓰러졌다. Sie ist vor Erschöpfung zusammengebrochen.

**탑, 타워 der Turm**

우리는 탑에 올라갔다. Wir sind auf den Turm gestiegen.

**탑 꼭대기 die Turmspitze**

탑 꼭대기로부터 멋진 전망을 볼 수 있다. Von der Turmspitze aus hat man eine herrliche Aussicht.

**택시 운전사 der Taxifahrer**

친절한 택시 운전사 ein freundlicher Taxifahrer

**택시를 부르다 ein Taxi bestellen**

**털 die Wolle**

털 재킷 eine Jacke aus Wolle

**털모자 die Wollmütze**

**털양말 Socken aus Wolle**

**텍스트 구성 der Textaufbau**

**텍스트 형식 die Textform**

**텔레비전 (기기) der Fernseher, der Fernsehapparat**

텔레비전을 켜다 den Fernseher anmachen/einschalten

텔레비전을 끄다 den Fernseher ausmachen/ausschalten

**텔레비전 (방송) das Fernsehen**

텔레비전에 좋은 기록 영상물이 있다. Im Fernsehen gibt es gute Dokumentarfilme.

텔레비전에 출연하다 im Fernsehen auftreten

**토끼 der Hase**

**토마토소스 die Tomatensoße**

토마토소스 한 병 ein Glas Tomatensoße

토마토소스를 스파게티에 붓다 die Tomatensoße über die Spaghetti geben

신선한 토마토로 토마토소스를 만들다 die Tomatensoße aus frischen Tomaten zubereiten

**통계 die Statistik**

통계에 따르면 지구가 점점 더 더워지고 있다. Laut Statistik wird die Erde immer wärmer.

**통역사 der Dolmetscher**

그녀는 한독 통역사이다. Sie ist Dolmetscherin für Koreanisch-Deutsch.

**통역하다 dolmetschen**

누가 그 회의에서 동시로 통역했지? Wer hat bei der Konferenz simultan gedolmetscht?

**투자 die Investition**

정부가 해외 투자를 유치하고자 한다. Die Regierung versucht, Investionen aus dem Ausland anzuziehen.

**투자하다 investieren**

그 회사는 녹색 에너지 개발에 많이 투자했다. Die Firma hat sehr viel in die Entwicklung von grüner Energie investiert.

미래에 투자하다 in die Zukunft investieren

**튀기다 (기름에) frittieren**

**트렁크 der Koffer**

트렁크를 싸다/풀다 den Koffer packen/auspacken

트렁크가 아주 무겁다. 나는 그것을 들(어 나를) 수가 없다. Der Koffer ist sehr schwer. Ich kann ihn nicht tragen.

**특별한 besonder-**

나는 뭔가 특별한 것을 경험하고 싶다. Ich möchte etwas Besonderes erleben.

그녀는 저녁 식사 준비에 특별한 노력을 기울였다. Sie hat sich besondere Mühe mit dem Abendessen gegeben.

**특성 die Charakteristik**

그 도시는 어떤 특성이 있느냐? Welche Charakteristik hat die Stadt?

박물관이 많은 문화도시이다. Es ist eine Kulturstadt mit vielen Museen.

**튼튼한 stabil → 견고한**

튼튼한 재료 stabiles Material

튼튼한 나무로 만든 테이블 ein Tisch aus stabilem Holz

**티스푼 der Teelöffel (약자: TL)**

국에 소금 한 티스푼을 넣으세요. Geben Sie einen Teelöffel Salz in die Suppe.

**팀 die Mannschaft, das Team**

**팀/과/부 die Abteilung**

영어과/부/팀에서 일하다 in der englischen Abteilung arbeiten

**파 der Lauch**

파를 잘게 썰어서 프라이팬에 넣으시오. Schneiden Sie den Lauch klein und geben Sie ihn in die Pfanne.

**파괴하다 zerstören**

전쟁 중에 그 도시는 완전히 파괴되었다. Im Krieg wurde die Stadt völlig zerstört.

**파라솔 der Sonnenschirm**

파라솔을 펴다/접다 den Sonnenschirm aufmachen/zumachen

파라솔 아래는 참 시원하다. Unter dem Sonnenschirm ist es schön kühl.

나는 절대로 햇빛(속)에 앉지 않고, 항상 파라솔 밑에 앉는다. Ich setze mich nie in die Sonne, ich setze mich immer unter einen Sonnenschirm.

**파르마 산 치즈 der Parmesankäse**

스파게티를 파르마 산 치즈와 함께 내놓다 die Spaghetti mit Parmesankäse servieren

스파게티에 파르마 산 치즈를 얹으면 훨씬 더 맛있다. Wenn man Parmesankäse über die Spaghetti gibt, schmecken sie noch besser.

**파운드 (독일: 500g, 영미: 454g) das Pfund**

**파인애플 die Ananas**

**파인애플 주스 der Ananassaft**

마요네즈와 파인애플 주스를 섞다 die Mayonnaise mit dem Ananassaft mischen

**판매 der Verkauf**

할인판매 der Sonderverkauf, das Sonderangebot

**판매대 (거리의) der Stand, der Verkaufsstand,**

der Hotdog-Stand 핫도그 판매대

**판매팀 das Verkaufsteam**

**팔 der Arm**

내 오른팔이 아프다. Mein rechter Arm tut weh.

나는 운동하다가 팔을 다쳤다. Ich habe mich beim Sport am Arm verletzt.

그가 내 왼쪽 팔을 꽉 잡았다. Er hat meinen linken Arm fest gepackt.

**팔다 verkaufen**

나는 자동차를 팔았다. Ich habe mein Auto verkauft.

**팔리다 sich verkaufen**

그 책이 잘 팔린다. Das Buch verkauft sich gut./Das Buch lässt sich gut verkaufen.

**팝 음악 die Popmusik**

**패션 die Mode**

그는 패션에 관심이 많아. Er interessiert sich sehr für Mode.

**패션 디자인 das Modedesign**

**팸플릿 die Broschüre**

팸플릿 우송을 부탁하다 um die Zusendung von Broschüren bitten

정보 팸플릿을 우리 홈페이지에서 PDF-파일로 내려받을 수 있습니다. Unsere Informationsbroschüre können Sie auf unserer Webseite als PDF-Datei herunterladen.

**펜션 die Pension → 모텔**

**펜션 주인 der Pensionsbesitzer**

**편리한 (시설이 잘 갖춰져 편안하고) komfortabel**

편리하게 잘 꾸며진 방 ein komfortabel eingerichtetes Zimmer

**편리함 (편안하고) der Komfort**

그 호텔은 모든 편리함이 갖춰져 있다. Das Hotel ist mit allem Komfort ausgestattet.

**편안한 (마음이) angenehm → 안락한**

편안한 여행이 되길 바랍니다. Ich wünsche Ihnen eine angenehme Reise.

**편(안/리)한 (몸이) bequem**

편(안)한 신발 bequeme Schuhe

방은 깨끗했고, 침대는 편안했다. Das Zimmer war sauber und die Betten waren bequem.

**평가서 das Gutachten**

평가서를 작성하다 ein Gutachten verfassen

평가서를 제출하다 ein Gutachten abgeben

**폐허 die Ruine → 잔해**

폐허 밑에는 많은 사망자가 놓여있었다. Unter den Ruinen lagen viele Tote.

그 아이가 백화점 폐허 속에서 구조되었다. Das Kind wurde aus der Ruine des Kaufhauses gerettet.

**포스터 das Poster**

BTS 포스터를 벽에 붙이다 ein Poster von

BTS an die Wand hängen
포스터를 (벽에서) 떼어 내다 ein Poster (von der Wand) abnehmen/abreißen

**포함하다 enthalten**
오렌지는 비타민 C를 많이 포함하고 있다. Orangen enthalten viel Vitamin C.
이 책은 흥미로운 통계를 많이 포함하고 있다. Das Buch enthält viele interessante Statistiken.
임대 가격에는 모든 부대비용이 포함되어 있다. In dem Mietpreis sind alle Nebenkosten enthalten.

**표명하다 äußern**
이 주제에 대한 의견을 표명해주세요. Bitte äußern Sie Ihre Meinung zu diesem Thema.

**표지판 das Schild → 간판**
표지판을 붙이다/세우다 ein Schild anbringen/aufstellen

**풀다 (짐을) auspacken**
가방을 풀다 den Koffer auspacken
짐 풀기를 끝내다 mit dem Auspacken fertig sein

**풀다 (문제, 과제를) lösen**
이 문제를 푸시오. Lösen Sie diese Aufgaben.

**풀밭 die Wiese → 초원**
아이들이 풀밭에서 공놀이한다. Die Kinder spielen auf der Wiese Ball.

**품질 die Qualität, die Güte**
품질과 비교하면 가격이 저렴하다. Das ist ein guter Preis für diese Qualität.
이 상표는 우수한 품질을 뜻한다. Diese Marke steht für Güte.

**풍부한 umfangreich, reichlich, üppig**
정보처리학 부분에 풍부한 지식을 가지다 umfangreiche Kenntnisse im Bereich Informatik haben/besitzen
풍부한 정보를 제공하다 umfangreiche Informationen bieten
회의 후에 풍부한 음식이 있었다. Nach der Sitzung gab es ein üppiges Essen.

**프라이팬 die Pfanne**
고기/감자를 프라이팬에 굽다 das Fleisch/die Kartoffeln in der Pfanne braten
프라이팬에 기름을 조금 치고 달걀부침을 하세요. Geben Sie etwas Öl in die Pfanne und braten Sie Spiegeleier.

**프랑스 (das) Frankreich**

**프로그램 das Programm**
프로그램에는 무엇이 들어있느냐? Was steht auf dem Programm?
우리는 바자(회)를 위해서 음악과 연극이 포함된 프로그램을 준비한다. Für den Basar bereiten wir ein Programm mit Musik und Theater vor.

**프로젝트 das Projekt**
큰 프로젝트 ein großes Projekt
프로젝트에 동참하다 bei einem Projekt mitmachen
프로젝트에 참여하다 sich an einem Projekt beteiligen
그 회사가 큰 프로젝트를 출범시켰다. Die Firma hat ein großes Projekt gestartet.

**프리랜서 der freie Mitarbeiter**
그녀는 라디오 방송국에서 프리랜서로 일한다. Sie arbeitet als freie Mitarbeiterin beim Radio.

**프린터 der Drucker**

이 프린터는 사용하기가 쉽다. Dieser Drucker ist leicht zu bedienen.

이 프린터는 컴퓨터에 연결되어 있지 않다. Dieser Drucker ist nicht an den Computer angeschlossen.

**플라스틱 das Plastik**

튼튼한 플라스틱으로 만든 의자 ein Stuhl aus stabilem Plastik

플라스틱 소비를 줄여야 한다. Der Verbrauch von Plastik muss reduziert werden.

**피다 (꽃이) blühen**

꽃봉오리가 피는 꽃 blühende Blumen

봄에는 나무에 꽃이 핀다. Im Frühling blühen die Bäume.

**피로 die Müdigkeit**

피로를 풀다 die Müdigkeit vertreiben

피로로 곧 쓰러질 지경이다. Ich breche vor Müdigkeit gleich zusammen.

**피망 die Paprika**

피망을 얇게 썰다 die Paprika in dünne Scheiben schneiden

**피아노 das Klavier**

피아노 칠 줄 알아? Kannst du Klavier spielen?

**필기 die Notiz**

나는 수업 중에 항상 필기한다. Während des Unterrichts mache ich mir immer Notizen.

**필기구 der Stift**

책상에는 필기구가 많이 들어있는 큰 컵이 있다. Auf dem Schreibtisch steht eine große Tasse mit vielen Stiften.

**필체 die Handschrift**

그는 필체가 좋다. Er hat eine schöne Handschrift.

그의 필체는 읽기가 어렵다. Seine Handschrift ist schwer zu lesen (= ist unleserlich).

**하기 위하여/하러 (...) um ... zu ...**

나는 주말에 작은 여행을 할 수 있기 위하여 이번 주에 열심히 일했다. Ich habe in dieser Woche hart gearbeitet, um am Wochenende eine kurze Reise machen zu können.

**하는 동안 (...) während <종속접속사>**

우리가 짐을 방으로 나르는 동안에 벨로는 밖에서 기다렸다. Während wir das Gepäck in unser Zimmer trugen, hat Bello draußen gewartet.

**하도록(...) damit <종속접속사>**

지각하지 않도록 서둘러라. Beeil dich, damit du nicht zu spät kommst.

**하루 단위로 tageweise → 일당으로**

나는 하루 단위로 임금을 받는다. Ich werde tageweise bezahlt.

**하중을 견디는, 견고한 strapazierfähig**

하중을 견디는 재료로 만든 배낭 ein Rucksack aus strapazierfähigem Material

**하지만 jedoch**

나는 2월 1일에서야 입주할 수 있어. 하지만 나는 크리스마스 조금 뒤에 벌써 독일에 가고 싶어. Ich kann erst ab dem ersten Februar einziehen. Ich möchte jedoch schon kurz nach Weihnachten nach Deutschland fliegen.

**학과 사무실 das Abteilungsbüro**

**학교 교육 die Schulbildung**

그는 어떤 학교 교육을 받았느냐? Was für eine Schulbildung hat er?

**학교 수료 der Besuch einer Schule/einer Universität/einer Akademie**

**학교에서 사용하는 공책 das Schulheft**

**학교에 다니다 eine Schule besuchen**

어디에서 학교에 다녔니? Wo hast du die Schule besucht?

어떤 학교에 다녔니? Welche Schule hast du besucht?

**학급 die Schulklasse**

**학기 말 das Semesterende**

**학기 말 방학 die Semesterferien**

**학기 시작 der Semesterbeginn**

**학년 (초·중등학교) das Schuljahr, (대학교) das Studienjahr**

**학년도 (초·중등학교) das Schuljahr, (대학교) das Studienjahr**

**학문의 wissenschaftlich, akademisch**

학문/대학 수학 이력 die akademische Laufbahn

**학사 (학위) B. A. (Bachelor of Arts)**

**학생교류 der Schüleraustausch, (대학생) der Studentenaustausch**

우리 학교는 독일의 한 학교와 학생교류를 하고 있다. Unsere Schule unterhält einen Schüleraustausch mit einer Schule in Deutschland.

**학생교류 프로그램 das Schüleraustauschprogramm**

미국과의 학생교류 프로그램으로 나는 6 개월 동안 미국에서 학교에 다녔다. Im Rahmen des Schüleraustauschprogramms mit den USA habe ich sechs Monate eine Schule in den USA besucht.

**학생 라디오 (방송) das Schülerradio**

학생 라디오 방송에서 함께 일하다 beim Schülerradio mitmachen

나는 이따금 학생 라디오를 위해서 원고를 쓴다. Ich schreibe manchmal Beiträge für das Schülerradio.

**학생 신문 die Schülerzeitung**

학생 신문에 기사를 쓰다 einen Bericht für die Schülerzeitung verfassen/schreiben

**학(술)원 die Akademie**

**한숨을 쉬다 seufzen**

그는 뭘 해야 할지를 몰라서 한숨만 쉬었다. Er wusste nicht, was er tun sollte, und seufzte nur.

그녀는 시험 결과를 알았을 때 안도의 한숨을 내쉬었다. Als sie das Ergebnis der Prüfung erfuhr, seufzte sie erleichtert.

**함께 가다 begleiten, mitkommen → 동행하다**

지하철역까지 함께 가줄게. Ich begleite dich bis zur U-Bahnstation.

**함께 돕다 bei/in et. mithelfen**

부모들도 그 준비를 함께 돕는다. Auch die Eltern helfen bei der Vorbereitung mit.

주말에 식당에서 부모님을 도와드려야 해. Am Wochenende muss ich im Restaurant meiner Eltern mithelfen.

**함께 하다/참여하다 bei et. mitmachen**

모든 학년이 프로젝트/학생 라디오 방송에 참여할 수 있다. Alle Klassen können beim Projekt/Schülerradio mitmachen.

**합격하다 bestehen**

시험에 합격하다 die Prüfung bestehen

아비투어에 합격하다 das Abitur bestehen

**합리적인 vernünftig → 이성적인**

합리적인 생각/계획/조언 ein vernünftiger Gedanke/Plan/Rat

그는 합리적인 사람이다. Er ist ein vernünftiger Mensch.

**합성수지 der Kunststoff, das Plastik**

이 가방은 고품질 합성수지로 만들었다. Dieser Koffer besteht aus hochwertigem Kunststoff.

**항구 der Hafen**

함부르크 항구 der Hamburger Hafen

부산 항구 der Hafen von Busan

배가 항구로 들어간다. Das Schiff läuft in den Hafen ein.

배가 내일 항구에서 출항한다. Das Schiff wird morgen aus dem Hafen auslaufen.

**항구도시 die Hafenstadt**

부산은 항구도시이다. Busan ist eine Hafenstadt.

**해결하다 (문제, 과제를) lösen**

이 문제는 쉽게 풀 수 없다. Dieses Problem kann man nicht leicht lösen.

이 등식/방정식을 해결하시오. Lösen Sie diese Gleichung.

**해내다 schaffen**

마침내 해냈다! Endlich geschafft!

나는 해냈다! 시험에 합격했다! Ich habe es geschafft! Ich habe die Prüfung bestanden!

**해프닝 der Vorfall**

그 파티에서 민망한 해프닝/일이 있었다. Auf der Party gab es einen peinlichen Vorfall.

**핸드폰 das Handy/Mobilfon → 이동전화**

나는 핸드폰을 잃어버렸다. Ich habe mein Handy verloren.

핸드폰으로 전화하면 언제든지 저에게 연락하실 수 있습니다. Sie können mich jederzeit übers Handy erreichen.

나는 핸드폰을 충전해야 한다. Ich muss mein Handy aufladen.

핸드폰 번호 die Handynummer/die Mobilfonnummer

**핸디 das Mobilfon → 핸드폰, 이동전화**

**행동 das Verhalten**

나에 대한 그의 행동은 항상 올발랐다. Sein Verhalten mir gegenüber war immer korrekt.

너는 그가 왜 그렇게 행동하는지를 설명할 수 있니? Hast du eine Erklärung für sein Verhalten?

**현재 (시제) das Präsens**

**허가 die Erlaubnis, die Genehmigung, die Zulassung**

나는 뷔르츠부르크 대학 수학을 위해 입학허가를 신청했다. Ich habe die Zulassung für das Studium an der Universität Würzburg beantragt.

나는 유감스럽게도 입학허가를 받지 못했다. Ich habe leider noch keine Zulassung bekommen.

**허락 die Erlaubnis**

허락을 얻다 die Erlaubnis bekommen

교장 선생님에게 학생 라디오 방송에 대한 허락을 요청하다 den Direktor um die Erlaubnis für ein Schülerradio bitten

의사의 허락이 없이는 내가 병원을 떠날 수

없다. Ohne Erlaubnis des Arztes darf ich das Krankenhaus nicht verlassen.

부모님께서 내게 어학연수 여행을 허락해주셨다. Meine Eltern haben mir die Erlaubnis für eine Sprachreise gegeben.

**허락된, 허락받은 erlaubt**

이 호수에서는 물놀이가 허락된다. In diesem See ist Baden erlaubt.

**허락하다 erlauben**

우리 부모님은 내게 친구 집에서 자는 것을 허락하지 않는다. Meine Eltern erlauben mir nicht, bei Freunden zu übernachten.

사정이 허락하면, 당신을 방문하겠습니다. Wenn die Umstände es mir erlauben, werde ich Sie besuchen.

**헛수고인 umsonst → 괜히**

나는 그 자리를 얻으려고 헛수고했다. Ich habe mich umsonst um die Stelle bemüht.

**헤어지다 auseinander gehen**

자정이 되어서야 우리는 헤어졌다. Erst um Mitternacht gingen wir auseinander.

**혀 die Zunge**

나는 혀를 데었다. Ich habe mir die Zunge verbrannt.

나는 혀를 (잘못하여) 깨물었다. Ich habe mir auf die Zunge gebissen.

**현대의/현대적인 modern**

현대적인 디자인 ein modernes Design

현대 예술 moderne Kunst

**현재 die Gegenwart**

이 도시에는 과거와 현재가 나란히 공존한다. In dieser Stadt existieren Vergangenheit und Gegenwart nebeneinander.

**현재 jetzt, zurzeit, derzeit → 지금**

현재 나는 고등학교 2학년에 다닌다. Zurzeit besuche ich die zweite Klasse einer Oberschule.

**호기심이 많은 neugierig**

호기심이 많다 neugierig sein

호기심이 많은 아이 ein neugieriges Kind

**호수 der See**

큰 호수 ein großer See

이 호수에 물고기가 있습니까? Gibt es in diesem See Fische?

이 호숫가에 텐트를 칠 수 있습니까? Darf man an diesem See zelten?

**호주/오스트레일리아 (das) Australien**

**혼성의 gemischt**

혼성(남녀공학) 학교에 다니다 eine gemischte Schule besuchen

나는 여학교에서 남녀공학으로 옮겼다. Ich bin von einer Mädchenschule auf eine gemischte Schule gewechselt.

**호의 das Wohlwollen, die Gunst**

호의에 감사드립니다. Vielen Dank für Ihr Wohlwollen.

그녀는 사장의 호의를 누리고 있다. Sie genießt das Wohlwollen des Chefs.

**혼인상황 der Familienstand**

혼인상황: 미혼, 기혼, 이혼 Familienstand: ledig, verheiratet, geschieden

**혼인 알림 die Heiratsanzeige → 청첩장**

**혼인 여부 der Familienstand → 혼인상황**

**홀 der Saal (복수: die Säle)**

큰 홀 ein großer Saal

우리는 그 성의 홀을 모두 관람하였다. Wir

haben alle Säle des Schlosses besichtigt.

**효과적인 effektiv**

이 방법이 매우 효과적이다. Diese Methode ist sehr effektiv.

**화가 나다 (누구/무엇에 대하여) sich über jn./et. ärgern**

나는 그의 행동에 대해서 화가 났다. Ich habe mich über sein Verhalten geärgert.

**화나게 하다 ärgern**

그가 나를 화나게 했다. Er hat mich geärgert.

**화내다/화를 내다**

그것에 대해서 화내지 마라! Ärgere dich nicht darüber!

그는 온갖 소소한 일에 화를 낸다. Er ärgert sich über jede Kleinigkeit.

**화랑 die Gallerie**

인사동에는 가볼 만한 화랑이 많다. In Insadong gibt es viele besuchenswerte Gallerien.

**화법/말 die Rede**

직접/간접 화법 direkte/indirekte Rede

**화장실 die Toilette**

화장실에 가다 auf die Toilette gehen

나는 화장실에 가야 해! Ich muss mal zur Toilette!

**확대하다/넓히다 erweitern**

독서를 많이 하는 사람은 지식을 빨리 확대할 수 있다. Wer viel liest, kann sein Wissen schnell erweitern.

**확실히 sicherlich → 분명히**

그는 확실히 온다. Er kommt sicherlich.

너는 확실히 그 시험에 합격할 수 있다. Du kannst die Prüfung sicherlich bestehen.

**확인하다 prüfen, überprüfen → 검토하다**

**확장하다 erweitern**

길이 확장된다. Die Straße wird erweitert.

이 건물이 확장되었다. Das Gebäude wurde erweitert.

**회복하다 (기운/건강을) sich erholen**

그는 수술 후 빠르게 회복했다. Er hat sich nach der Operation schnell erholt.

**회상하다 (누구/무엇을) sich an (jn./et.) erinnern**

나는 독일 유학 시절을 즐겨 회상한다. Ich erinnere mich gern an meine Studienzeit in Deutschland.

**회의 die Konferenz, die Sitzung**

회의를 구성/준비하다 eine Konferenz organisieren

회의를 준비하다 eine Konferenz vorbereiten

회의에 참석하다 an einer Konferenz teilnehmen

그 회의는 12월 힐튼호텔에서 열린다. Die Konferenz findet im Dezember im Hilton Hotel statt.

누가 회의를 주재합니까? Wer leitet die Sitzung?

회의가 곧 시작합니다. Die Sitzung beginnt gleich.

이로써 회의 1부가 끝났습니다. 잠시 커피 휴식시간을 갖도록 하겠습니다. Damit ist der erste Teil der Sitzung beendet. Wir machen eine kleine Kaffeepause.

**후식 der Nachtisch**

맛있는 후식 ein leckerer Nachtisch

후식을 마련하다 den Nachtisch zubereiten/

vorbereiten

후식으로는 무엇이 있습니까? - 후식으로는 아이스크림이 있다. Was gibt es zum Nachtisch? - Zum/Als Nachtisch gibt es Eis.

**후추 der Pfeffer**

후추나 소금이 필요합니까? Brauchen Sie Pfeffer oder Salz?

(그) 후추 좀 주시겠습니까? Würden Sie mir bitte den Pfeffer reichen?

소스에 후추 한 자밤을 넣다 eine Prise Pfeffer in die Soße geben

**후텁지근한 schwül**

한국은 7월에 종종 매우 후텁지근하다. In Korea ist es im Juli oft sehr schwül.

**훔치다 stehlen**

그 도둑이 내 지갑을 훔쳤다. Der Dieb hat meinen Geldbeutel gestohlen.

**휘젓다 umrühren**

죽을 잘 (휘)저으세요. Rühren Sie den Brei gut um.

**휴가 der Urlaub**

나의 다음 휴가는 독일에서 보낼 것이다. Meinen nächsten Urlaub werde ich in Deutschland verbringen.

나는 휴가가 일 년에 3주밖에 안 된다. Ich habe nur drei Wochen Urlaub im Jahr.

**휴식 die Erholung**

나는 꼭 휴식이 필요해. Ich brauche unbedingt Erholung.

**휴식하다/휴식을 취하다 sich ausruhen**

식사 후에 나는 항상 휴식을 좀 취해야 한다. Nach dem Essen muss ich mich immer etwas ausruhen.

**휴지통 der Papierkorb**

그는 광고지를 즉시 휴지통에 버렸다. Er hat die Werbeblätter gleich in den Papierkorb geworfen.

**흐르다 fließen**

한강은 서울을 관통해서 흐른다. Der Han-Fluss fließt durch Seoul.

**흐린 trüb**

일주일 내내 날씨가 흐렸다. Wir hatten die ganze Woche trübes Wetter.

흐린 날에는 일찍 일어나고 싶지 않다. An einem trüben Tag steht man nicht gern früh auf.

**흔들다 schütteln**

사용 전에 병을 흔들어 주세요. Bitte schütteln Sie die Flasche vor Gebrauch.

바람이 나무를 흔들었다. Der Wind schüttelte die Bäume.

**흔한/흔히 하는 üblich → 일반적인, 보통의**

그것은 흔한 방법이다. Das ist eine übliche Methode.

**흥미로운 interessant → 재미있는**

그는 흥미로운 사람이다. Er ist ein interessanter Mensch.

흥미로운 책/제안 ein interessantes Buch/Angebot

흥미로운 제안 ein interessanter Vorschlag

흥미를 끄는 attraktiv

흥미를 끄는 제안/제공 ein attraktives Angebot

**흥미를 느끼다 (...에) sich für et. interessieren**

음악에 흥미를 느끼다 sich für Musik interessieren

**희망하건대 ... 좋겠다 hoffentlich**

(희망하건대) 그가 다치지 않았으면 좋겠다!
Hoffentlich ist er nicht verletzt!

곧 다시 봤으면 좋겠습니다. Hoffentlich sehen wir uns bald wieder.

**희망하다 hoffen**

나는 내 꿈이 실현되기를 희망한다. Ich hoffe, dass meine Träume wahr werden.

**흰 소시지 die Weißwurst**

겨자가 딸린 흰 소시지 하나 주세요. Ich hätte gern eine Weißwurst mit Senf.

뮌헨은 그의 흰 소시지로 잘 알려져 있다.
München ist bekannt für seine Weißwürste.

**힘든 stressig, anstrengend → 스트레스를 주는**

서울 생활은 꽤 힘들다. Das Leben in Seoul ist ziemlich stressig.

나는 힘든 하루를 보냈다. Ich habe einen stressigen Tag hinter mir.

코로나바이러스가 일상생활을 매우 힘들게 한다. Das Corona-Virus macht das Alltagsleben sehr stressig.

# 어휘표

<독일어 작문 연습 I>에 사용된 낱말은 될 수 있는 대로 제외하였음.

Abbildung <die, -, -en> 그림 (6)

abholen 가져오다, 데려오다 (3)

Abkürzung <die, -, -en> 약자 (10)

ablegen <die Prüfung 시험> 치르다 (4)

ableisten <den Wehrdienst 군 복무> 마치다 (4)

abschleppen 견인하다 (9)

abschließen (과정을) 마치다, (학교 따위를) 졸업하다 (3)

Abschlussnote <die, -, -en> 졸업성적 (4)

Abschlussprüfung <die, -, -en> 졸업시험 (4)

abspielen (sich) 전개되다 (11)

Abteilung <die, -, -en> 과, 부서, 팀 (7)

Abteilungsbüro <das, -s, -s> 학과 사무실 (6)

Achtel <das, -s, -> ⅛ (9)

achten (auf et.) (...에) 주의하다 (11)

Akademie <die, -, -n> 학술원 (4)

akademisch 대학의 (5), 학문의

Allee <die, -, -n> 가로수길, 거리 (7)

als <종속접속사> ....로서(3), ... 때 (5), ...보다 (1)

Altstadt <die, -, -städte> 구도심 (2)

Ananas <die, -s, -/Ananasse> 파인애플 (10)

Ananassaft <der, -(e)s, -säfte> 파인애플 주스 (10)

Analyse <die, -, -en> 분석 (6)

anbei 동봉하여, 편지와 함께 (6)

anbieten 제공하다 (6)

anderthalb 1½ (7)

anfahren (차로 누구를) 치다 (11)

Anfängerkurs <der, -es, -se> 초보자 강좌 (7)

anfordern 요청하다 (7)

Anfrage <die, -, -n> 문의 (7)

anfragen 문의하다 (8)

Anfragemail <die, -, -n> 문의 메일 (8)

anfreunden (sich) 친해지다 (9)

Angabe <die, -, -n> 진술, 정보 (5)

Angebot <das, -(e)s, -e> 제공 (7)

Angelegenheit <die, -, -en> 일 (6)

angemessen 적정한 (12)

angenehm 쾌적한, (마음이) 편안한 (2)

Anglistik <die, -, 항상 단수> 영어영문학 (4)

Angst <die, -, Ängste> 두려움 (3)

Ankunftszeit <die, -, -en> 도착시각 (8)

Anlage <die, -, -en> 붙임, 별첨 (7)

Anmeldeformular <das, -(e)s, -e> 참가신청서 (7), 가입신청서, 전입신청서

annehmen 받아들이다, 수용하다 (6)

Anruf <der, -(e)s, -e> 전화 (2)

anschauen (sich, et.) (무엇을) 살펴보다 (8)

ansonsten 그렇지 않으면 (8)

anstatt <2격 요구 전치사> ...대신에 (12)

anstecken (sich) 감염되다 (9)

Anzeige <die, -e, -en> 광고 (7)

Apartment <das, -s, -s> 아파트 (2), 원룸아파트

Appetit <der, -(e)s, 항상 단수> 식욕 (10)
Guten Appetit! 맛있게 드세요!

ärgern 화나게 하다 (1)

Arm <der, -(e)s, -e> 팔 (11)

arm 불쌍한 (9), 가난한

Artikelfehler <der, -s, -> 관사 오류 (12)

Asienreise <die, -, -n> 아시아여행 (1)

Assistent <der, -en, -en> 보조원 (1)

attraktiv 매력적인 (2), 흥미를 끄는

Aufenthalt <der, -(e)s, -e> 체류 (7)

aufgeben (광고를) 게재하다 (7)

aufhören 중단하다 (4)

aufmachen 열다 (4)

Aufnahmeprüfung <die, -, -en> 입학시험 (4)

aufpassen (auf et.) (무엇을) 지키다 (9), 주의하다

aufschreiben 적다 (10)

aufwachsen 성장하다 (1)

Aufzug <der, -(e)s, -züge> 승강기 (1)

Ausbildung <die, -, -en> 직업교육, 양성 교육 (4)

auseinander gehen (서로) 갈라지다 (12)

ausführlich 상세한 (7)

auskennen (sich), 잘 알다 (1)

Auskunft, <die, -, künfte> 정보, 안내 (7)

Ausland <das, -s, 항상 단수> 외국 (7)

ausländisch 외국의 (4)

ausleihen (jm. et.) 빌려주다 (8)

ausmachen (einen Termin) (약속을) 정하다 (8)

auspacken (짐 따위를) 풀다 (9)

ausreichen (für) (...에) 충분하다 (6)

ausruhen (sich) 휴식을 취하다 (2)

Ausschnitt <der, -(e)s, -e> 발췌문 (단락) (8)

außerdem 게다가, 그밖에도 (11)

äußern 말하다, 표명하다 (12)

ausstellen (증서를) 발행하다, 교부하다 (6)

Ausstellung <die, -, -en> 전시회 (2)

Austauschprogramm <das, -(e)s, -e>교환 프로그램 (7)

Austauschschüler <der, -s, -> 교환학생 (7)

Austauschstudent <der, -en, -en> 교환 (대학)학생 (8)

Australien 오스트레일리아 <-, -s, 항상 단수> (7)

auswendig 외워서 (10), → auswendig lernen 외우다

auszeichnen (누구/무엇에게 무엇을) 수여하여 인정하다 (6)

aufwachsen 성장하다 (4)

Autofirma <die, -, -en> 자동차 회사 (5)

außerdem 그밖에도 (3)

B.A. (Bachelor of Arts) 학사 (5)

Ball <der, -(e)s, Bälle> 공 (11)

Bart <der, -(e)s, Bärte> 수염 (1)

Basar/Bazar <der, -s, -e> 바자(회) (12)

Bau <der, -(e)s, 항상 단수> 건설, 건조 (2)

Bauarbeit <die, -, -en> 건설 공사 (9)

bauen 건설하다 (1)

Baum <der, (e)s, Bäume) 나무 (3)

Baumwolle <die, -, 항상 단수> 면 (1)

Baustein <der, -(e)s, -e> 구성요소 (1)

beantworten 답변하다 (8)

Bearbeitung <die, -, -en> 가공 처리 (작업), 편집 작업 (5)

bedanken (sich (bei jm.) für et.) 무엇에 감사하다 (12)

bedeckt (구름에) 덮인 (1)

bedienen (et.) 무엇을 사용하다 (8), (jn.) bedienen 누구의 시중을 들다 (12)

Bedienung <die, -, 항상 단수 > 종업원 (4)

Beerdigung <die, -, -en> 장례에서 땅에 묻음 (12)

befinden (sich) (위치해) 있다 (2)

begeistert 도취한, 매료된 (9)

begegnen 마주치다 (3)

begleiten 수행하다 (4)

beilegen 동봉하다 (6)

bekannt 잘 알려진 (2)

Bekannte <der/die, -en, -en> 알고 지내는 사람, 지인 (6)

bellen (개가) 짖다 (9)

bemerken (존재를) 인식하다 (11)

benutzen 사용하다 (1)

bequem 편안한, 안락한 (2)

Bereich <der, -(e)s, -e> 분야, 영역 (5)

bereits 이미, 벌써 (8)

Bericht <der, -(e)s, -e> 보고(서) (11)

berichten 보고하다 (11)

beruflich 직업상의, 업무상의 (5)

Berufsleben <das, -ns, -> 직업 생활 (4)

beruhigen 진정시키다, 안심시키다 (9)

Beschenkte <der/die, -n, -n> 선물 받은 사람 (12), jn. beschenken 누구에게 선물을 주다

beschreiben 기술하다, 묘사하다 (2)

Beschreibung <die, -, -en> 기술, 묘사 (2)

Besichtigung <die, -, -en> 관람, 구경 (8)

besitzen 소유하다 (5)

Besitzer <der, -s, -> 주인 (9)

besonder- 특별한 (5)

besorgen (sich et.) (무엇을) 구입하다, 마련하다 (12)

bestehen 합격하다 (3)

bestellen (택시를) 부르다, 주문하다 (9)

bestimmt 분명히 (1)

Besuch <der, -(e)s, -e> 방문, 학교 수료 (3)

besuchen (강좌를) 수강하다 (3), (학교에) 다니다 (5)

besuchenswert 방문할 가치가 있는 (2)

beteiligt 참여한 (11), → beteiligen 참여시키다

betreuen 돌보다 (6)

Betreff <der, -(e)s, -e> 관련 (8)

betreffen 관련하다 (12)

Betreuung <die, -, -en> 돌봄 (6)

Betriebswirtschaftslehre <die, -, 항상 단수> 경영학 (6)

Bettwäsche <die, -, -n> 침구 세트 (8)

Bevölkerung <die, -, -en> 국민 (9)

bevor <종속접속사> ...전에 (4)

bewerben (sich um et.) ...에 응모/지원하다 (4)

Bewerber <der, -s, -> 응모자, 지원자 (8)

Bewerbung <die, -, -en> 응모, 지원(서) (4)

Bewerbungsmail <die, -, -s> 응모 메일 (8)

Bewerbungsunterlage <die, -, -en> 지원 서류 (7)

beifügen 덧붙이다, 첨부하다 (6)

Bibliothek <die, -, -en> 도서관 (9)

bieten 제공하다 (7)

Bildbeschreibung <die, -, -en> 그림 묘사 (1)

bis <종속접속사> ...까지 (9)

bitte <첨사> (공손한 표현에 사용) 부탁하건대 (8)

Bitte <die, -, -n> 부탁 (8)

bitten (누구에게 무엇을) 부탁하다 (jn. um et.) (8)

Blick <der, -(e)s, -e> 광경 (8), 시선

blühen (꽃이) 피다 (11)

Blumenstrauß <der, -es, -sträuße> 꽃다발 (12)
Boden <der, -s, Böden> (땅) 바닥 (9)
Bosnien (das) 보스니아 (1)
braten 굽다 (10)
Brautente <die, -, -en> 신랑 신부(를 상징하는) 오리 (12)
Brautpaar <das, -(e)s, -e> 결혼하는 쌍(신랑 신부) (12)
brechen 부러뜨리다 (11)
Broschüre <die, -, -en> 팸플릿 (7)
buchen 예약하다 (1)
Buchladen <der, -s, -läden> 서점 (12)
Buchmesse <die, -, -en> 도서 박람회 (2)
Bundesregierung <die, -, -en> (독일) 연방정부 (12)
Busfahrer <der, -s, -> 버스운전사 (11)
Bushaltestelle <die, -, -n> 버스정류장 (11)
Bußgeld <das, -(e)s, -er> 벌금 (9)
bzw. → beziehungsweise 내지, 또는 (6)
Charakteristik <die, -, -en> 특성 (2)
Chinesisch <das, -/-s, 항상 단수 > 중국어 (5)
Comic <der, -s, -s> 만화 (1)
cool <구어> 멋진 (1)
Coronavirus <der, -, -viren> 코로나바이러스 (9)
dabei 그것에 (9)
dahinter 그 뒤에 (3)
damals 그 당시 (1)
Dame <die, -, -n> 숙녀 (8)
damit <da + mit> (9)
danach <da + nach> 그다음에 (1)
dankbar 감사하는 (6)
Dankeschön <das, -s, 항상 단수> 감사 (12)
darauf → kurz darauf 곧 이어서, 잠시 후 (9)
Daten <die, -, - > 사항, 데이터 (5), persönliche Daten 인적사항
Datenverarbeitung <die, -, -en > 데이터 처리 (7)
dauern (시간이) 걸리다 (3)
dauernd 지속적으로 (1)
davon <da + von> (4)
davor 그전에 (1)
denn 도대체 (9)
Design <das, -s, -s> 디자인 (4)
Designbüro <das, -s, -s> 디자인 사무실 (4)
Designer <der, -s, -> 디자이너 (4)
Deutschland (das) 독일 (1)
Deutschlandreise <die, -, -n> 독일여행 (1)
Deutschlehrer <der, -s, -> 독일어 교사 (5)
Deutschlehrerausbildung <die, -, 항상 단수> 독일어 교사 양성 (교육) (5)
Deutschlehrerqualifikation <die, -, -en> 독일어 교사 자격 (5)
deutschsprachig 독일어의 (5)
Didaktik <die, -, 항상 단수> 교수법 (6)
diesmal 이번에 (12)
direkt 바로 (1), 직접의
Direktor <der, -s, -en> 교장 (12)
doch <첨사> ...잖아 (9); <대등접속사> 하지만 (11)
Doktorand <der, -en, -en> 박사학위 과정 학생 (6)
dolmetschen 통역하다 (5)
Dolmetscher <der, -s, -> 통역사 (4)
Dom <der, -(e)s, -e> 대성당 (1)
Dorf <das, -(e)s, Dörfer> 마을 (1)
dortig 거기의 (4)

draußen 밖에 (1)

dreieinhalb 3과 2분의 1 (9)

dringend 긴급한 (12)

dritt- 세 번째의 (3)

drittältest- 세 번째로 오래된 (4)

Drittel <das, -s, -> ⅓ (9)

drittgrößt- 세 번째로 큰 (4)

drüben 건너편에 (9)

Drucker <der, -s, -> 프린터 (8)

dunkel 어두운 (11)

dunkel- 짙은, 검- (1)

dünn 얇은 (10)

durch <4격 요구 전치사> (1)

durchfallen (시험에) 떨어지다 (4)

Durchführung <die, -, -en> 실행 (5)

durchziehen 스며들다 (10), → durchziehen lassen (양념이) 스며들게/배게 하다

ebenfalls 마찬가지로 (7)

effektiv 효과적인 (6)

Eheglück <das, -(e)s, 항상 단수> 결혼생활의 행복 (12)

ehemalig- 예전의 (1)

ehrlich 정직한, 솔직한 (12), ehrlich gesagt 솔직하게 말해서

Eiersalat <der, -(e)s, -e> 달걀 샐러드 (10)

ein- <부정대명사> 하나, 한 사람 (9)

einbiegen 돌아 들어가다 (11)

Eindruck <der, -(e)s, Eindrücke> 인상 (12)

eineindrittel 1⅓ (9)

eineinhalb 1½ (9)

eingelegt (양념에) 잰 (10), → einlegen (양념에) 재다

einkaufen 쇼핑하다, 구매하다 (2)

Einkaufsmöglichkeit <die, -, -en> 쇼핑 가능성 (8)

einlegen (양념에) 재우다, (소금에) 절이다 (10)

einsteigen (차에 올라) 타다 (11)

einwöchig 1주일간의 (1)

Einwohner <der, -s, -> 주민 (1)

Einzelzimmer <das, -s, -> 1인실 방 (8)

einziehen 입주하다 (6)

Einzimmerwohnung <die, -, -en> 원룸 (8)

Eishockey <das, -s, 항상 단수> 아이스하키 (12)

elektronisch 전자의 (7)

empfehlen 추천하다 (9)

Empfehlung <die, -, -en> 추천 (7)

Mit besten Empfehlungen <안녕을 기원하는 편지의 끝인사>

enthalten 포함하다 (8)

entscheiden (sich für et.) (무엇으로 하기로) 결정하다 (9)

entschuldigen (sich) 사과하다 (9)

enttäuscht 실망한 (9)

entwickeln 발전시키다, 개발하다 (4)

ereignen (sich), (일이) 벌어지다, 발생하다 (11)

Ereignis <das, -ses, -se> 벌어진 일, 사건 (9)

erfahren (듣거나 보고) 알(게 되)다 (6)

Erfahrung <die, -, -en> 경험 (5)

Erfolg <der, -(e)s, -e> 성공 (4)

Ergänzungstext <der, -(e)s, -e> 보충할 빈칸이 있는 텍스트 (1)

erhalten 받다, 수령하다 (6)

erinnern (sich an et.) 무엇을 회상하다 (1)

Erinnerung <die, -, -en> 회상 (3)

erklären 선언하다 (6)

Erklärung <die, -, -en> 설명 (6)

erlauben 허락하다 (9)

erlaubt 허락된 (9)

erleben 체험하다 (8)

Erlebnis <das, -es, -e> 체험 (7)

Eröffnungsfeier <die, -, -n> 개막식 (12)

erreichen 도달하다 (8)

Erschöpfung <die, -, -en; 보통 단수> 기진맥진함, 탈진 (9)

erschrocken 깜짝 놀라서 (9)

erst 비로소 (8), 우선

erstaunt (뜻밖이라서) 놀란 (9)

erstens 첫째 (9)

erwachsen 성인의, 성장한(7)

erweitern 확대하다 (6)

erwerben 취득하다, 습득하다 (5), 구하다

Esslöffel <der, -s, -> 숟가락, 스푼 (10)

etwas 조금, 약간 (2), (어떤) 것

europäisch 유럽의 (6)

existieren 존재하다 (2)

exotisch 이국적인 (2)

Experte <der, -n, -n> 전문가 (8)

Fachbegriff <der, -(e)s, -e> 전문 개념 (5)

Fachhochschule <die, -, -n> 전문학교 (3)

Fähigkeit <die, -, -en> 능력 (6)

Fahrkarte <die, -, -en> 차표 (6)

Fahrt <die, -, -en> 차를 타고 가기 (2)

Fall <der, -(e)s, Fälle> 경우 (4)

fallen 떨어지다 (9)

Familienreihenhaus <das, -es, -häuser> (가족형) 연립주택 (8)

Familienstand <der, -(e)s, 항상 단수> 혼인 여부, 혼인상황 (5)

Familienurlaub <der, -(e)s, -e> 가족 휴가 (1)

färben 염색하다 (10)

fehlen 없다 (9), 부족하다

fehlend 빠진, 부족한 (9)

Felsklettern <das, -s, 항상 단수> 암벽 기어오르기 (1)

Fensterputzer <der, -s, -> 창문청소부 (10)

Fernsehen <das, -s, 항상 단수> 텔레비전 (4)

fertig 끝마친 (1); fertig machen 지치게 하다 (2)

Filmfestspiele <die, -, 항상 복수> 영화제 (2)

Finger <der, -s, -> 손가락 (1)

Fischmarkt <der, -(e)s, -märkte> 어시장 (2)

fliegen 비행기를 타고 가다 (8)

fließen 흐르다 (2)

fließend 유창한 (5)

Flügel <der, -s, -> 날개 (12)

Flughafen <der, -s, -häfen> 공항 (2)

Fluss <die, -es, Flüsse> 강 (2)

Folge <die, -, -en> 결과 (11)

folgend 다음의 (8)

formell 공식적인 (7)

forschen 연구하다 (6)

Forscher <der, -s, -> 연구자 (6)

Fortbildungsseminar <das, -s, -e> 심화 교육 세미나 (5)

Fortgeschrittene <der/die, -n, -n> 상급자 (7), fortgeschritten 진보된, 고급의, 상급의

Fortgeschrittenenkurs <der, -es, -e> 고급 과정 (7)

fortsetzen 지속하다 (3)

Frankreich (das) 프랑스 (1)

Frauenuniversität <die, -, -en> 여자대학교 (3)

frei 자유로운 (8) freier Mitarbeiter 프리랜서(5)

Freizeit <die, -, 항상 단수> 자유시간, 여가 (12)

Fremdsprache <die, -, -en> 외국어 (5)

Fremdsprachenoberschule <die, -, -n> 외국어고등학교 (3)

frisch 신선한 (10)

Frühlingssemester <das, -s, -> 봄 학기 (8)

Frühstücksvorbereitungsmöglichkeit <die, -, -en> 아침 식사를 차려 먹을 가능성 (8)

Führerscheinprüfung <die, -, -en> 운전면허시험 (9)

funktionieren 기능하다, 작동하다 (8)

Fußballmannschaft <die, -, -en> 축구팀 (2)

Fußballspieler <der, -s, -> 축구선수 (1)

Gallerie <die, -, -n> 화랑 (2)

gar nicht 전혀 ... 아닌 (12)

Gasse <die, -, -n> 골목길 (2)

Gast <der, -(e)s, Gäste> 손님 (7)

Gastfamilie <die, -, -n> 민박가정 (7)

Gästezimmer <das, -s, -> 손님(을 위한) 방 (12)

Gebäude <das, -s, -> 건물 (1)

geben (sein Bestes) (최대의 노력을) 기울이다 (6)

Gebiet <das, -(e)s, -e> 영역 (6)

gebrochen 부러진 (11), brechen 부러뜨리다

Gebührenermäßigung <die, -,-en> 요금할인 (6)

Geburtenrate <die, -, -n> 출산율 (6)

Geburtsanzeige <die, -, -n> 출생 알림 (8)

Geburtshaus <das, -es, -häuser> 생가 (3)

Gedanke <der, -n, -n> 생각 (12)

Gedicht <das, -(e)s, -e> 시 (3)

geehrt <ehren의 과거분사> 존경하는 (6)

Gefallen <der, -s, -> 호의 (6)

Gefühl <das, -s, -e> 감, 정서 (12)

Gegenwart <die, -, 항상 단수> 현재 (2)

gehackt 다진 (10), → hacken 다지다

gehen (es geht) 가능하다 (8)

Gehminute <die, -, -en> 걸어서 걸리는 (시간으로) 분 (8)

gemischt 혼성의, 남녀공학의 (3)

genau 정확히 (1)

genauso 그만큼 (3)

genügend 충분한 (3)

Gepäck <das, -(e)s, 항상 단수> 짐 (9)

Gepäckstück <das, -(e)s, -e> (낱개의) 짐 (9)

Gerät <das, -(e)s, -e> 기기 (4)

Germanistik <die, -, 항상 단수> 독어독문학 (4)

Gesang <der, -(e)s, Gesänge> 성악 (6)

Geschäftsenglisch <das, -, 항상 단수> 비즈니스 영어, 실무 영어 (7)

Geschäftsmann <der, -(e)s, -männer/ Geschäftsleute> 비즈니스맨 (7)

geschält 껍질을 벗긴 (10), → schälen 껍질을 벗기다

geschehen (일이) 발생하다 (11)

geschieden 이혼한 (5)

geschnitten 썬, → schneiden 썰다

gewinnen 승리하다 (6), 얻다

gießen (물 따위를) 붓다 (10)

Gitter <das, -s, -> 격자(로 된)망, 철망 (1)

Glas <das, -es, Gläser> 잔 (12), 유리

gleich 곧바로, 즉시 (4)

gönnen (sich et.) (무엇을) 누리다 (12)

Grammatikfehler <der, -s, -> 문법 오류 (12)

Griechisch (das) 그리스어 (3)

Großstadt <die, -, -städte> 대도시 (2)

Grund <der, -(e)s, Gründe> 이유 (9)

Grundkenntnisse <die, -, 항상 복수> 기본지식

(5)

Grundschule <die, -, -n> 초등학교 (3)

Grundschulzeit <die, -, 항상 단수> 초등학교 시절 (3)

Grundstufe <die, -, n> 기초/초급 단계 (7)

Grundstufenkurs <der, -es, -e> 기초/초급 과정 (7)

Gummi <der, -s, -s> 고무 (1)

Gutachten <das, -s, -> 평가서 (7)

hacken 다지다 (10)

Hafen <der, -s, Häfen> 항구 (2)

Hafenstadt <die, -, -städte> 항구도시 (2)

Halbinsel <die, -, -n> 반도 (2)

halbtags 반나절 동안에 (8)

Hälfte <die, -, -n> 절반 (9)

Halt! <감탄사> 멈춰! (11)

Handschrift <die, -, -en> 필체 (8)

Handtuch <das,-(e)s, -tücher> 수건 (8)

Hase <der, -n, -n> 토끼 (1)

Hauptbahnhof <der, -(e)s, -bahnhöfe> 중앙역 (9)

Hauptstadt <die, -, -städte> 수도 (2)

Heimat <die, -, -en> 고향 (2)

Heimatdorf <das, -(e)s, -dörfer> 고향 마을 (2)

Heimatort <der, -(e)s, -e> 고향 (2)

Heimatstadt <die, -, -städte> 고향 도시 (2)

Heiratsanzeige <die, -, -n> 혼인 알림 (8)

Hektik <die, -, 항상 단수> 성급함, 어수선함 (2)

hektisch 정신없이/몹시 바쁜 (2)

herum 빙 둘러서 (2)

herumlaufen 이리저리 돌아다니며 뛰다 (9)

Herz <das, -en, -en> 심장, 가슴 (11)

heutzutage 오늘날 (12)

Hexe <die, -, -n> 마녀 (3)

hiermit 이로써 (12)

Hilfe <die, -, -n> 도움 (8)

Hilfskraft <die, -, -kräfte> 보조원, 조교 (5)

Himmelbett <das, -(e)s, -en> 4 기둥이 달린 침대 (9)

hinaufgehen 올라가다 (3)

hineingeben 집어넣다 (10)

hinten 뒤(쪽)에 (1)

hinter <3·4격 요구 전치사> ...뒤에 (1), ...뒤로

Hintergrund <der -(e)s, -gründe> 배경 (1)

Hinweisschild <das, -(e)s, -er> 안내판 (9)

hinzugeben 추가하다, 첨가하다 (10)

Hitze <die, -, 항상 단수> 열 (10), 더위

Hochachtungsvoll <편지 끝인사> 경의를 표하며 (7)

Hochhaus <das, -es, -häuser> 고층 건물 (2)

Hochschulausbildung <die, -, -en> 대학교육 (5)

Hochschule <die, -, -n> 대학 (3)

hochsteigen 올라가다 (1)

Hochzeit <die, -, -en> 결혼식 (12)

Hofbräuhaus, das <맥줏집> 호프브로이하우스 (2)

hoffen 희망하다 (4)

hoffentlich 희망하건대, 바라건대 (8)

holen 가져오다 (9)

Holz <das, -es, Hölzer> 나무 (12)

hölzern 나무의, 나무로 만든 (12)

Hosentasche <die, -, -n> 바지 주머니 (9)

Hospitation <die, -, -en> 수업 참관 (5)

Hügel <der, -s, -> 언덕 (1)

hungrig 배고픈 (9)

Immobilienanzeige <die, -, -n> 부동산 광고 (8)

Indefinitpronomen <das, -s, -> 불특정대명사 (9)

Indien (das) 인도 (4)

indirekt 간접 (11)

Industriestadt <die, -, -städte> 산업도시 (2)

Informatik <die, -, 항상 단수> 정보처리학, 전산학 (3)

Informatiker <der, -s, -> 정보처리사 (7)

Information <die, -, -en> 정보(7)

Informationsbroschüre <die, -, -n> 안내 팸플릿, 안내 책자 (7)

Informationsmaterial <das, -s, -materialien> 정보자료 (7)

Informationstechnik <die, -, 항상 단수> 정보기술 (2)

informieren (jn. über et.) (무엇에 대하여) 정보를 주다 (2)

informieren (sich über et.) (무엇에 대하여) 정보를 얻다 (2)

Inhalt <der, -(e)s, -e> 내용

Inserat <das, -(e)s, -e> 광고 (7)

insgesamt 전부, 총 (5)

Institution <die, -, -en> 기관 (5)

intensiv 집중적인 (7)

Intensivkurs <der, -es, -e> 집중강좌 (7)

Intensivtraining <das, -s, -s> 집중훈련 (7)

Interesse <das, -s, -n> 관심 (5)

interessieren (sich für et.) (...에) 흥미를 느끼다, 관심이 있다 (4)

international 국제적인 (3)

Internetseite <die, -, -n> 인터넷 사이트 (6)

interuniversitär 대학 간의 (5)

investieren 투자하다 (2)

Investition <die, -, -en> 투자 (2)

inzwischen 그 사이에 (9)

irgendwie (뭐라고 명확히 말할 수는 없지만) 어쨌지 (1)

Italienisch, das 이탈리아어 (5)

-jährig ...해의, ...살의 (5), 4-jährig 4년의, 네 살의

Japan (das) 일본 (7)

Japanisch <das, -/-s, 항상 단수> 일본어 (5)

jederzeit 언제든지 (6)

Journalist <der, -en, -en> 언론인 (4)

Journalistik <die, -, 항상 단수> 언론학 (4)

jugendlich 청소년의 (4)

Jugendliche <der/die, -n, -n> 청소년 (6)

Jungenoberschule <die, -, -n> 남자 고등학교 (3)

Jurastudium <das, -s, 항상 단수> 법학 공부 (3)

Kälte <die, -, 항상 단수> 추위 (9)

Kanada (das) 캐나다 (7)

kaputt 고장 난 (11)

Kasse <die, -, -n> 계산대 (9)

Katalog <der, -(e)s, -e> 카탈로그 (7)

kaum 거의 ...이 아닌 (3)

kein- ein-, welch-의 부정 (9)

kennenlernen (무엇을 처음으로) 알(게되)다, 사귀다 (12)

Kenntnisse <die, -, 항상 복수> 지식 (5)

Kinderbuch <das, -(e)s, -bücher> 어린이 책, 동화책 (12)

Kinderfoto <das, -s, -s> 어릴 때 사진 (1)

Kindergarten <der, -s, -gärten> 유치원 (1)

Kindergartenzeit <die, -, 항상 단수> 유치원 시절 (3)

Klammer <die, -, n> 괄호 (11)

Klasse <die, -, -n> 반, 학급 (3)

Klassensprecher <der, -s, -> 반장, 학급 대표 (3)
Klavier <das, -s, -e> 피아노 (6)
Kleinstadt <die, -, -städte> 소도시 (2)
klettern 기어오르다 (1)
klopfen 두근거리다 (11), 두드리다
knapp (조금 못 미치는) 약 (2)
Knoblauch <der, -(e)s, 항상 단수> 마늘 (10)
Kochrezept <das, -(e)s,-e 항상 단수> 요리법 (10)
Kochvokabel <die, -, -n> 요리 어휘 (10)
Koffer <der, -s, -> (각이 지고, 보통 딱딱한 재질로 된) 가방, 트렁크 (8)
kognitiv 인지의 (5), Kognitive Linguistik 인지 언어학
Kollege <der, -n, -n> (직장) 동류
Komfort <der, -s, 항상 단수> 편리함, 편안함 (8)
komfortabel 편리한, 편안한 (8)
Kompetenz <die, -, -en> 능력 (6)
Konferenz <die, -, -en> 회의 (5)
König <der, -(e)s, -e> 왕 (2)
Königsgrab <das, -(e)s, -gräber> 왕릉 (2)
Königspalast <der, -(e)s, -paläste> 왕궁 (2)
Konjunktur <die, -, -en> 경기 (6)
Kontakt <der, -(e)s, -e> 접촉 (7)
Kontaktanzeige <die, -, -n> 교제 광고 (8)
Kontaktaufnahme <die, -, -n> 접촉하기 (6)
Kopftuch <das, -(e)s, -tücher> 머리를 둘러싸는 천, 두건 (1)
Kopfverletzung <die, -, -en> 머리 부상 (11)
Kopie <die, -, -n> 복사 (7)
Korrekturtext 수정 텍스트 <der, -(e)s, -e > (11)
Krankenhaus <das, -es, -häuser> 병원 (11)
Krankenschwester <die, -, -n> 간호사 (5)
Krankenwagen <der, -, -> 병원차 (11)
kreativ 창의적인 (4)
Krimi <der, -s, -s> 범죄소설, 추리소설 (12)
Kritik <die, -, -en> 비판 (2)
Küche <die, -, -n> 음식, 요리 (2), 부엌
Kühlschrank <der, -(e)s, -schränke> 냉장고 (9)
Kultur <die, -, -en> 문화 (2)
Kulturstadt <die, -, -städte> 문화도시 (2)
Kunst <die, -, Künste> 예술 (4), bildende Kunst 조형예술 (4)
Künstliche Intelligenz (KI) <die, -n, 항상 단수> 인공지능 (6)
Kurs <der, -es, -e> 코스, 강좌 (4)
Kursende <das, -s, 항상 단수> 강좌 끝, 종강 (6)
Kursgebühr <die, -, -en> 강좌 수강료 (6)
Kursleiter <der, -s, -> 코스 지도자 (1)
Landschaft <die, -, -en> 산천, 자연경관 (2)
langweilen (sich) 지루해하다 (1)
Latein <das, -/-s, 항상 단수> 라틴어 (3)
Lauch <der, -(e)s, -e> 파 (10)
lauten ...라고 하다, (...말로) 구성되다 (9)
Lebenslauf <der, -(e)s, -läufe> 이력서 (5), 인생 역정
ledig 미혼의 (5)
Lehrpraktikum <das, -s, -praktika> 교육실습
Lehrstoff <der, -(e)s, -e> 교수 내용 (6)
leihen (sich et.) (무엇을) 빌리다 (9)
leisten 수행하다 (3)
Lektor <der, -s, -en> 외국어 강사 (6)
Leseverständnis <das, -ses, 항상 단수> 독해력 (6)
Lied <das, -(e)s, -er> 노래

links 왼쪽에 (1)

Linguistik <die, -, 항상 단수> 언어학 (5)

Literatur <die, -, 항상 단수> 문학 (3)

Logistik <die, -, 항상 단수> 물류 (6)

Logistikentwicklung <die, -, 항상 단수> 물류(사업)개발 (6)

lohnen (sich) 값어치가 있다 (6)

Lokal <das, -(e)s, -e> 음식점 (8)

los 벌어진, 발생한 (2), → los sein 벌어지다, 발생하다

lösen (문제, 과제를) 풀다, 해결하다 (8)

losfahren 출발하다 (11)

M. A. (Magister Artium; Magistra Artium; Master of Arts) 석사

machen (사진을) 찍다 (1), (어학코스를) 다니다, (여행을) 하다 (7) (실습을) 하다 (8), (금액이) ...이다 (9), (아침 식사를) 차리다 (9), (잠자리를) 정리하다 (10), (Spaß machen) 주다 (12), (sich Mühe machen) 노력하다 (12)

Mädchenoberschule <die, -, -n> 여자 고등학교 (3)

Magisterarbeit <die, -, -en> 석사 논문 (5)

Mayonnaise <die, -, -n> 마요네즈 (10)

Mama <die, -, -s> 엄마 (8)

Mannschaft <die, -, -en> 팀 (6)

Markt <der, -(e)s, Märkte> 시장 (2)

Maschinenbau <der, -s, 항상 단수> 기계공학 (6)

Masterarbeit <die, -, -en> 석사 논문 (6)

Masterstudium <das, -s, 항상 단수> 석사 과정

Material <das, -s, Materialien> 자료 (5), 재료

Medium <das, -s, Medien> 매체 (6)

medium 절반/중간 정도로 익힌 (10)

Medizin <die, -, 항상 단수> 의학 (9)

Mehl <das, -(e)s, -e> 밀가루 (10)

mehrer- 여러 (11)

meinen (...라는 뜻으로) 말하다 (1)

Mengenangabe <die, -, -n> 수량표시 (10)

Messe <die, -, -n> 박람회 (2)

Messestadt <die, -, -städte> 박람회 개최 도시 (2)

Militär <das, -s, 항상 단수> 군대 (3)

Militärdienst <der, -(e)s, 항상 단수> 군복무 (5)

Million <die, -, -en> 백만 (2)

Millionenstadt <die, -, -städte> 백만 명이 넘게 사는 도시 (2)

mischen 섞다 (5)

Mitarbeiter <der, -s, -> 직원 (5) ein freier Mitarbeiter 프리랜서

mitnehmen 데리고 가다 (9), 가지고 가다

Mittagessen <das, -s, -> 점심 (3)

mitteilen 알리다 (6)

mittelgroß 중간 크기의 (2)

Mittelschule <die, -, -n> 중학교 (3)

Mittelschulzeit <die, -, 항상 단수> 중학교 시절 (3)

Mittelstufenkurs <der, -es, -e> 중급강좌 (7)

mitten 가운데에 (1)

mittler- 중간의 (10)

Mobilfon/-phone <das, -s, 항상 단수> 이동전화, 핸디 (11)

Mode <die, -, -n> 패션 (6)

Modedesign <das, -s, -s> 패션 디자인 (6)

modern 현대적인, 세련된 (2)

mögen 좋아하다 (1)

Moment <der, -(e)s, -e> 순간 (10), im Moment

지금 (4), einen Moment 잠깐 (12)

-monatig ... 개월의 (8)

Müdigkeit <die, -, 항상 단수> 피로 (9)

Mühe <die, -, -n> 노고, 애(씀), 노력 (12)

Museum <das, -s, Museen> 박물관 (2)

Musikhochschule <die, -, -n> 음악 (전문)대학 (6)

Musikveranstaltung <die, -, -en> 음악 행사 (2)

Mut <die, -(e)s, 항상 단수> 용기 (7)

Muttersprache <die, -, -n> 모국어 (5)

Muttertag <der, -(e)s, -e> 어머니 날 (10)

Mütze <die, -, -n> (채양이 있는) 모자 (1)

nachdem <종속접속사> ... 다음에 (3)

Nachhilfe (der Nachhilfeunterricht) <die, -, 항상 단수> 과외 (12)

Nachricht <die, -, -en> 소식, <복수: die Nachrichten> 뉴스 (8)

nächst- 다음 (4)

Nähe <die, -, 항상 단수> 근처, 가까운 곳 (2)

nämlich 말하자면 (1)

naturwissenschaftlich 자연과학의 (3)

neben <3·4격 요구 전치사> ... 옆에(1), ...옆으로

nebeneinander (옆으로) 나란히 (2)

Nebenfach <das, -(e)s, -fächer> 부전공 (5)

Neffe <der, -n, -n> (남자) 조카 (1)

nervös 초조한 (9)

neugierig 호기심이 많은 (1)

Nobelpreis <der, -es, -e> 노벨상

Nominalisierung <die, -, -en> 명사화 (5)

Norden <der, -s, 항상 단수> 북쪽 (2)

nördlich 북쪽의 (3)

Norwegen (das) 노르웨이 (1)

Nordwesten <der, -s, 항상 단수> 북서쪽 (2)

Note <die, -, -n> 성적 (4)

Notiz <die, -, -en> 메모, 필기 (12)

nützlich 유익한, 유용한 (6)

oben 위 (1)

Oberschule <die, -, -n> 고등학교 (3)

Oberschullehrbuch <das, -(e)s, -bücher> 고등학교 교과서 (6)

Oberschulzeit <die, -, 항상 단수> 고등학교 시절 (3)

Oberstufe <die, -, -n> 고급 단계 (7)

Oberstufenkurs <der, -es, -e> 고급 과정 (7)

obig- 위의 (7)

obwohl (비록) ...지만 (9)

öffentlich 공공의, 대중의 (8)

offiziell 공식적인 (6)

Ohrring <der, -(e)s, -e> 귀걸이 (1)

Oktober <der, -s, -> 10월 (2)

Öl <das, -(e)s, -e> 기름 (10)

Optimierung <die, -, -en> 최적화 (6)

Ordnung <die, -, 항상 단수> 질서, 정돈 (9)

organisieren 조직하다, 만들다, 준비하다

Osten <der, -s, 항상 단수> 동쪽 (2)

Paar <der, -(e)s, -e> 쌍, 부부 (11)

packen 싸다 (9)

Palast <der, -(e)s, Paläste> 궁(궐) (2)

parken 주차하다 (9)

Parkplatz <der, -es, -plätze> 주차장 (9)

Parmesankäse <der, -s, -> 이탈리아 파르마 지방에 나오는 치즈(10)

Partizip <das, -s, -ien> 분사 (11)

Pass <der, -es, Pässe> 여권 (9)

passieren 발생하다 (9)

Passiv <das, -s, -e; 보통 단수> 수동태 (10)

Passivsatz <der, -es, -sätze> 수동태 문장 (10)
Peperonipaste <die, -, -n> 고추장 (10)
Peperonipulver <das, -s, -> 고춧가루 (10)
Parkmöglichkeit <die, -, -en> 주차 가능성 (8)
Pension <die, -, -en> 모텔, 펜션 (9)
Pensionsbesitzer <der, -s, -> 펜션 주인 (9)
Pfanne <die, -, -n> 프라이팬 (10)
Pfeffer <der, -s, 항상 단수> 후추 (10)
Pfund <das, -(e)s, 항상 단수> 500g (9)
Ph. D.-Studium <das, -s, 항상 단수> 박사학위 과정 (6)
Philosoph <der, -en, -en> 철학자 (2)
Plan <der, -(e)s, Pläne> 계획 (4)
planen 계획하다 (4)
Politiker <der, -s, -> 정치인 (9)
Popmusik <die, -, 항상 단수> 팝 음악 (1)
positiv 긍정적인 (8)
Praktikum <das, -s, Praktika> 실습 (4)
Praktikumsplatz <der, -es, -plätze> 실습 자리 (8)
praktisch (현장) 실습의 (5)
Präsens <das, -, Präsentia/Präsenzien> 현재 (11)
Präteritum <das, -s, Präterita> 과거 (시제) (10)
Presse <die, -, 항상 단수> 언론 (6)
Prise <die, -, -n> (가루의 단위로) 줌(10)
pro ... 당, 매 ... (8)
Professor (Prof.) <der, -s, -en> 교수 (6)
Programm <das, -(e)s, -e> 프로그램 (12)
Projekt <das, -(e)s, -e> 프로젝트 (7)
Promotion <die, -, -en> 박사학위 (과정, 수여) (6)
promovieren 박사학위를 취득하다 (4)
Provinz <die, -, -en> 지방 (2)
Provinzstadt <die, -, -städte> 지방 도시 (2)
prüfen 검사하다, 조사하다 (11)
Psychologie <die, -, 항상 단수> 심리학 (6)
Punktzahl <die, -, -en> 점수 (4)
putzen 깨끗하게 다듬다 (10), 닦다
Putzfrau <die, -, -en> 여자 청소부(10)
Qualifikation <die, -, -en> 자격 (5)
Radio <das, -s, -s> 라디오, 라디오 방송국 (4)
Rat <der, -(e)s, 항상 단수> 조언 (12)
Rathaus <das, -es, -häuser> 시청 (2)
Rechnen <das, -s, 항상 단수> 계산 (3)
rechts 오른쪽에 (1)
Rede <die, -, 항상 단수> 말, 화법 (11), die indirekte Rede 간접화법
Regel <die, -, -n> 규칙, in der Regel 보통 (8)
Regenschirm <der, -(e)s, -e> 우산 (9)
Regierung <die, -, -en> 정부 (2)
Regionalwissenschaft <die, -, -en> 지역학 (5)
Reihenfolge <die, -, -en> 순서 (8)
Reiseleiter <der, -s, -> 여행안내자 (4)
Reiswein <der, -(e)s, -e> 쌀로 빚은 술 (10)
reiten 말을 타다 (3)
rennen 뛰(어가)다 (11)
reparieren 수리하다 (10)
reservieren 예약하다 (9)
Residenz <die, -, -en> 저택 (2)
Rezept <das, -(e)s, -e> 요리법 (10)
riesig 거대한 (2)
Rindfleisch <das, -(e)s, 항상 단수> 쇠고기 (10)
Roman <der, -s, -e> 소설 (6)
Rückkehr <die, -, 항상 단수> 돌아가기 (3)
Rucksack <die, -, 항상 단수> 배낭 (4)
ruhig 편안한 (2)

Ruine <die, -, -n> 폐허, 잔해 (1)

Russland (das) 러시아 (1)

Salz <das, -es, -e> 소금 (9)

Salzwasser <das, -s, 항상 단수> 소금물 (10)

Sänger <der, -s, -> 가수 (1)

Satellitenstadt <die, -, -städte> 위성도시 (2)

Satzzeichen <das, -s, -> 문장부호 (9)

sauber 깨끗한 (9)

schaffen 해내다 (9)

schälen 껍질을 벗기다 (10)

Schalter <der, -s, -> 창구 (9)

schauen 바라보다 (9)

Scheibe <die, -, -n> 얇게 썬 조각 (10)

scheinen (zu ...) (...인 것) 같다 (9)

Schiff <das, -(e)s, -e> 배 (2)

Schild <das, -(e)s, -er> 표지판, 간판 (9)

schlank 날씬한 (3)

schleifen 스치며 끌다 (11)

schneiden 자르다 (10)

schreien 소리치다, 외치다 (11)

Schriftsteller <der, -s, -> 작가 (2)

Schulbildung <die, -, 항상 단수> (초·중등) 학교 교육 (5)

Schuld <die, -, 항상 단수> 잘못 (11)

Schüleraustausch <der, -(e)s, -austausche/austäusche> 학생교류 (7)

Schüleraustauschprogramm <das, -(e)s, -e> 학생교류 프로그램 (7)

Schülerradio <das, -s, -s> 학생 라디오 방송 (12)

schulisch (초·중등)학교의 (5)

Schüssel <die, -, -n> 사발, 대접 (10)

schütteln 흔들다 (9)

schwer 심한 (3)

Schwierigkeit <die, -, -en> 어려움 (3)

schwül 후텁지근한 (1)

sechswöchig- 6주간의 (9)

See <der, -s, -n> 호수 (1)

Sehnsucht <die, -, -süchte> 그리움 (9)

sehenswert 볼만한 (2)

Sehenswürdigkeit <die, -, -en> 구경거리 (2)

Seite <die, -, -n> 옆, 측면 (12), Geld zur Seite/auf die Seite legen 돈을 모으다

Sekunde <die, -, 항상 단수> 초 (9)

Semesterbeginn <der, -s, 항상 단수> 학기 시작 (8)

Seminarnotiz <die, -, -en> 세미나 (노트) 필기 (12)

senden 보내다 (7)

Senf <der, -(e)s, -e> 겨자 (10)

separat 분리된 (8)

servieren (음식을 상에) 내놓다 (10)

Sesamkorn <das, -(e)s, -körner> 깨 (10)

Sesamöl <das, -(e)s, -e> 참기름 (10)

setzen (in et.) (...으로) 변형하다 (9)

seufzen 한숨을 쉬다 (9)

Sherry <der, -s, -s> (남부 스페인산의 백포도주) 셰리 (10)

sicherlich 확실히 (4)

sinken 줄어들다 (6), 가라앉다

sinnvoll 의미 있는 (6)

Sitzung <die, -, -en> 회의 (8)

Skandinavien (das) 스칸디나비아 (1)

Skateboard <das, -s, -s> 스케이트보드 (1)

Skifahren <das, -s, 항상 단수> 스키 타기 (5)

sodass <종속접속사> ...어/아서, (그 결과) ... (11)

sogar 심지어, 조차 (12)

Sojasoße <die, -, -n> 간장 (10)

Sojaspross <der, -es, -en> <보통 복수: -en> 콩나물 (10)

Sojasprossensuppe <die, -, -n> 콩나물국 (10)

sollen ...라고 하다 (9)

Sommerkurs <der, -es, -e> 여름 강좌 (5)

Sonnenbrille <die, -, -n> 선글라스 (1)

Sorge <die, -, -n> 걱정 (9)

Soße <die, -, -n> 소스 (10)

soweit 여기까지 (8)

Spaghetti/Spagetti <die, -, -> 스파게티 (10)

sparen 절약하다 (4)

später 나중에 (4)

spazieren gehen 산책하다 (2)

Spezialist <der, -en, -en> 전문가 (6)

Spielplatz <der, -es, -plätze> 놀이터 (12)

Spitze <die, -, -n> 꼭대기 (1)

Sprachferien <die, -, -> 방학 중에 열리는 외국어연수, 어학연수 방학 (7)

Sprachkenntnis <die, -, -se; 보통 복수> 언어지식 (5)

Sprachprüfung <die, -, -en> 어학시험 (4)

Sprachreise <die, -, -n> 어학/외국어 연수 여행 (7)

Sprachtest <der, -(e)s, -e> 언어 테스트 (3)

Sprachtraining <das, -s, -s> 언어훈련 (7)

Sprachwissenschaft <die, -, -en> 언어학 (6)

Staat <der, -(e)s, -n> 국가 (4)

staatlich 국립의, 국가의 (4)

Staatsangehörigkeit <die, -, -en> 국적 (5)

Stadtbeschreibung <die, -, -n> 도시 묘사 (2)

Stadtmitte <die, -, -n> 시내 (8)

Stadtteil <der, -(e)s, -e> 도시의 한 부분/지역 (8)

stammen (aus) (...에서) 유래하다 (8), ... 출신이다

Stand <der, -(e)s, Stände> (거리의) 판매대 (9), der Hotdog-Stand 핫도그 판매대

Standort <der, -(e)s, -e> 위치, 소재지 (8)

Start-up <das, -s, -s> 창업, 새로 시작한 사업 (12)

Statistik <die, -, -en> 통계 (6)

stattfinden 개최되다, 열리다 (2)

stecken (...에) 집어넣다 (9)

steckenbleiben/stecken bleiben 끼어 걸려있다, 박혀있다 (11)

stehen 서 있다 (9), (für et.) stehen (무엇을) 나타내다, 뜻하다 (12)

stehlen 훔치다 (9)

Stelle <die, -, -n> 일자리 (4)

stellen (einen Antrag stellen) 신청하다 (4), (eine Frage stellen) (질문을) 하다

Stellenanzeige <die, -, -n> 일자리 광고, 구인광고 (7)

Stellenbewerbung <die, -, -en> 구직 (원서) (7)

Sterbeanzeige <die, -, -n> 부고 (8)

sterben 죽다 (6)

stimmen 맞다 (11)

Stimmung <die, -, -en> 분위기 (1)

Stockwerk <das, -(e)s, -e> 층 (2)

stoßen (auf etw.) (...에) 부딪치다, 봉착하다 (8)

Straßenmitte <die, -, -n> 길 가운데 (11)

Straßenrand <der, -(e)s, -ränder> 길가 (11)

Strauß <der, -es, Sträuße> (꽃) 다발 (12)

streiten 다투다, 싸우다 (1)

Stress <der, -es, 보통 단수> 스트레스 (2)

stressig 스트레스를 주는/받는 (2)

Studentenapartment <das, -s, -s> 대학생 원룸 아파트 (7)

Studentenaustausch <der, -(e)s, -e> 대학생 교환 (7)

Studienbeginn <der, -(e)s, 보통 단수> 대학 학업 시작 (4)

Studiengebühr <die, -, -en> 대학 등록금 (6)

Studienjahr <das, -(e)s, -e> 학년 (4)

Studienkollege <der, -n, -n> 대학 동창 (1)

Studienzeit <die, -, -en> 대학 수학 시절 (3)

Studium <das, -s, 항상 단수> 대학 수학 (5)

Stufe <die, -, -n> 계단의 단 (1)

Suche <die, -, -n> 찾기 (8)

Süden <der, -s, 항상 단수> 남쪽 (2)

südlich 남쪽의 (2)

Summe <die, -, -n> 액수 (12)

Symbol <das, -(e)s, -e> 상징 (12)

Tabelle <die, -, -n> 도표 (6)

tabellarisch 도표로 작성된 (5)

Tageszeitung <die, -, -en> 일간 신문 (5)

tageweise 일당으로 (8)

-tägig ...일의 (5), 14-tägig 14일의

tanzen 춤추다 (1)

Tasche <die, -, -n> 가방 (4)

tatsächlich 정말로 (9)

Tasche <die, -, -n> 가방 (4), 주머니 (9)

Taschengeld <das, -(e)s, -er> 용돈 (12)

Taxifahrer <der, -s, -> 택시 운전사 (9)

Technik <die, -, -en> 기술 (2)

Teilnahme <die, -, 항상 단수> 참가 (5)

Teelöffel <der, -s, -> 티스푼 (10)

Textaufbau <der, -s, 항상 단수>텍스트 구성 (1)

Textform <die, -, -en> 텍스트 형식 (5)

Theater <das, -s, ->연극공연장 (2), 연극 (공연) (3)

Theaterwissenschaft <die, -, -en> 연극학 (6)

Titel <der, -s, -> 제목 (6)

Todesanzeige <die, -, -n> 부고 (8)

Toilette <die, -, -n> 화장실 (8)

Tomatensoße <die, -, -n> 토마토소스 (10)

Toplage <die, -, -n> 최상의 위치 (8)

Tor <das, -(e)s, -e> 대문 (1)

Tourist <der, -en, -en> 관광객, 여행자 (1)

tragen 들다, 매다, 쓰(고 있)다 (1), (들어) 나르다 (8)

Traum <der, -(e)s, Träume> 꿈 (4)

traurig 슬픈 (3)

Treppe <die, -, -n> 계단 (1)

trotzdem 그런데도, 그럼에도 불구하고 (6)

trüb 흐린 (1)

Turm <der, -(e)s, Türme> 탑, 타워 (1)

Turmspitze <die, -, -n> 탑 꼭대기 (1)

U-Bahn <die, -, -en> 지하철 (3)

U-Bahnkarte <die, -, -n> 지하철 티켓 (3)

über <3·4격 요구 전치사> ...에 관하여, <부사> ...이 넘는, ...여 (3)

überlassen (jm. et.) (누구에게 무엇을) 넘겨주다 (8)

überlegen 숙고하다 (4)

Übernachtung <die, -, -en> 숙박 (8)

Übersetzer <der, -s, -> 번역사 (4)

Übersetzung <die, -, -en> 번역 (5)

üblich 보통의, 일반적인 (12)

um ... zu ... ...을 하러/하기 위하여 (3)

umfangreich 광범위한, 풍부한 (5)

umfassen 포함하다 (5)

umgehen (mit) (...을) 다루다 (5)

umrühren (휘)젓다 (10)

Umzug <der, -(e)s, Umzüge> 이사 (3)

unbedingt 무조건 (1)

und zwar 구체적으로 말하면 (2)

Unfallwagen <der, -s, -> 사고 차량 (11)

Universitätsaufnahmeprüfung <die, -, -en> 대학입학시험 (3)

Universitätsstadt <die, -, -städte> 대학도시 (2)

unten 아래(쪽)에 (1)

unterhalten 즐거운 시간을 만들어주다 (12)

unterhalten (sich) 대화를 나누다 (11)

Unterkunft <die, -, -künfte> 숙소 (8)

Unterlage <die, -, -n; 보통 복수> 서류 (7)

Unternehmen <das, -s, -> 기업 (5)

unterrichten 수업하다, 가르치다 (3)

Unterrichtspraxis <die, -, 항상 단수> 수업 실습 (5)

Unterrichtsstoff <der, -(e)s, -e> 수업 내용 (6)

Unterrichtsvertretung <die, -, -en> 대리수업 (5)

untersuchen 조사하다 (6)

Unterstützung <die, -, -en> 지원 (5)

unterwegs 여행 중인, 이동 중인 (4)

Urlaub <der, -(e)s, -e> 휴가 (1)

verantwortlich (für et.) (무엇에) 책임 있는 (8)

verboten 금지된 (9)

Verfügung <die, -, -en> 처분, 관장 (6)

Vergangenheit <die, -, 항상 단수> 과거 (2)

vergeben (다른 사람에게) 주고 없는 (8)

Verhalten <das, -s, -> 행동 (2)

verheiratet 결혼한, 기혼의 (5)

Verkauf <der, -(e)s, Verkäufe> 판매 (7)

Verkaufsteam <das, -s, -s> 판매팀 (7)

Verkehr <der, -s, 항상 단수> 교통 (8)

Verkehrsmittel <das, -s, -> 교통수단 (8)

Verkehrsverbindung <die, -, -en> 교통 연결(8)

verletzen 상처를 입히다 (11)

verletzen (sich) 다치다 (11)

Verletzung <die, -, -en> 상처, 부상 (11)

verletzt 다친, 상처 난 (11)

verliebt (in jn.) 사랑에 빠진 (11)

verlieren 잃다 (9)

vermissen 그리워하다 (9)

vermitteln 전수하다 (6)

Vermutung <die, -, -en> 추측 (9)

vernünftig 이성적인, 합리적인 (12)

Versammlung <die, -, -en> 회의, 모임 (12)

verschieden 다른, 상이한, 다양한 (1)

verschlechtern (sich) 악화되다 (6)

verschwinden 사라지다 (9)

verstecken (sich) 숨다 (9)

vertiefen 심화하다 (6)

vervollständigen 완성하다 (10)

verwenden 사용하다 (10)

verwirklichen 실현하다 (4)

verwitwet (배우자와) 사별한 (5)

viereinhalb 4와 2분의 1 (9)

Viertel <das, -s, -> 구역, 지역 (8)

Viertelstunde <die, -, -n> 15분 (8)

Vogel <der, -s, Vögel> 새 (11)

vorbei 지난, 지나버린 (9)

Vorfall <der, -(e)s, Vorfälle> (우연히) 벌어진 일, 해프닝 (11)

Vöglein <das, -s, -> 작은 새 (12)

Volksfest <das, -(e)s, -e> 민중 축제, 민간축제 (2)

Volkskundedorf <das, -(e)s, -dörfer> 민속 마을 (2)

voll 전부의, 온전한 (6)

voneinander 서로에게서 (8)

voraus, im Voraus 미리 (앞서서) (7)

vorbeischauen 들르다 (8)

vorbereiten (sich auf et.) (무엇을) 준비하다 (3)

Vorbereitungskurs <der, -es, -e> 준비강좌, 예비 강좌 (7)

Vorgang <der, -(e)s, -gänge> (일의) 진행 (9)

vorgestern 그제 (9)

Vorlesung <die, -, -en> 강의 (3)

Vorlesungsverzeichnis <das, -ses, -se> 강좌목록 (6)

vorletzt- 지지난 (4)

vorne 앞에 (1)

vorschlagen 제안하다 (1)

Vorschule <die, -, -n> 예비학교 (3)

vorstellen 소개하다 (1)

vorzüglich 심심한, 깊은 (7), 뛰어난

Wagen <der, -s, -> 자동차 (9)

während <2격 요구 전치사> ... 동안에 (1), <종속접속사> ... 동안

wahrscheinlich 아마도 (9)

Wald <der, -(e)s, Wälder> 숲 (1)

Webseite <die, -, -n> 웹사이트 (6)

Wechsel <der, -s, -> 바꿈, 전학 (Schulwechsel) (3)

wecken 깨우다 (3)

Wecker <der, -s, -> 자명종 시계 (9)

Weg <der, -(e)s, -e> 길 (7)

weg 없어진 (9), 가버린

wegbringen (다른 곳으로 옮겨) 치우다 (10)

Wehrdienst <der, -(e)s, -e> 군 복무 (4)

Weihnachtsstimmung <die, -, -en; 보통 단수> 크리스마스 분위기 (8)

weil <종속접속사> 때문에 (1)

Weißwurst <die, -, -würste> 흰 소시지 (2)

weiter 계속 (4)

weiter- 그밖에 또 (다른), 추가적인 (6)

Weiterbildung <die, -, -en> 추가교육 (5), 심화 교육

Weiterbildungsprogramm <das, -(e)s, -e> 추가 교육 프로그램 (5)

weiterentwickeln 더욱 발전시키다 (6)

weiterstudieren 이어서 공부하다 (6)

welch- 어떤 (8), (셀 수 없는) 어떤 것/(불특정 한 그런) 것들 (9)

weltberühmt 세계적으로 유명한 (2)

Weltreise <die, -, -n> 세계여행 (4)

Werbeanzeige <die, -, -n>(구인·구직) 광고 (8)

werden <조동사: 미래시제> ...것이다 (4), <조동사: 추측> ...것이다(4)

werfen 던지다 (11)

Westen <der, -s, 항상 단수> 서쪽 (2)

westfälisch (독일) 베스트팔렌의 (8)

westlich 서쪽의, 서쪽에 (3)

Westmeer <das, -(e)s, 항상 단수> 서해 (9)

Wiese <die, -, -n> 풀밭 (1)

Wirtschaft <die, -, -en> 경제 (5)

Wirtschaftsdeutsch <das, -s, 항상 단수> 경제독일어 (5)

Wirtschaftswissenschaft <die, -, -en> 경제학 (5)

wissenschaftlich 학문의 (6)

wochenweise 주당으로 (8)

-wöchig 주의 (5), 6-wöchig 6주의

wohl 아마도 (1)

Wohnfläche <die, -, -n> 주거면적 (8)

Wohnheimliste <die, -, -n> 기숙사 목록 (6)

Wohnungsanzeige <die, -, -n> 집 광고 (8)

Wohnungsinserat <das, -(e)s, -e> 집 광고 (8)

Wohnungssuche <die, -, -n> 집 구하기 (8)

Wörterbuch <das, -(e)s, -bücher> 사전 (2)

Wortschatz <der, -es, -schätze> 어휘 (6)

Wortschatzarbeit <die, -, 항상 단수> 어휘 학습 (6)

worüber 무엇에 관하여 (12)

wunderbar 매우 좋은 (8), 놀라운, 경이로운

Wunsch <der, -(e)s, Wünsche> 소원 (4)

Würfel <der, -, -> 주사위 (10)

Würstchen <das, -s, -> 작은 소시지 (9)

Würstchenbude <die, -, -n> 소시지 가게 (9)

wütend 격노한 (2)

zahlreich 수많은 (2)

zehntel 10분의 1 (9)

Zeichen <das, -s, -> 기호 (1)

zeichnen 그리다, 스케치하다 (4)

zeigen 보여주다 (2), 가리키다 (auf) (9)

Zeitalter <das, -s, -> 시대 (6)

Zeitung <die, -, -en> 신문사, 신문 (4)

Zeitungsartikel <der, -s, -> 신문 기사 (11)

Zertifikat <das, -(e)s, -e> 인증서 (5)

zerstören 파괴하다 (1)

Zeugnis <das, -ses, -se> 성적 증명서 (8)

ziehen 이사하다 (3), (양념이) 스며들다(10) (차 따위가) 우러나다

Ziel <das, -(e)s, -e> 목표 (9)

Zimmernummer <die, -, -n> 방 번호 (5)

zittern (몸을) 떨다 (9)

zu <접속사> zu-부정사의 zu (1)

zubereiten (음식을) 만들다 (10)

Zucchini <die, -, -s> 애호박 (10)

Zucker <der, -s, 항상 단수> 설탕 (9)

zufrieden 만족한 (12)

Zug <der, -(e)s, Züge> 기차 (9)

Zukunft <die, -, Zukünfte; 보통 단수> 미래 (4)

Zukunftsplan <der, -(e)s, -pläne> 미래계획 (4)

Zulassung <die, -, -en> 허가, 허락 (4)

Zulassungsantrag <der, -(e)s, -anträge> 입학허가신청서 (4)

zumachen 닫다 (11)

zunächst 우선, 맨 먼저 (1)

zurückbekommen 돌려받다 (9)

zurückbringen 다시/도로 가져다 두다, 다시/도로 가져오다 (9), 다시 가져다주다

zurückfliegen 비행기를 타고 돌아가다 (6)

zurückgehen (수치가) 줄어들다 (6), 돌아가다

zurückkehren 돌아가다/오다 (3)

zurückkommen 돌아오다 (9)

zurzeit 현재 (6)

Zusatzausbildung <die, -, -en> 추가교육 (5)

zuschicken 보내다 (7)

zusenden 보내다 (7)

Zusendung <die, -, -en> 발송 (7)

zuständig 담당하는 (6)

Zutat <die, -, -en> 재료 (10), 첨가물

zwar (..., aber) ...지만 (그러나) (1)

zweieinhalb 2½ (9)

zweimal 두 번 (9)

zweitens 둘째로 (9)

Zwiebel <die, -, -n> 양파 (10)

zwischendurch 중간중간에 이따금 (6)

Wie schreibt man auf Deutsch?

# 독일어 작문 연습 II


초판 인쇄 2021년 3월 24일
초판 발행 2021년 3월 31일

지은이 신형욱, Anneliese Stern-Ko
발행인 윤성우 Director, University Knowledge Press
편집장 신선호 Executive Knowledge Contents Creator
도서편집 이근영 Contents Creator
장혜정 Contents Creator
디자인 우승민 Designer
한지 Designer
재무관리 조아라 Managing Creator
정윤경 Managing Creator
전자책·사전 장혜린 Contents Creator
발행처 한국외국어대학교 지식출판콘텐츠원
02450 서울특별시 동대문구 이문로 107
전화 02)2173-2493~7
FAX 02)2173-3363
홈페이지 http://press.hufs.ac.kr
전자우편 press@hufs.ac.kr
출판등록 제6-6호(1969. 4. 30)
인쇄·제본 (주)케이프린텍 053)313-3673

ISBN 979-11-5901-856-5 [13750] 정가: 23,000원

* 잘못된 책은 교환하여 드립니다.





HU:iNE 은 한국외국어대학교출판부의 어학도서, 사회과학도서, 지역학 도서 Sub Brand이다. 한국외대의 영문명인 HUFS, 현명한 국제전문가 양성(International+Intelligent)의 의미를 담고 있으며, 휴인(携引)의 뜻인 '이끌다, 끌고 나가다'라는 의미처럼 출판계를 이끄는 리더로서, 혁신의 이미지를 담고 있다.